D1167651

¿QUIEN GOBIERNA EN COSTA RICA?

COLECCION SEIS

Oscar Arias Sánchez

¿Quién Gobierna en Costa Rica?

EDITORIAL UNIVERSITARIA CENTROAMERICANA

Tercera Edición
EDUCA, Centroamérica, 1984

320.972.86 Arias Sánchez, Oscar.
A696q ¿Quién gobierna en Costa Rica? : un estudio de liderazgo formal en Costa Rica / Oscar Arias Sánchez. -- 3. ed. -- San José, C.R. : EDUCA, 1984.
p. 380

ISBN 9977-30-062-3

1. Clase dirigente. 2. Costa Rica - Condiciones sociales. 3. Costa Rica - Política. 4. Participación política. I. Título.

ISBN 9977-30-062-3

Organismo de la Confederación Universitaria Centroamericana CSUCA, integrada por: Universidad de San Carlos de Guatemala, Universidad de El Salvador, Universidad Nacional Autónoma de Honduras, Universidad Nacional Autónoma de Nicaragua, Universidad Nacional de Costa Rica, Universidad de Costa Rica, Universidad Nacional de Panamá.

Apartado 64, Ciudad Universitaria Rodrigo Facio, Costa Rica.

A MI HIJA, SYLVIA EUGENIA

Quiero expresar mi sincero agradecimiento a mis alumnos de la Escuela de Ciencias Políticas de la Universidad de Costa Rica, por su aporte en la recolección del material necesario para el presente estudio.

PROLOGO

¿Quién Gobierna en Costa Rica? es un serio trabajo de investigación de Oscar Arias Sánchez, académico, funcionario público, político. Se trata de un estudio sobre el liderazgo formal en Costa Rica, en el cual se analizan los antecedentes, educación y situación económico-social de cuatrocientos sesenta y un costarricenses, que desde 1948 han contribuido a dirigir el país desde los Ministerios, la Asamblea Legislativa y la Corte Suprema de Justicia. Aunque la investigación es una tesis doctoral, el lector atento observará que el estudio ha sido enriquecido por la experiencia personal del Dr. Arias Sánchez, que no se limita a exponer técnicamente la metodología de la investigación y los resultados obtenidos, sino que aporta en algunas oportunidades su concreta experiencia de funcionario y su personal conocimiento en el campo político. Este es uno de los méritos del libro, pues le da más amplitud y seguramente mayor penetración en un círculo grande de interesados.

No es la primera oportunidad en que el Dr. Arias Sánchez se preocupa por estudiar sistemáticamente los problemas fundamentales de su país. A él se deben investigaciones muy laboriosas sobre problemas económicos y sociales, grupos de presión, asuntos estudiantiles y educación superior en Costa Rica. Y no sólo en el campo teórico ha dicho su palabra en forma clara y decidida, sino que en el terreno de la acción diaria ha dado su aporte inestimable para la concreta solución de esos problemas. El presente estudio refleja ese interés general, y esa actitud múltiple del académico, el funcionario y el político.

Se suele criticar a los sociólogos y a otros estudiosos del mundo social, que descubren a veces, después de largas y penosas investigaciones, lo que el hombre de la calle sabía por percepción propia o por sentido común. Pero la verdad es que en muchas oportunidades la investigación empírica echa por tierra los cómodos lugares comunes que la pereza, la complacencia o el descuido han ido acumulando. Así, por ejemplo, es sabido que en 1948 ocurrieron en Costa Rica algunas cosas importantes. A raíz de esos hechos se afirmaron las instituciones políticas (especialmente el libre sufragio), no sólo se mantuvieron sino que se ampliaron las conquistas sociales obtenidas desde 1940, y se inició un importante proceso de crecimiento económico y de tecnificación de los servicios estatales. Sin discutirlo mucho, los costarricenses de uno y otro lado hemos vivido en la creencia de que a partir de entonces la estructura de la dirigencia política formal se ha venido democratizando, abriéndose posibilidades nuevas a la gente joven y a los habitantes de las áreas rurales. Oscar Arias nos demuestra que esto no es así. Desde luego que en este cuarto de siglo hubo una década de vertiginoso crecimiento demográfico, un aumento espectacular en el ingreso por habitante, un sostenido esfuerzo nacional por ampliar las oportunidades de educación en las ciudades y en los campos, pero nada de esto significó que en estos años pudieran llegar más gentes de origen social modesto a las posiciones de comando político. La investigación del Dr. Arias Sánchez tiene la virtud muy útil de disipar uno de esos agradables prejuicios que tanto nos gustan a los costarricenses. Debemos agradecerle ese servicio.

Los costarricenses nos dejamos mecer por otros prejuicios consoladores, que Oscar Arias va revelando fríamente, con la objetividad del investigador social. Este es un país básicamente rural, con apenas un tercio de su población calificada como urbana. Sin embargo, en el cuarto de siglo que cubre el estudio –y a pesar de que las carreteras, la electricidad, las comunicaciones en general y la educación han penetrado en estas zonas– no se percibe que hayan mejorado las posibilidades de que las juventudes del campo tengan acceso a los cargos decisivos de la dirigencia formal. Otro tanto puede decirse –y la investigación lo demuestra– del pretendido acceso de la juventud a los cargos más altos en el Poder Ejecutivo, la Asamblea Legislativa y la Corte Suprema de Justicia. La verdad es que se ha elevado –después de 1948– el promedio de edad para ascender a esos puestos, a pesar de la supuesta importancia de los movimientos juveniles en este período, y a pesar del apoyo oficial que todos los gobiernos han dado a estas actividades. Es interesante señalar que hay una notable participación de los hombres menores de cuarenta años en el Gobierno del Dr. Calderón Guardia (1940-1944), y que el promedio de edad fue mucho más bajo en diversas épocas del siglo XIX.

El estudio hace muy importantes observaciones sobre la participación determinante de los abogados en el nivel más alto de la dirigencia formal. No es sorprendente el fenómeno, considerando –como el autor lo recuerda– que al clausurarse la Universidad de Santo Tomás en 1888 sólo continuó trabajando la Escuela de Derecho. Conviene agregar que los abogados están presentes en todos los esfuerzos que se hicieron después de 1888 para abrir de nuevo la Universidad, en una tarea sostenida que no se conoce suficientemente. De paso, el autor señala algunos puntos que pueden parecer secundarios o curiosos, pero que abren un campo prometedor para futuras investigaciones: por ejemplo, la circunstancia de que esta participación de los abogados haya sido menor en los gobiernos del Partido Liberación Nacional.

¿Quién Gobierna en Costa Rica? es un trabajo académico, escrito con la natural objetividad en este tipo de investigaciones; pero la obra tiende a una finalidad muy práctica, que refleja la vocación de servicio público del autor: el perfeccionamiento de nuestro sistema democrático. Plena y sinceramente demócrata, Oscar Arias comprende y reconoce las imperfecciones del sistema, y el peligro de ser complaciente con ellas. De ahí su preocupación por construir una real democracia participativa en Costa Rica, que les ofrezca a todos oportunidades concretas de influir en alguna medida en la solución de los problemas del país. Y esta preocupación no se refiere solamente a mejorar el esquema formal de grupos, asociaciones o partidos, sino que se extiende a problemas de fondo en el campo de la filosofía política: cómo lograr que en nuestro medio funcione una democracia moderna, pluralista y de base popular, fundamentada en la libertad y en la justicia social dentro de los marcos de una tolerancia auténtica.

Esta cuidadosa investigación que ahora llegará a las manos de miles de lectores, está escrita con sobriedad académica, libre de generalizaciones apresuradas. El Dr. Arias Sánchez advierte las limitaciones del estudio y el cuidado con que debe usarse la información, considerando el período estudiado y la novedad del tema en Centroamérica, pues, como él mismo lo señala, no se ha realizado hasta el momento en el área ninguna investigación semejante. La cautela de sus afirmaciones y la seriedad con que se ha realizado el trabajo, constituyen un mérito sobresaliente que debe destacarse.

¿Quién Gobierna en Costa Rica? es un libro serio, oportuno y útil, parte muy importante del gran esfuerzo por conocer a fondo lo que está

pasando en Costa Rica. Sólo el conocimiento de nuestra realidad nos dará la clave para la solución de sus problemas.

EUGENIO RODRIGUEZ

RECONOCIMIENTO

Durante los años dedicados a esta investigación, recibí el apoyo y la colaboración de muchas personas que se interesaron en mi trabajo.

Tengo una deuda de gratitud con Miguel Gómez, quien me ofreció, desde las primeras etapas de este estudio, sugerencias y orientaciones de gran utilidad para la recolección y tabulación de los datos. Mi sincero y profundo agradecimiento a Eugenio Fonseca, sin cuya ayuda mi tesis no hubiera tenido el mismo rigor científico. A Carlos Araya Pochet, por el aporte que hizo posible incluir el análisis histórico que se hace en el capítulo I, indispensable para una mejor comprensión de nuestra realidad política. Samuel Stone, Carlos Monge, Carlos José Gutiérrez y José Luis Vega hicieron valiosas críticas a diversos capítulos de este trabajo.

Mi reconocimiento a Ranjit Jayanti, Andrea Maikut y Mayra Ríos, quienes con paciencia y devoción me ayudaron en las investigaciones bibliográficas y en el trabajo de tabular los datos utilizados en el estudio. Mi gratitud también a Francine Fitszimmons, quien dedicó muchas horas a perfeccionar el inglés de la versión original de este trabajo. A Isaac Felipe Azofeifa, Víctor Julio Peralta y Laureano Albán, por la ayuda que me brindaron en esta versión española. Mi especial reconocimiento a Jorge Emilio Regidor, por su paciencia y dedicación para que este libro viera la luz.

A Carmen Mata, quien se encargó, sin perder su buen humor, de la mecanografía de mi tesis en pocos días y bajo una gran presión, así como a Ilse Kriebel y María Cecilia Dobles; a todas ellas mi agradecimiento.

A mi esposa, Margarita, coautora de este libro, mi eterno amor.

"S'il y avait un peuple de dieux, il se gouvernerait démocratiquement. Un gouvernement si parfait ne convient pas a des hommes."

Juan Jacobo Rousseau, "De la Democracia",
El Contrato Social,
capítulo IV.

INTRODUCCION

El objetivo de esta investigación es estudiar la condición socioeconómica de los ministros, los legisladores y los magistrados de la Corte Suprema de Justicia de Costa Rica, desde 1948 hasta 1974. Fueron escogidos estos tres puestos de poder porque representan las tres principales ramas de la autoridad o liderazgo formales en el gobierno costarricense. Hemos considerado únicamente las posiciones de liderazgo formal en los niveles superiores de la estructura gubernamental, y no el fenómeno del liderazgo informal en la sociedad.

Debido a la inexistencia en Costa Rica de investigaciones anteriores en este campo, nuestro primer objetivo es determinar algunas características socioeconómicas de la élite política nacional. El análisis se concentrará en el estrato social de los dirigentes: su educación, participación social y percepción acerca de la propia clase. A fin de analizar el grado de movilidad inter-generacional, se emplearán esas mismas variables, pero en relación con los antecedentes sociales de los padres del dirigente. La movilidad intra-generacional será analizada mediante la comparación del estrato social del dirigente cuando fue electo o nombrado por primera vez, y su estrato social en la actualidad.

Dentro de este marco conceptual examinamos seguidamente las características sociales y determinadas particularidades económicas de los dirigentes formales, seleccionadas con el fin de establecer si han experimentado cambios o no los han tenido, en el transcurso de los últimos 26 años. Hemos intentado determinar si es verdadera o falsa la opinión, defendida por muchos, de que la estructura del poder formal del gobierno costarricense se ha democratizado a partir de 1948, como resultado de los hechos políticos de ese año. Definimos la democratización, en este estudio, como el proceso expansivo de la representación directa de los estratos medios y bajos de la sociedad en los tres poderes de gobierno.

El año 1948 se toma como punto de partida debido a la guerra civil y las transformaciones políticas que ocurrieron en ese año. La revuelta se produjo después de que el Congreso anuló las elecciones, en un intento de instalar nuevamente a Rafael Angel Calderón Guardia como Presidente de la República.

Tanto el levantamiento como la Junta Provisional que gobernó al país durante dieciocho meses, entre 1948 y 1949, fueron dirigidos por José Figueres Ferrer. Durante este período una Asamblea Constituyente redactó la nueva Constitución de 1949, después de lo cual, la Junta entregó el mando del gobierno al legítimo ganador de las elecciones presidenciales de 1948, Otilio Ulate Blanco (1949-1953).

Se acepta generalmente que la "Revolución de 1948" marcó el fin de la dominación política de los grupos liberales. Según Alberto F. Cañas, los liberales asumieron el gobierno en 1906 e inauguraron formalmente en Costa Rica el más auténtico período democrático del país. Este período fue iniciado por Cleto González Víquez, continuado luego por Ricardo Jiménez Oreamuno y sostenido por ambos durante treinta años. Fue la edad de oro de la democracia liberal. Esta generación liberal pudo gobernar en paz debido a que contó con el apoyo de la plutocracia. Fueron los abogados de los grandes magnates cafetaleros –o ellos mismos– quienes se alternaron en los altos puestos gubernamentales. Esto fue posible gracias a que no existía en esta etapa ninguna diferencia entre las ideas claras y ejemplares de los liberales y los incipientes intereses de la plutocracia. En general, los congresistas eran caballeros de ciudad, cuidadosamente seleccionados y bien conocidos.[1] "La democracia costarricense era patriarcal, idílica, bucólica. Y como todo patriarcado, supone la existencia de una clase especial, de una casta, o en el peor de los casos, de una camarilla privilegiada."[2]

---

1 Alberto F. Cañas, *Los Ocho Años* (San José: Editorial Liberación Nacional, 1955), pág. 11.
2 *Ibid.*, pág. 12.

Con un examen cuidadoso de los datos acerca de los estratos sociales y los aspectos relacionados con ellos, debería ser posible verificar hasta qué punto el poder político formal ha pasado de manos de la clase alta a las clases medias y más bajas en los últimos veintiséis años. Sobre todo interesa establecer la validez de la afirmación según la cual desde 1948 el gobierno ha estado en manos de la clase media.

Otras dos ideas generalizadas acerca de los efectos de la Revolución de 1948 son objeto de este estudio. La primera sostiene que la representación de las áreas rurales en las tres ramas del gobierno ha aumentado como consecuencia de los acontecimientos ocurridos en 1948. Para verificar esta afirmación, analizamos el origen rural o urbano de los dirigentes: su lugar de nacimiento, su residencia al ser electos o nombrados y su domicilio en la actualidad. La segunda idea es que la Revolución de 1948 permitió una participación mayor de individuos jóvenes en puestos políticos de dirigencia formal. Para esto, así como para el estudio de la democratización y del origen rural o urbano, era necesario un marco comparativo a fin de medir el cambio. En consecuencia, se analizaron las mismas características mencionadas anteriormente, tomando como base cuatro períodos legislativos: dos anteriores y dos posteriores a 1948. La Asamblea Legislativa fue escogida para esta comparación por su importancia en la estructura gubernamental. Los poderes concedidos a la rama legislativa por la Constitución de 1949 sugieren que se tenía la intención de que la Asamblea fuera participante activa y directa en el proceso decisorio.[1]

En un esfuerzo por determinar si existe una carrera política vertical, en el sentido de escalar puestos políticos desde un nivel bajo hasta uno alto, estudiamos el "nivel" o tipo de cargo ocupado, la participación en el seno de los partidos políticos, la edad al ser electo por primera vez y el lapso de la participación política. Aparte de observar así la duración y el tipo de experiencia política, señalaremos aquellos individuos que, por su nivel socioeconómico, deberían ocupar puestos políticos bajos e intermedios antes de alcanzar la cima y nos referiremos también a quie-

---

1. Christopher E. Baker, *Costa Rican Legislative Behaviour in Perspective (El comportamiento político costarricense visto en perspectiva)*. (Sin publicar, tesis doctoral, Universidad de Florida, E.E.U.U., 1973), págs. 13-34.

nes no están obligados a hacerlo. Es válido esperar que los dirigentes de niveles sociales relativamente inferiores entren en la política desde la base, y que los dirigentes de las clases más altas no sólo ingresen más jóvenes en la política, pues no necesitan dedicarse por completo a sus profesiones, sino que, además, al no estar obligados a forjarse sus posiciones en el ascenso político, tienen la posibilidad de llegar directamente a puestos de altos niveles.

El grupo de dirigentes estudiados ha sido dividido según las tres tendencias políticas básicas: el Partido Liberación Nacional (PLN), un partido más o menos estable desde su creación después de la guerra civil de 1948; el Partido Unión Nacional (PUN), fundado en los años treinta; y el Partido Republicano Nacional (PRN), que ha existido fundamentalmente como mecanismo político-electoral desde los años veinte. Los dos últimos partidos se han combinado para formar el Partido Unificación Nacional en elecciones recientes, a fin de ofrecer una oposición unida frente a Liberación Nacional. Dado que el Unión Nacional y el Republicano Nacional son movimientos políticos de mayor antigüedad, más tradicionales y personalistas, es de esperar que apoyen como candidatos a individuos política y socioeconómicamente distintos de los representantes de Liberación Nacional. Este es un partido más moderno, orientado hacia los cambios, al menos en teoría, y cuyo historial como partido político coincide con la expansión del Estado y con el crecimiento de los sectores medios.

Es necesario hacer aquí una distinción entre los términos "élite" y "liderazgo". Aunque no hay una definición conceptual única de "élite", puede afirmarse que los estudios sobre élites se han limitado a un reducido número de personas que ocupan posiciones interconectadas en diferentes esferas institucionales de la vida social. Así, el concepto de élite ha puesto énfasis sobre cuáles individuos son los más poderosos, cuáles son sus características personales y, a veces, por qué llegaron a formar parte de la élite política. Por su parte, el concepto de "liderazgo" se refiere a rasgos típicos de la interacción entre personas, una o algunas de las cuales ejercen poder sobre las demás.

Hemos intentado estudiar los factores de élite y liderazgo en Costa Rica sin confundir sus significados, aunque por razones prácticas se utiliza el término "grupo de liderazgo" para hacer referencia a la totalidad de los individuos estudiados. El fenómeno de la élite es estudiado de manera descriptiva por medio del análisis del origen socioeconómico, la condición social y la preparación personal de sus miembros. Estos factores definen al individuo político. También procuramos determinar si existe o no una jerarquía de élites, si los miembros de la rama ejecutiva del gobierno tienen una posición socioeconómica más alta que los legisladores y si pertenecen a familias históricamente dominantes en el escenario político. Además, nos interesa comparar estas características con las de la mayoría de la población costarricense, según los datos censales.

En el análisis del liderazgo, en su sentido estricto, se requieren otras apreciaciones y técnicas. En nuestro estudio, que incluye a todas las personas que han ocupado elevados puestos gubernamentales desde 1948, el factor de liderazgo o comportamiento de élite se observa, fundamentalmente, mediante variables tales como la participación social y la experiencia política. Además, el análisis detallado de los integrantes de la Asamblea Legislativa en el período 1966-1970 examina, en concreto, su ideología. ¿A qué intereses e influencias responden? ¿Cuáles son sus opiniones acerca de una amplia gama de asuntos nacionales e internacionales?

El estudio de la rama judicial, que se concentra en un grupo de magistrados de la Corte Suprema, incluye el análisis de las mismas características esenciales inherentes a quienes forman el Gabinete y a los legisladores. Sin embargo, los magistrados se estudian en un capítulo aparte, porque una de sus peculiaridades es que éstos no participan en la política electoral.

En síntesis, esta investigación pretende: primero, definir algunas características socioeconómicas de la élite formal, sobre todo sus antecedentes socioeconómicos. Segundo, determinar si han ocurrido cambios en la composición social de la élite durante el período que se estudia, e interpretar las posibles causas de esos cambios y sus efectos sobre la vida política nacional. Tercero, analizar las diferencias en la composición socioeconómica de los miembros de los tres partidos políticos. Cuarto, estudiar los rasgos típicos de las carreras políticas de los dirigentes. Quinto, examinar la composición socioeconómica de los profesionales del derecho en la estructura política. Sexto, analizar las diferencias ideológicas entre los dirigentes.

Finalmente, debe hacerse hincapié en el hecho de que este estudio es algo más que una evaluación de 461 dirigentes formales; es también un medio para identificar y evaluar algunos aspectos significativos del ambiente social y político del cual forman parte esos dirigentes.

PRIMERA PARTE

MARCO GENERAL

CAPITULO I

EL MARCO HISTORICO

El período colonial: El progreso y el desarrollo de Costa Rica durante el período colonial se caracterizaron por el aislamiento y la pobreza prevalecientes en el país. Su estructura económica difería notablemente de la de Nueva España o la del Perú. El país no se podía enmarcar dentro de los patrones de la economía mercantil colonial, sino que formaba parte del grupo de países que no podían suministrar metales preciosos y cosechas de valor para la economía metropolitana. Esta característica, entre otras, produjo el aislamiento de Costa Rica y, en consecuencia, el país no fue incorporado a la corriente principal del comercio con el mundo exterior. No obstante, este aislamiento permitió una mayor libertad de acción para los colonos. La mayor parte de ellos vivía en el Valle Central, bajo un régimen que los eximía del sistema político-administrativo de carácter coactivo, que sí se desarrolló en las regiones más estratégicas del imperio colonial. A falta de población indígena o criolla considerable, pudieron consolidar sólo hasta cierto punto la explotación de la tierra, aunque en ese tiempo no había recursos minerales explotables. Algunos gobernadores, como Tomás de Acosta y Juan de Dios de Ayala, adoptaron el papel del terrateniente paternalista creador de lo que algunos historiadores costarricenses denominan "una democracia rural".[1]

---

1 Rodrigo Facio, *Estudio sobre Economía Costarricense* (San José: Editorial Costa Rica, 1972), págs. 8-29; Carlos Monge, *Historia de Costa Rica* (San José: Imprenta Las Américas, 7a. edición, 1955), págs. 126-130.

La democracia rural: Dentro de esta estructura social y económica fue anunciada, inesperadamente, la separación de España en 1821. Fue un hito histórico que alcanzó Costa Rica sin ningún esfuerzo, ya que el acontecimiento fue producto de fuerzas externas al país, merced a la influencia de Guatemala y México. Por lo tanto, a diferencia de otras regiones hispanoamericanas, en Costa Rica no se dieron las tensiones usuales entre los diversos sectores de la clase dominante.[1]

La crisis económica resultante de la falta de capital en el período posterior a la independencia se sintió menos en Costa Rica, Venezuela y Argentina que en México y Perú. El resultado fue que el fenómeno de la recuperación que se desarrolló a partir de 1844 fue más rápido en los países marginales del antiguo imperio español. Otras naciones como México y Perú, que jugaron un papel importante en la economía colonial hispanoamericana, tuvieron que enfrentarse a graves problemas, debido a la falta de capital para la explotación de las minas, pues en ese tiempo era prohibido obtenerlo de Inglaterra. En su condición de país marginal, Costa Rica no tenía, en cambio, grandes atractivos económicos, e intentó encontrar una manera de vincularse a los mercados metropolitanos mediante el cultivo de productos agrícolas básicos.

En 1844, antes que cualquier otro país centroamericano, Costa Rica empieza a exportar café a Inglaterra, y comienza a experimentar el beneficio de las tendencias ascendentes de los precios, un fenómeno económico típico de la segunda mitad del siglo XIX.[2]

Desde entonces, la nación empezó a tener conciencia de su condición de Estado, gracias al papel centralizador jugado por Braulio Carrillo (1838-1842) y su política de expansión. Con el apoyo de grupos de San José, Carrillo derrotó a los elementos que se oponían a la unidad e integración nacionales. Una nueva legislación consolidó este proceso.

---

1 Ricardo Fernández, *La Independencia* (San José: Publicaciones de la Universidad de Costa Rica, 1971), págs. 73-132; Tulio Halperín, *Historia Contemporánea de América Latina* (Madrid: Alianza Editorial, 1969), págs. 75-113; Rafael Obregón, *Nuestra Historia Patria: Los Primeros Días de Independencia* (San José: Serie Historia y Geografía No. 10. Publicaciones de la Universidad de Costa Rica, 1971), págs. 27-98.

2 Tulio Halperín, *Historia Contemporánea de América Latina* (Madrid: Alianza Editoral, 1969), págs. 146-147.

Esta era una ley arbitraria y dictatorial, con carácter de Constitución Política, que abarcaba incluso los hechos más insignificantes, tales como los métodos para la construcción de viviendas y caminos, así como normas sobre el comportamiento social y moral, diferentes maneras de cultivar la tierra, y el mantenimiento de la ley y el orden.[1] Algunos años después se establecieron los primeros cimientos de un sistema educativo nacional. En 1843 se fundó la Universidad de Santo Tomás, por iniciativa del doctor José María Castro Madriz, en un intento de elevar el carácter cívico y cultural de la democracia costarricense. El doctor Castro fue el creador de un movimiento espiritual que habría de proyectarse a todo lo largo de la historia cultural de nuestro país. Quiso moldear las virtudes sobresalientes de los individuos a fin de fortalecer su libertad, dignidad y su espíritu de servicio a la comunidad.

Paralelamente y como contrapeso de esta imagen superior del hombre y las instituciones republicanas, surgió una oligarquía político-mercantil que dominó la política, así como la vida económica y social del país. Esta oligarquía se mantuvo en el poder mediante un ejército que, por su posición y su carácter subordinado, no creó una "casta", como sucedió en algunas de las nuevas repúblicas sudamericanas una vez que terminó la gesta de Bolívar.

A causa de las diferencias entre los representantes de la oligarquía político-mercantil, a lo largo de una prolongada etapa del siglo XIX hubo golpes de estado y períodos de trastorno en los cuales fueron electos y depuestos presidentes, simplemente para satisfacer los intereses y el orgullo de grupos en pugna. No obstante, debido al carácter civil de la oligarquía, el ejército no constituyó un poder independiente por sí mismo.

La creciente importancia del café, el único producto de exportación, elevó el valor de la tierra en el Valle Central y produjo el surgimiento de una nueva clase que consolidó su posición al adquirir tierras para plantaciones de este fruto. De este modo, se destruyó el relativo equili-

---

1 Matilde Cerdas, "La dictadura del Lic. Braulio Carrillo (1838-1842)" (sin publicar, tesis doctoral, Universidad de Costa Rica, San José, 1972), págs. 181-190; Rodolfo Cerdas, *La Formación del Estado en Costa Rica* (San José: Editorial Universitaria, Universidad de Costa Rica), págs. 24-67.

brio de la propiedad sobre la tierra que se había mantenido desde la época colonial. Además, comenzó a desarrollarse una escisión, que no siempre se definió con claridad, entre los grupos hegemónicos de comerciantes y los productores de café. Esto, a su vez, motivó conflictos entre diferentes sectores de la clase dominante en la segunda mitad del siglo XIX y condujo a la designación de Presidentes que estaban ligados con uno u otro de estos grupos, dirigidos por Juan Rafael Mora (1849-1859) o José María Montealegre (1859-1863).

Junto con este proceso, se acentuaron las diferencias entre las clases sociales y se formó una nueva, compuesta por trabajadores asalariados que, en muchos casos, habían sido despojados de su pequeña propiedad debido a la nueva situación económica.

De la dictadura al liberalismo: A partir de 1870 se desarrolla una nueva era en la historia costarricense bajo la dictadura de Tomás Guardia, que duró hasta 1882, cuando éste murió. La "Epoca de Guardia" tiene semejanzas con la de Porfirio Díaz en México, en cuanto a su estructura económica. Costa Rica abrió sus puertas a la influencia del capital extranjero, el cual comenzó a dirigir empresas económicas con una fuerte inclinación imperialista, a diferencia del papel meramente financiero que había jugado hasta entonces. El cultivo del banano y la construcción de la vía ferroviaria al Atlántico se convirtieron en los medios para la penetración del capital norteamericano y, en menor medida, del capital inglés. La élite hegemónica de colonos resultó incapaz de competir con el capital extranjero y, en consecuencia, se vio obligada a compartir con ese capital el liderazgo del país.[1]

Las tendencias civiles predominaron lo suficiente como para impedir el fortalecimiento de la institución militar. El carácter dictatorial rígido de la época se debilitó en manos de los sucesores de Guardia.[2] Después de la muerte de éste, que había revestido al Estado de una condición

---

1 Chester Jones, *La República de Costa Rica y la Civilización en el Caribe* (San José: Imprenta Borrasé, 1940), págs. 89-100; Watt Stewart, *Keith y Costa Rica* (San José: Editorial Costa Rica, 1967), págs. 160-175.

2 Hugo Navarro, *La Generación del 48* (México D.F.: Ediciones Humanismo, 1957), págs. 24-35; Hernán Peralta, *Don Rafael Yglesias* (San José: Editorial Costa Rica, 1968), págs. 124-151.

superior y una autoridad incuestionable, el país recobró gradualmente la libertad de prensa y de sufragio, suprimidas totalmente por más de una década. En este período el país había madurado, y estaba listo para organizar su vida económica, social y política de acuerdo con el modelo liberal del siglo XIX. El liberalismo en Costa Rica adoptó una forma diferente del liberalismo europeo.

En poco menos de veinte años, con éxitos y fracasos, el liberalismo penetró en la vida política de Costa Rica. Este movimiento alcanzó su punto culminante entre 1906 y 1914, tanto en los asuntos económicos como en la libertad de prensa y de sufragio. A raíz de ello, se promulgó el sistema de elecciones mediante el sufragio universal y directo, y los partidos políticos, aunque de carácter personalista, perfeccionaron su organización.

Los liberales tienen a su haber la modernización y ampliación de la educación primaria y secundaria. Sin embargo, los procesos históricos no se llevaron a cabo de una manera muy pacífica, en especial por lo que se refiere a la Iglesia Católica. De hecho, la Iglesia se opuso a las famosas "leyes liberales", que fueron promulgadas entre 1884 y 1890. Estas incluían algunas reformas institucionales como la secularización de los cementerios, el establecimiento del matrimonio civil, el divorcio, la prohibición de las órdenes religiosas y el cierre de la Universidad pontificia de Santo Tomás (1888), a la cual se acusó de estar basada en preceptos medievales.

A pesar del desarrollo en campos muy diferentes, la estructura social casi no se vio afectada. La formación del proletariado se aceleró por varios factores: la compra de pequeñas propiedades por terratenientes ricos, el aumento de población (que se elevó de 146.000 habitantes en 1870 a 300.000 en 1900), y la corriente de inmigrantes negros de Jamaica, que suministró mano de obra para la construcción del ferrocarril al Atlántico y para la producción bananera.[1]

Hacia un Estado de bienestar social: El período desde 1914 hasta 1949 marcó una fase completamente nueva en la historia del país. Su

---

1 Rodolfo Cerdas, *La Crisis de la Democracia Liberal en Costa Rica* (San José: Editorial EDUCA, 1972), págs. 58-61; Rodrigo Facio, *Estudios sobre Economía Costarricense*, págs. 50-62.

característica más notoria fue la intervención del Estado en las actividades sociales y económicas. Esta fue un reflejo de las condiciones externas, en un mundo en que la influencia de las revoluciones soviética y mexicana se hacía sentir. Este proceso sería gradual, ya que el liberalismo del siglo XIX aún predominaba como "institución histórica" en la sociedad costarricense.

Desde 1914 hasta 1940 una serie de reformas señalan la tendencia intervencionista: por ejemplo, el gobierno de Alfredo González Flores (1914-1917) introdujo los impuestos directos, estableció el primer banco del Estado y decidió financiar al pequeño agricultor que producía artículos de subsistencia. Estos intentos de reforma provocaron la reacción de los cafetaleros, quienes trabajaban en asocio con inversionistas extranjeros, los cuales estaban deseosos de obtener concesiones petroleras, que González Flores se negó a otorgarles. Esto condujo a su derrocamiento como Presidente.

El golpe llevó al poder a un militar, Federico Tinoco (1917-1919), quien estableció la única dictadura en este siglo. Sin embargo, al permanecer ilegalmente en el poder, Tinoco no se amoldaba a la nueva política latinoamericana de Woodrow Wilson. Este factor, junto con la resistencia interna, contribuyó en alto grado a su caída y a la elección de Julio Acosta (1920-1924). En esta elección se definió en forma sutil, por primera vez, una serie de fuerzas políticas que se habían mantenido latentes desde los años de González Flores. Así, el año 1920 marcó el principio de un cambio importante en el país. En este período nació el Partido Reformista, el primer partido ideológico, orientado por la filosofía socialcristiana; pero debido a las circunstancias históricas no logró llegar al poder. Sin embargo, señaló las metas de cambio institucional que fueron logradas, más adelante, por el Partido Comunista y el Republicano Nacional, durante los años cuarenta.

A la extinción del Partido Reformista en 1930 siguió la absorción de sus restantes miembros por el recién fundado Partido Comunista. El núcleo de intelectuales, artesanos urbanos y trabajadores de las plantaciones bananeras que constituyeron el Partido Comunista, se convirtió en la voz de la disensión.[1]

---

1 Adolfo Herrera y otros, *Partido Vanguardia Popular: Breve esbozo de su Historia* (San José: Ediciones Revolución, 1971), págs. 7-56; Marina Volio, *Jorge Volio y el Partido Reformista* (San José: Editorial Costa Rica, 1972), págs. 103-138.

Después de 1940, el país entró en un período de crisis, debido tanto a factores externos (la Segunda Guerra Mundial), como internos (la influencia de los movimientos reformistas, que apoyaban la intervención estatal en los campos económico y social). Esta simbiosis de elementos predominó, sobre todo, entre los grupos de clase obrera, que se organizaron en dos sindicatos principales: uno con base marxista (la Confederación General de Trabajadores) y otro con base cristiana (Rerum Novarum). Estos sindicatos ejercieron presión sobre la estructura política con el fin de lograr mejoras sustanciales, tanto en las condiciones de trabajo como en el contexto de la seguridad social.

Otro grupo que comenzó a hacerse sentir surgió de los sectores medios de la sociedad. Incluía principalmente a intelectuales, profesionales, estudiantes y administradores de pequeñas empresas. Tales grupos parecían estar ligados, en mayor o menor grado, a la recién fundada Universidad de Costa Rica. El principal centro para la acción política nació como Centro para el Estudio de los Problemas Nacionales (1943), del cual se originó una ideología reformista. Su objetivo era el poder político, como medio para reforzar la ruptura con el grupo oligárquico tradicional. Primero el sector de clase obrera y luego el de clase media, serían, pues, los centros de los procesos de reforma entre 1940 y 1950.[1]

El movimiento que respaldó el cambo institucional, a favor del sector de la clase obrera, provino de varios grupos políticos, de los cuales el gobierno de Rafael Angel Calderón Guardia (1940-1944) y el gobierno de Teodoro Picado (1944-1948), junto con el Partido Comunista y un sector de la jerarquía eclesiástica, dirigido por el arzobispo Víctor Sanabria, eran los más significativos. Con el respaldo pleno de los principales sindicatos (Confederación General de Trabajadores y Rerum Novarum), estos grupos adoptaron un programa de cambios que incluía una serie de medidas como la introducción de garantías sociales en la Constitución, el Código de Trabajo, un sistema de seguridad social, la construcción de viviendas baratas y la revisión de la Ley de Impuesto

---

1 Edelberto Torres, *Interpretación del Desarrollo Social Centroamericano* (San José: EDUCA, 1971), págs. 149-190; José Luis Vega, "Etapas y Procesos de la Evolución Socio-Política de Costa Rica" (Revista de Estudios Sociales Centroamericanos No. 1, San José), págs. 57-61.

sobre la Renta. A todos estos cambios se oponía, lógicamente, el sector exportador tradicional. Sin embargo, su oposición se basaba en procesos electorales no exentos de fraude, así como en la corrupción practicada por grupos dentro de las administraciones de Calderón y Picado. Esto provocó que los jóvenes del "Centro" (que ya para entonces se había convertido en el Partido Social Demócrata), se unieran al Partido Unión Nacional, el cual, dirigido por el periodista Otilio Ulate Blanco, se enfrentó al candidato gubernamental, Calderón Guardia, y a la coalición de los partidos Republicano Nacional y Vanguardia Popular (comunista) en una violenta campaña electoral (1947-1948). Las elecciones concluyeron con el triunfo de Ulate, pero el Congreso no aceptó ese resultado. Esto indujo a José Figueres a dirigir una revuelta armada en 1948, la cual triunfó en poco tiempo. Figueres formó una junta de gobierno en asocio de valiosos elementos del Partido Social Demócrata, que gobernó por decretos desde el 8 de mayo de 1948 y por espacio de dieciocho meses.

La Junta fue presionada por los sectores más conservadores para que entregara el poder a Ulate, el representante de este sector y Presidente electo constitucionalmente. Figueres y su grupo se mostraron dispuestos a aceptar un "Pacto Ulate-Figueres". Sin embargo, antes de restablecer el orden constitucional, el grupo gobernante introdujo apresuradamente una serie de reformas dirigidas a fortalecer los sectores medios y a debilitar a los grupos de ingresos más altos. Muchas de las actitudes de la Junta se hicieron evidentes, por ejemplo, mediante la nacionalización de la banca y la creación del Instituto Nacional de Electricidad. El objetivo fundamental era establecer un modelo de desarrollo industrial, en manos de los sectores medios, que sirviera como contrapeso a la hegemonía tradicional que controlaba la producción agrícola para la exportación. De manera similar, se adoptó una serie de medidas para dotar de mayores recursos al gobierno (debilitado como estaba desde la crisis política), tales como un impuesto del 10% sobre el capital. Los grupos derrotados en la guerra civil de 1948, entre ellos el movimiento sindical de inspiración comunista, fueron disueltos. A pesar de las presiones del conservadurismo, toda la legislación social promulgada a favor de las clases trabajadoras fue mantenida, tanto en la teoría como en la práctica.[1]

---

1 Oscar Aguilar Bulgarelli, *Costa Rica y sus Hechos Políticos de 1948* (San José: Editorial Costa Rica, 1969), págs. 290-302; *La Constitución de 1949: Antecedentes y Proyecciones* (San José: Editorial Costa Rica, 1973), págs. 19-52.

Desde 1948 hasta 1974: A partir de 1950 el país comenzó a sentir un nuevo impulso social: la productividad sufrió algunos cambios importantes, sobre todo en el sector industrial, el cual experimentó un mayor crecimiento por causa de la política económica del Estado. Esta política se puso en práctica en 1954 y alcanzó su mayor refinamiento cuando fue decretada la "Ley de Protección y Fomento Industrial" (1959), que abrió el camino para la incorporación del país a la Integración Económica Centroamericana (1963). En tanto que el proceso de industrialización se aceleraba durante los años sesenta, aumentó la importancia del sector agroexportador. Desde 1960, no sólo el café y el banano, sino que también la producción azucarera y ganadera, jugaron un papel decisivo en la generación de divisas extranjeras. No obstante este hecho, el déficit de la balanza comercial continuó. Por otra parte, el incipiente progreso industrial, visto en el marco de la integración centroamericana, propició una mayor participación del capital extranjero en ciertas ramas de la industria. Además, la improvisación del proceso industrial perjudicó los ingresos fiscales, como consecuencia de los incentivos tributarios concedidos; desequilibró la distribución del ingreso, en beneficio de un nuevo grupo empresarial y, en último término, al menos en cuanto a la calidad de los productos manufacturados y su precio, no benefició sustancialmente al consumidor nacional.

Sin embargo, la tasa de crecimiento económico era una de las más altas de América Latina: en veinte años, el país duplicó su ingreso per cápita hasta alcanzar $820 en 1974. La significación de este esfuerzo es aún mayor si se considera el hecho de que la población se duplicó durante esas dos décadas.

Dentro de este marco general, el país también tuvo una evolución política satisfactoria. En lo electoral, el Tribunal Supremo de Elecciones, con gran poder jurídico y financiero, pudo perfeccionar los procedimientos del sufragio. Sin embargo, los partidos políticos tuvieron una evolución menor debido a la sombra del caudillismo, herencia del liberalismo latinoamericano. No obstante, los partidos políticos estaban más preocupados que antes por moldear estructuras permanentes e ideológicas, aunque este último aspecto evolucionó menos.

La división política más importante en el país, entre los años 1950 y 1970, se concreta entre el liberacionismo y el anti-liberacionismo. El primero se refiere al Partido Liberación Nacional (PLN), establecido formalmente en 1951 pero con antecedentes que se remontan, como hemos visto, a principios de los años cuarenta, cuando se creó el Centro para el Estudio de los Problemas Nacionales. Este se convirtió en el Partido Social Demócrata, y después de su victoria en la guerra civil de 1948, integró con otras tendencias democráticas similares el Partido Liberación Nacional. No hay duda de que, como movimiento político, este partido ha alcanzado triunfos muy significativos. Sus candidatos presidenciales han resultado electos con mayor frecuencia: José Figueres (1953-1958), Francisco Orlich (1962-1966), nuevamente José Figueres (1970-1974), y más recientemente, Daniel Oduber (1974-1978). Aunque cada administración tiene características disímiles, debido a diferentes circunstancias históricas y a la personalidad del Presidente, es un hecho que hay principios orientadores subyacentes en la línea del pensamiento del PLN. Con su ideología socialdemócrata, apoyó fervientemente la intervención estatal en ciertas áreas de la economía. Como resultado, se creó una serie de instituciones especializadas en determinados campos, tales como el ICE (Instituto Costarricense de Electricidad), el INVU (Instituto Nacional de Vivienda y Urbanismo), el SNAA (Servicio Nacional de Acueductos y Alcantarillado), el ITCO (Instituto de Tierras y Colonización), el INA (Instituto Nacional de Aprendizaje) y el IMAS (Instituto Mixto de Ayuda Social).

Además, el PLN marcó una nueva pauta en las relaciones internacionales. En los años cincuenta siguió una política de enfrentamiento abierto a las dictaduras del Caribe, lo cual provocó conflictos armados con países de la región, especialmente Nicaragua. Al inicio de los años sesenta, los matices de la política internacional cambiaron y la beligerancia había sido reemplazada por la cooperación. Esto se demostró con la incorporación de Costa Rica al Mercado Común Centroamericano y la apertura de relaciones internacionales con la U.R.S.S. y los restantes países de Europa Oriental.

El Partido Liberación Nacional ha tenido la mayoría parlamentaria en la Asamblea Legislativa, en forma ininterrumpida, desde 1953 hasta 1974. También ha demostrado ser la mejor organización electoral en el país. Está compuesto fundamentalmente por sectores de clase media, que le han suministrado gran parte de sus cuadros dirigentes, y por agricultores, quienes constituyen el grupo de mayor importancia en cuanto al apoyo electoral. En años recientes (1966-1974) ha aumentado su fuerza electoral en las ciudades, representada principalmente por obreros industriales, a la vez que ha disminuido en ciertas áreas rurales. En conclusión, podríamos decir que el PLN es la organización política más fuerte de Costa Rica y la que mayor influencia ha ejercido en el desenvolvimiento económico y social del país.[1]

Los partidos de oposición al Partido Liberación Nacional no poseen un grado tan alto de homogeneidad. El partido de oposición más fuerte ha sido el Unificación Nacional, que es el producto de las dos agrupaciones más importantes de los años cuarentas, el Partido Republicano Nacional (PRN) y el Partido Unión Nacional (PUN), ya mencionados. Como hemos visto, ambos partidos representan fuerzas antagónicas: la primera compuesta básicamente de trabajadores urbanos y un pequeño grupo de los sectores medios, y la segunda, por el contrario, constituida por sectores rurales y urbanos de clase alta.

El predominio del Partido Liberación Nacional, de los años cincuenta en adelante, estimuló la unión de esas fuerzas políticas opositoras. Ambos bandos se unieron en las elecciones y en dos oportunidades lograron triunfar con sus candidatos presidenciales, Mario Echandi (1958-1962) y José Joaquín Trejos (1966-1970), quienes gobernaron el país con líneas diversas. No obstante, la diferencia fue pequeña ya que durante ambos períodos el parlamento estuvo bajo el control del PLN.

Los dirigentes del Partido Unificación Nacional orientaron su política hacia la limitación del gasto público. Esto fue así especialmente cuando estuvo en el poder el Presidente Trejos. Los temas políticos centrales de la Unificación Nacional fueron la necesidad de un presupuesto equilibrado y la honestidad e integridad administrativas.

En conclusión, la política del Partido Unificación Nacional se basó en planteamientos tomados del liberalismo económico, con una tendencia social más conservadora que la del PLN. Esa fue la tónica que caracterizó a la mayor parte de sus actividades.

---

1 Carlos Araya, *Historia de los Partidos Políticos: Liberación Nacional* (San José: Editorial Costa Rica, 1969), págs. 103-147; James Busey, *Notas sobre la Democracia Costarricense* (San José: Editorial Costa Rica, 1972), págs. 61-84.

Esta coexistencia de dos partidos (PLN y anti-PLN) en el escenario político nacional, se mantuvo sin alteraciones durante veinte años, y sólo comenzó a sufrir cambios en 1970. Surgieron otros grupos tales como el Partido Comunista y el recién fundado Partido Demócrata Cristiano. El logro de estos dos nuevos partidos en las elecciones de 1970 fue muy limitado, pues juntos no recibieron más del 5% de los votos para la Presidencia de la República. Las recientes elecciones de 1974 fueron diferentes por cuanto estuvieron representados dos nuevos partidos que surgieron como ramas de los dos partidos principales. Son ellos el Partido Nacional Independiente (de orientación derechista) y el Partido Renovación Democrática (de orientación socialcristiana), que juntos obtuvieron más del 20% de los votos.

En medio de esta oscilación política, el país vive un clima de relativa estabilidad social en que, como veremos más adelante, la clase hegemónica tradicional comparte el poder con nuevos grupos de industriales, de comerciantes y de empresarios del sector agrícola. Las relaciones, inicialmente conflictivas, entre los antiguos y los nuevos sectores, han mejorado significativamente. Hoy es difícil diferenciar ambos grupos, pues, por ejemplo, muchos antiguos cafetaleros han diversificado sus actividades mediante la inversión en empresas industriales o financieras.

Simultáneamente, ha habido una expansión creciente de los sectores medios, ligados a diferentes actividades profesionales. Los sectores de clase obrera han desplegado una mayor actividad en años recientes, la cual se expresa en frecuentes demandas por medio de los sindicatos, después de un período de estancamiento relativo comprendido entre 1950 y 1965. Los trabajadores del sector agropecuario todavía constituyen el grupo que requiere ayuda más urgente. A pesar de que Costa Rica es fundamentalmente un país agrícola, estos trabajadores son los más olvidados.

SEGUNDA PARTE

PERFIL SOCIAL DE LOS DIRIGENTES COSTARRICENSES

PERFIL SOCIAL DE LOS DIRIGENTES COSTARRICENSES

"En el afán de explicar los patrones del comportamiento de las élites, se ha partido del supuesto de que una élite o contra-élite puede ser descrita en función del origen social y los antecedentes sociales de sus miembros. La expresión perfil social puede ser empleada para referirse a las características sociales, el status social y el prestigio de una élite. Junto con la carrera política... (y) la similitud de los antecedentes educacionales y de ocupación... las variables constitutivas de la estratificación social de las élites se ubican en la perspectiva correcta."[1]

---

1 Morris Janowitz, "Social Stratification and the Comparative Analysis of Elites", *Social Forces, VI* (Octubre, 1956), pág. 84.

INTRODUCCION

Es conocido el hecho de que la sociología contemporánea establece una diferencia entre clase y estrato. Según Dahrendorf, "Una clase es siempre una categoría usada para analizar la dinámica del conflicto social y sus raíces estructurales y, como tal, tiene que separarse estrictamente del estrato, el cual se utiliza como una categoría para describir los sistemas jerárquicos en un momento dado . . ."[1] Por estrato se entiende "una categoría de personas que ocupan una posición similar en una escala jerárquica, en virtud de ciertas características de situación, tales como ingreso, prestigio y estilo de vida."[2] La clase social, por consiguiente, es una categoría dinámica y analítica, en tanto que el estrato social es un concepto estático y descriptivo. Este estudio no pretende analizar las clases sociales así entendidas, sino los estratos sociales. Al concentrarse en los estratos sociales evita, entre otras cosas, el problema de la conciencia de clase y del conflicto de clases latente o manifiesto.[3]

---

1 Ralf Dahrendorf, *Class and Class Conflict in Industrial Society* (California: Stanford University Press, 1959), pág. 76.

2 *Ibid.*, pág. IX.

3. Según Marx, la existencia de una clase social requiere dos condiciones: conciencia de clase y organización política. En su "Dieciocho Brumario" da la siguiente definición de clase: "Millones de familias forman una clase en la medida en que viven en condiciones económicas de existencia que separan su modo de vida, sus intereses y su cultura de los de las restantes clases y les sitúan en una posición de enfrentamiento con éstas. Pero no forman una clase en la medida en que sólo existe una interconexión local entre estos pequeños propietarios agrícolas y que la identidad de sus intereses no engendra comunidad alguna, ningún vínculo nacional ninguna organización política entre

En el capítulo II analizamos el estrato social de los miembros de las ramas ejecutiva y legislativa del gobierno cuando entraron a formar parte de una u otra por primera vez. La rama judicial se analiza en la tercera parte de este trabajo.[1] Unicamente nos interesa la élite formal en los poderes Ejecutivo y Legislativo del gobierno, lo cual significa que aplicamos lo que Arnold M. Rose llama el enfoque de posición.[2] Generalmente se acepta que los líderes formales no son necesariamente los titulares del poder real. En este sentido, no forman una "élite", si por "élite" entendemos "aquellos miembros de un grupo funcional, una organización social o una sociedad que ejercen en mayor medida el poder. . . (vale decir) los individuos que real y potencialmente tienen acceso a los valores del grupo dominante y a su vez controlan el acceso de quienes no forman parte de la élite".[3] Esta tesis se refiere, pues, a quienes tienen el poder formal en Costa Rica, los cuales, si forman en alguna medida una élite, es una élite de poder formal.

---

ellos." Karl Marx, *El 18 Brumario*, en T. B. Bottomore y M. Rubel, *Karl Marx, Sociología y Filosofía Social* (Barcelona: Ediciones Península, 1968), pág. 209.

1 El artículo 9º de la Constitución Política de la República de Costa Rica establece que: "El Gobierno de la República es popular, representativo, alternativo y responsable. Lo ejercen tres Poderes distintos e independientes entre sí: Legislativo, Ejecutivo y Judicial."

2 Según Arnold M. Rose, hay por lo menos tres métodos de investigación en estudios del poder local en las comunidades: el enfoque de posiciones, el de reputaciones, y el de la toma de decisiones. El enfoque de posiciones supone que el poder de un actor se relaciona estrechamente con su posición en una jerarquía oficial o semioficial. Este método busca los puestos de poder en las estructuras económicas, políticas o cívicas institucionalizadas. El enfoque de reputaciones determina las estructuras de poder con base en juicios de los miembros de la comunidad que se consideran "conocedores" de ésta. Dichos "jueces" seleccionan nombres de listas de candidatos potenciales basadas en grados de influencia que se les atribuyen. Se considera que las personas seleccionadas con mayor frecuencia, según el criterio dado, constituyen la estructura de poder. El tercer enfoque es el del proceso de toma de decisiones o análisis de temas en discusión, el cual hace énfasis en la determinación real de las decisiones de la comunidad y de las personas participantes en esa toma de decisiones, y emplea características sociales objetivas y verificables de esos individuos. *The Power Structure: Political Process in American Society* (Nueva York: Oxford University Press, 1967), págs. 255-297.

3 Morris Janowitz, "Social Stratification and the Comparative Analysis of Elites", *Social Forces*, *VI* (octubre, 1956), pág. 82.

El capítulo III se refiere a la movilidad social intra-generacional e inter-generacional entre los miembros de la élite del poder. La movilidad intra-generacional se analiza mediante una comparación de los estratos sociales a los cuales pertenecían los líderes, cuando fueron electos para ocupar su primer puesto formal, y su estrato social actual; la movilidad inter-generacional se estudia mediante la relación entre el estrato social de los padres de los líderes y el de sus hijos, cuando éstos fueron electos por primera vez.

En el capítulo IV se analiza el origen rural o urbano de los miembros de la élite, a fin de determinar en qué medida están más representadas, en la élite, las capitales de provincia y las áreas urbanas de Costa Rica, en comparación con las áreas rurales. Finalmente, el capítulo V se dedica a la carrera y experiencia políticas de los integrantes de la élite.

CAPITULO II

ESTRATO SOCIAL DE LA ELITE DEL PODER

La gama de criterios posibles para establecer el estrato social y la inclusión de personas en él, es muy amplia. Tanto los criterios objetivos como los subjetivos son dignos de tomarse en cuenta, y el alto grado de interrelación entre muchos de ellos hizo del intento de definir los estratos sociales, una tarea difícil. La determinación de estratos sociales es, simplemente, un proceso de agrupar y clasificar individuos o grupos sociales, que sean similares en algún sentido y además útiles para fines descriptivos o de análisis. La dificultad fue la escogencia de uno o varios criterios para determinar la adscripción a los estratos. Podrían haberse empleado dos enfoques metodológicos generales. Uno, la preparación de un índice con algunas variables, y otro, la selección de un solo criterio. Sin embargo, la dificultad de selección se redujo por una serie de consideraciones prácticas. Fue necesario escoger criterios acerca de los cuales pudiera obtenerse información susceptible de clasificarse. Como ya se ha mencionado, hay un alto grado de interrelación entre muchos de los criterios y por ello es preferible escoger uno solo, a fin de observar cómo se relaciona con otras variables.

La información disponible en el estudio incluye el ingreso, la educación, la clase a la cual afirman pertenecer los líderes, su participación en actividades sociales y su ocupación. La variable ingreso nos pareció poco adecuada. El cuestionario preguntaba acerca del ingreso cuando los dirigentes fueron elegidos por primera vez a la Asamblea Legislativa o nombrados en el Gabinete. Fue muy difícil para muchas personas recordar el ingreso exacto que tenían en el pasado. También encontramos pruebas de una tendencia a asignarse una categoría de ingreso menor que la real. Aunque se hizo énfasis en lo confidencial de las respuestas, es posible que prevaleciera –especialmente entre los líderes del período 1970-1974– un cierto temor de que esta información pudiera llegar a conocimiento de la Direccón General de la Tributación Directa.

Otra razón para la falta de exactitud de la variable ingreso es el hecho de que nuestro estudio abarca un período de 25 años. Hubiera sido necesario reducir estos datos a colones de un año dado, esto es, usar un año determinado como base. Como la información estadística disponible en Costa Rica, acerca de los índices de precios al consumidor, no es completa,[1] era muy difícil determinar el ingreso real de los líderes estudiados.

Con respecto a la educación, es posible prever que para el grupo estudiado no se encontrarían grandes diferencias. En primer lugar, podría esperarse un cierto grado de homogeneidad en el nivel de educación, pues los puestos en las ramas ejecutiva, legislativa y judicial del gobierno, requieren un alto nivel de educación aun cuando no sea un requisito legal.[2]

En segundo lugar, encontramos que no hay diferencias significativas en la calidad de la educación universitaria de los líderes. Estas existirían si el país tuviera varias universidades con diferentes grados de prestigio, lo cual no sucede en Costa Rica. La Universidad de Costa Rica fue la única institución de educación superior hasta 1973, cuando se fundó la Universidad Nacional. Es importante mencionar que la Universidad de Costa Rica fue clausurada en 1888 y se reabrió en 1941 durante la ad-

---

1 El Indice de Precios sólo cubre a consumidores de ingresos medio y bajo en el Valle Central y en el Area Metropolitana.

2 Los requisitos establecidos en la Constitución Política son los siguientes: Artículo 131: — El Presidente de la República y el Vicepresidente de la República deberán: 1) ser costarricenses por nacimiento y ciudadanos en ejercicio; 2) ser del estado seglar; 3) ser mayores de 30 años. Artículo 142: — Un ministro deberá: 1) ser ciudadano en ejercicio; 2) ser costarricense por nacimiento, o por naturalización con 10 años de residencia en el país después de adquirir la ciudadanía; 3) ser del estado seglar; 4) haber cumplido 25 años. Artículo 108: — Un diputado deberá: 1) ser ciudadano en ejercicio; 2) ser costarricense por nacimiento o por naturalización con 10 años de residencia en el país después de obtener la ciudadanía; 3) haber cumplido 21 años.

ministración de Calderón Guardia. En ese período sólo permanecieron abiertas algunas facultades de educación superior: las de Derecho, Farmacia, Educación, Agronomía y Arte. Por lo tanto, los costarricenses que quisieran seguir otra carrera universitaria tenían que salir al exterior. En este capítulo se analizan los antecedentes educacionales de los líderes, y se establece una distinción entre los que se educaron en el país y los educados en el exterior.

La afirmación acerca de la propia clase social, esto es, cómo se catalogan a sí mismas las personas, a menudo se considera una técnica poco adecuada para estudios de estratificación. La clase social, cuando se define sicológicamente, es un término ambiguo que generalmente carece de significado concreto. Para la mayoría de las personas es un término vago e impreciso.

> *La percepción errónea de la estructura de clase y del significado de la clase social, es una cosa; su corolario –la autoevaluación defectuosa– es otra. Porque la segunda está en la médula misma de la discusión de la conciencia de clase; si las personas no pueden percibir de manera clara sus posiciones de clase, entonces la proposición se basa en un supuesto, ciertamente poco confiable... Ya sea cegados por prejuicios ideológicos, falsas ilusiones, aspiraciones de movilidad, o simplemente por ignorancia, una minoría significativa tiende a colocarse en posiciones de clase que contrastan marcadamente con su posición objetiva en la jerarquía de clases.*[1]

De manera similar, Kahl declara que "Cada hombre ve un orden de clases ligeramente diferente, y las palabras que usa para describirse a sí mismo dependen de los puntos de referencia que tiene de su propia percepción subjetiva del orden de clases".[2]

El propio Centers ha reconocido incluso que "la auto-ubicación y la ubicación objetiva a menudo son acentuadamente discordantes".[3]

---

1 Harold M. Hodges, *Social Stratification Class in America* (Cambridge, Mass., E.E.U.U.: Schenkman Co., 1964), pág. 87.

2 Joseph Kahl, *The American Class Structure* (Nueva York: Reinhart Co., 1957), pág. 180.

3 Citado en Hodges, *Social Stratification Class in America*, pág. 88.

Las imágenes sociales no tienen la misma extensión que las realidades sociales. Como se explica más adelante, entre los líderes estudiados existe una acentuada tendencia a ubicarse en el nivel medio. Esta imagen de una Costa Rica predominantemente de clase media supone, por lo tanto, que en el país no hay personas ni muy ricas ni muy pobres. Se cree que no hay barreras a las oportunidades, y este ideal de igualdad, además de la creencia de que Costa Rica es una sociedad en la que el camino al mejoramiento social está abierto a cualquier persona de talento, corresponde al mito de la democracia. Existen ejemplos de trayectorias de destacados costarricenses que durante su vida ascendieron en la escala social desde la base hasta la cima. Además, el origen social humilde de un hombre descollante en Costa Rica es razón de orgullo para él y fuente de inspiración para otros. Un caso bien conocido es el de Julio Sánchez Lépiz,[1] quien fue boyero en su juventud y se convirtió después en uno de los mayores cafetaleros del país.

Con respecto a la participación en actividades sociales, la información disponible se circunscribe a la afiliación a organizaciones profesionales, intelectuales y sociales. Al igual que sucede con el ingreso, el grado de participación social no es un buen indicador para distinguir con exactitud entre los diferentes niveles de la sociedad. Por esta razón, la participación social no es un criterio sólido para ser utilizado como determinante principal de los estratos.

La última variable es la ocupación. Hay varias razones por las cuales la ocupación y el prestigio social están muy relacionados. La ocupación de un hombre es la principal fuente de su ingreso; éste, a su vez, determina su estilo de vida, el cual es uno de los principales criterios empleados por los investigadores para hacer evaluaciones. El tipo de ocupación de un hombre es también un indicador de su educacón; revela su contribución al bienestar de la comunidad y el grado de autoridad que ejerce sobre otras personas. Es, además, una variable conveniente para la investigación, pues, "a diferencia del prestigio personal, no está ligada a las circunstancias particulares de la comunidad, ya que tiene una valoración aproximadamente igual en todo el país y se ha mantenido relativamente

1 José Marín Cañas, *Julio Sánchez Lépiz* (San José: Ministerio de Cultura, Juventud y Deportes, 1972), pág. 34.

estable durante un largo período. Por lo tanto, es posible comparar las jerarquías de ocupación de diferentes comunidades y de diferentes épocas históricas".[1] Al igual que muchas investigaciones sobre la estratificación social y la movilidad social,[2] el presente estudio utiliza la ocupación como principal criterio para elaborar una clasificación de estratos sociales (véase la Metodología).

---

1 Joseph Kahl, *The American Class Structure*, pág. 53.

2 Algunos de estos estudios son:
Alba E. Edwards, *Comparative Occupational Statistics for the United States*, 16th. Census, 1940 (Washington: U.S. Government Printing Office, 1943); Paul K. Hatt, "Stratification in the Mass Society", *American Sociological Review*, XV (abril, 1950), pág. 219; Robert S. y Helen M. Lynd, *Middletown* (Nueva York: Harcourt, Brace & Co., 1929), pág. 22; Richard Centers, *The Psychology of Social Classes: A Study of Class Consciousness* (Princeton: Princeton University Press, 1949); W. Lloyd Warner y otros, *Social Class in America: A Manual for Procedure for the Measurement of Social Status* (Chicago: Science Research Associate, 1949), pág. 124; George S. Counts, "The Social Status of Occupations: A Problem in Vocational Guidance", School Review, XXXIII (enero, 1925), págs. 16-27; National Opinion Research Center, "Jobs and Occupations: A Popular Evaluation", *Opinion News*, IX, 1947, reproducido en Bendix y Lipset, *Class, Status and Power* (Glencoe, Illinois, E.E.U.U.: The Free Press, 1953). Para un análisis crítico de ese estudio véase: A. J. Reiss Jr., *Occupations and Social Status* (Nueva York, 1961); C.A. Moser y J. R. Hall, "The Social Grading of Occupations", en D. V. Glass, ed., *Social Mobility in Britain* (London: Routledge & Kegan Paul Ltd., 1954), pág. 29; J. Tuckman, "Social Status of Occupations in Canada", *Canadian Journal of Psychology*, I (junio, 1947); John D. Campbell, "Subjective Aspects of Occupational Status" (tesis doctoral, Universidad de Harvard, 1952), pág. 62; L. Wilson y W. L. Kolb, *Sociological Analysis* (Nueva York: Harcourt, Brace & Co., 1949), pág. 467; Emile Durkheim, *The Division of Labor in Society* (traducido por George Simpson, Glencoe: The Free Press, 1947), pág. 182; Max Weber, *The Theory of Social and Economic Organization* (Nueva York: Oxford University Press, 1947); F. W. Taussing y C. S. Joslyn, *American Business Leaders* (Nueva York: MacMillan Co., 1932); Percy E. Davidson y H. Dewey Anderson, *Occupational Mobility in an American Community* (Stanford: Stanford University Press, 1937); Natalie Rogoff, *Recent Trends in Occupational Mobility* (Glencoe: The Free Press, 1953); Alex Inkels y P. H. Rossi, "National Comparisons of Occupational Prestige", *American Journal of Sociology*, LXI (enero, 1956), págs. 329-339; A. F. Davies, "Prestige of Occupations", *British Journal of Sociology*, III (junio, 1952), págs. 134-147; Paul K. Hatt, "Occupation and Social Stratification", *American Journal of Sociology*, LV (mayo, 1950), págs. 533-543; Richard Centers, "Social Class, Occupattion and Imputed Belief", *American Journal of Sociology*, LVIII (mayo, 1953), pág. 546; Joseph A. Kahl, *The American Class Structure* (Nueva York: Reinhart & Co., 1957), págs. 53-90; Leonard Reissman, *Class in American Society* (Nueva York: The Free Press, 1956), págs. 144-166; John Hall y D. Caradog Jones, "The Social Grading of Occupations", *British Journal of Sociology*, Vol. I, No. 1 (marzo, 1950).

Los estratos sociales de la élite del poder: La primera declaración de fondo que conviene hacer es que la mayoría de nuestros líderes formales pertenecían al estrato social alto cuando ingresaron por primera vez a los poderes Ejecutivo y Legislativo del gobierno. Esto se muestra claramente en el cuadro 1. Efectivamente, como puede verse, el 93,7 de los ministros y el 59,1% de los legisladores pertenecen al estrato alto.

A pesar de que la afirmación anterior es válida para la totalidad de los dirigentes estudiados, hay diferencias entre las tendencias políticas y entre ambas ramas del gobierno. Por ejemplo, respecto de las tendencias políticas, los diputados liberacionistas provienen de estratos sociales más bajos que los diputados del Unión Nacional, y éstos a su vez pertenecen a otros ligeramente inferiores a los del Republicano Nacional. Los cuadros 2, 3 y 4 muestran que sólo Liberación Nacional ha elegido diputados del estrato bajo, y casi la mitad de sus congresistas provienen del estrato medio (cuadro 2). Cerca de un tercio de los congresistas del Unión Nacional (cuadro3) fueron clasificados en el estrato medio, en comparación con una cuarta parte de los del Republicano Nacional (cuadro 4). Estos datos demuestran que, aun cuando el Republicano Nacional ha tenido históricamente una mayoría de seguidores entre los trabajadores urbanos y los trabajadores agrícolas asalariados, su dirigencia se reclutó en los estratos sociales altos.

Estas diferencias pueden explicarse en función de su desarrollo histórico. Después de 1948, el Partido Liberación Nacional quería absorber al creciente sector de la clase media, que no tenía casi ninguna representación en los anteriores regímenes políticos. De esta manera, atrajo a muchos nuevos profesionales, pequeños propietarios, burócratas y educadores. Al respecto, el político dominicano Juan Bosch escribió lo siguiente:

> *Esto es lo que explica la revolución de 1948. Según mis informes, la mayor parte de quienes dirigieron ese movimiento pertenecían a la mediana y a la pequeña clase media; eran sobre todo profesionales, cuyo único destino, de no iniciarse en Costa Rica la etapa industrial, estaba en ponerse al servicio de un comerciante, de un cafetalero o de la United Fruit, y vegetar ahí con un sueldo hasta el día de la muerte. . .*[1]

---

1 Juan Bosch, *Apuntes para una Interpretación de la Historia costarricense.* San José: Editorial Eloy Morúa Carrillo, 1963), pág. 32.

CUADRO 1

ESTRATOS SOCIALES DE LOS DIRIGENTES AL SER ELECTOS POR PRIMERA VEZ: POR RAMAS DE GOBIERNO

(Valores Relativos)

Estratos Sociales	Rama Ejecutiva (N = 79)	Rama Legislativa (N = 295)
Alto	93,7	59,1
Medio	5,1	39,6
Bajo		1,0
No respondieron	1,2	0,3
TOTAL	100,0	100,0

CUADRO 2

ESTRATOS SOCIALES DE LOS DIRIGENTES DE LIBERACION NACIONAL AL SER ELECTOS POR PRIMERA VEZ: POR RAMAS DE GOBIERNO

(Valores Relativos)

Estratos Sociales	Rama Ejecutiva (N = 40)	Rama Legislativa (N = 142)
Alto	93,7	59,1
Medio	7,5	47,1
Bajo	—	2,1
No respondieron	—	0,7
TOTAL	100,0	100,0

CUADRO 3

ESTRATOS SOCIALES DE LOS DIRIGENTES DEL UNION NACIONAL AL SER ELECTOS POR PRIMERA VEZ: POR RAMAS DE GOBIERNO

(Valores Relativos)

Estratos Sociales	Rama Ejecutiva (N = 28)	Rama Legislativa (N = 77)
Alto	96,6	63,7
Medio	––	36,3
Bajo	––	––
No respondieron	3,4	––
TOTAL	100,0	100,0

CUADRO 4

ESTRATOS SOCIALES DE LOS DIRIGENTES DEL REPUBLICANO NACIONAL AL SER ELECTOS POR PRIMERA VEZ: POR RAMAS DE GOBIERNO

(Valores Relativos)

Estratos Sociales	Rama Ejecutiva (N = 11)	Rama Legislativa (N = 76)
Alto	91,0	71,2
Medio	9,0	28,8
Bajo	––	––
No respondieron	––	––
TOTAL	100,0	100,0

En consecuencia, la mayoría de los cuadros dirigentes del PLN, especialmente al nivel intermedio, provenía de los sectores medios, lo cual podría interpretarse como el legado social de la "Revolución de 1948".

Efectivamente, fue la guerra civil de 1948 la que llevó a Liberación Nacional a convertirse en el partido político que representaría los intereses de estos nuevos grupos:

La clase media urbana y los dirigentes sindicales reformistas, fueron los sectores más favorecidos con la apertura de una posibilidad real de poder competir políticamente con la vieja oligarquía, posibilidad que se cristalizó en 1951, con la fundación del Partido Liberación Nacional. . .[1]

Sobre la base de este fenómeno histórico, podemos apreciar el papel creciente de los sectores medios en la representación del PLN en el parlamento. La actividad de estos sectores para promover una más elevada participación popular en la selección de los candidatos a diputados, es un ideal que encuentra su expresión en los estatutos del partido,[2] los cuales establecen que un candidato a diputado debe obtener la nominación después de una intensa lucha en las asambleas distritales, cantonales y provinciales, factor que, hasta cierto punto, favorece a personas de estratos medios y bajos.

El Partido Unión Nacional surgió en 1947; sin embargo, sus cuadros dirigentes se mantenían activos políticamente desde principios de la década, reunidos alrededor del "cortesismo",[3] agrupación que amalgamó a los sectores más opuestos al cambio social. Este grupo se opuso rotundamente a toda la legislación social promulgada durante esos años, y a partir de 1947 se convirtió en representante del conservadurismo, bajo el liderazgo de Otilio Ulate.

---

1 José Luis Vega, "Etapas de la Evolución Socio-Política de Costa Rica" en *Revista de Estudios Sociales Centroamericanos*, San José, pág. 61.

2 Partido Liberación Nacional, "Estatutos" (San José: Mimeografiado, 1967), págs. 8-22.

3 Los seguidores de León Cortés, Presidente de la República desde 1936 hasta 1940.

La orientación ideológica del Partido Unión Nacional estaba vinculada al liberalismo del siglo diecinueve, y su movimiento era claramente personalista. En palabras de Busey, "a diferencia del Partido Liberación Nacional, el Partido Unión Nacional no es un partido ideológicamente disciplinado . . ."[1]

Los dirigentes del PUN actúan, en los asuntos más importantes, de conformidad con su propio arbitrio, y deciden exclusivamente lo que consideran correcto o justo, según sus convicciones y principios y los dictados de su conciencia.[2]

El Partido Republicano Nacional nació políticamente de un grupo tradicional en los años cuarenta. Sus dirigentes se reclutaron de entre los políticos de la era liberal, de las administraciones de Ricardo Jiménez (1932-1936) y León Cortés (1936-1940). Paralelamente, atrajo a elementos clericales, quienes hasta entonces se habían mantenido distanciados de los grupos liberales. Debido a la fuerte influencia personal de su líder, Calderón Guardia. en el seno del PRN nunca hubo oportunidad de poner en práctica un proceso de participación popular en la selección de candidatos.

Un sector significativo de la oligarquía retiró su apoyo al partido, cuestionándolo éticamente, y debido a las malas prácticas administrativas de algunos de sus dirigentes; ello significó el distanciamiento de muchos de sus fundadores. A fin de mantenerse en el poder, Calderón Guardia se alió con varios sectores que deseaban cambios más drásticos:

> *Para 1942 se encontraban presentes, en la palestra política, los diversos movimientos sociales que se apoyarían en las masas populares: comunistas, social-demócratas y católicos populistas, los que en conjunto, y por varios medios a veces chocantes entre sí, van a presionar a los contradictorios gobiernos del Dr. Rafael Angel Calderón y de su sucesor el abogado Teodoro Picado para*

---

1 James Busey, *Notas sobre la Democracia Costarricense* (San José: Editorial Costa Rica, 1968), pág. 51.

2 Para una definición de este concepto (trustee) véase: John C. Wahlke y otros, *The Legislative System* (Nueva York: John Wiley & Sons, 1962), págs. 272-276.

que introdujeran algunas modificaciones en el sistema político-electoral y se implantaran las llamadas "Garantías Sociales"...[1]

En otras palabras, la necesidad de apoyo mutuo condujo a un pacto de reciprocidad entre el gobierno del PRN y sus nuevos aliados. Sin embargo, estos aliados no pudieron penetrar la cerrada estructura del Partido Republicano Nacional, lo cual se demostró históricamente a partir de 1950 cuando el PRN apoyó a los candidatos más conservadores.

Finalmente, como se ve en el cuadro 4, podemos llegar a la conclusión de que la alianza de los republicanos con los sectores populares fue puramente accidental, y no significó ningún cambio sustantivo en su jerarquía. Los dirigentes formales del PRN siguieron reclutándose en los niveles más altos de la sociedad costarricense.

Respecto de las dos ramas del gobierno, podemos observar en el cuadro 1 que el Poder Ejecutivo ha permanecido cerrado a individuos del estrato bajo, y ha ofrecido posibilidades de acceso muy limitadas (5,1%) a los individuos del estrato medio. En la Asamblea Legislativa, el 59,1% de los diputados pueden definirse como del estrato alto, el 39,6 del medio y el 1% del estrato bajo. Comparado con el Poder Ejecutivo, el Legislativo es más abierto a los sectores medios de la sociedad. Es menos difícil llegar a ser diputado que entrar a formar parte del Poder Ejecutivo. En este último hay ciertos requisitos implícitos y explícitos que deben tener quienes aspiren a algún puesto. En cambio, la elección al Poder Legislativo depende, en gran parte, de la estimación que se tenga del candidato en su distrito, cantón o provincia. El grado de familiaridad del candidato con el pueblo, su trabajo anterior a favor y en defensa de su provincia, así como sus planes para el futuro, influyen sobre el electorado más que su educación u oficio.

Con respecto al Poder Ejecutivo, los nombramientos en cargos de alto nivel, como ministros o viceministros, tienden a basarse en la

---

1 José Luis Vega, "Etapas de la Evolución Socio-Política de Costa Rica", *Revista de Estudios Sociales Centroamericanos No. 1* (San José: Universidad de Costa Rica), pág. 58; se hace referencia adicional a este punto en: Carlos Araya Pochet, *Historia de los Partidos Políticos: Liberación Nacional* (San José: Editorial Costa Rica, 1961), págs. 69-96; Joaquín Garro, *Veinte Años de Historia Chica* (SanJosé: Imprenta Vargas), pág. 105.

experiencia o profesión del individuo. También existen otros criterios en Costa Rica: amistades políticas, recompensas por favores y servicios en el pasado, y lazos familiares. Como más adelante se verá, la experiencia en nuestro país demuestra que sus presidentes se han rodeado preferentemente de profesionales.

En relación con los niveles medios y bajos del Gobierno Central, la escogencia se realiza por medio del Servicio Civil. No obstante, debemos admitir que todavía persiste un alto grado de padrinazgo político en la selección de algunos servidores públicos. En este sentido, muchas de las observaciones que James F. Petras hace sobre la sociedad chilena tienen validez para Costa Rica:

> *Un problema persistente en la creación de una infraestructura administrativa eficiente, acorde con el desarrollo económico y social, es no sólo el reclutamiento de personal idóneo sino el establecimiento de criterios racionales de promoción. Se ha sugerido que en muchos países latinos el ascenso en la burocracia pública es un soborno político o, en términos sociológicos más amplios, un medio de neutralizar a grupos políticos potencialmente insurgentes. Estos factores políticos entran en conflicto con las exigencias de modernización e industrialización, que requieren de técnicos y profesionales debidamente preparados. Así, plantearíamos como hipótesis que un énfasis mayor en el favoritismo político o personal, y menor en el mérito, se daría más a niveles administrativos medios y bajos que a nivel profesional.*[1]

Aparte de la importancia de la ocupación en la asignación de estratos sociales, también nos interesa la relación entre las posiciones políticas alcanzadas y el status social. Desafortunadamente, no conocemos ningún estudio costarricense ni centroamericano acerca de la correspondencia entre las motivaciones de la participación política y el grado de prestigio de las ocupaciones dentro de la sociedad. En Colombia, Payne intentó demostrar que el incentivo predominante de la participación

---

1 James F. Petras, "Politics and Social Forces in Chilean Development" (tesis doctoral, Universidad de California en Berkeley, 1967), págs. 433-434.

política es la adquisición de un mayor status social, al punto de que excluye a casi todos los demás.[1]

Payne propone una hipótesis que explicaría la fuerza del incentivo político en Colombia. Esta hipótesis establece tres variables que, cuando todas intervienen, hacen de la búsqueda de un status superior el incentivo prevaleciente en el comportamiento de los dirigentes políticos. Dichas variables son las siguientes: su conciencia de status en la sociedad; un elevado prestigio para las posiciones políticas de más alto nivel; y el reclutamiento relativamente abierto para esas posiciones de nivel más alto. La expresión "conciencia de status", de Payne, se refiere a la importancia asignada por los miembros de la sociedad a la condición social o status de un individuo.[2]

Aunque difieren en ciertos aspectos (por ejemplo, en cuanto a la violencia política en Colombia, inexistente en Costa Rica), ambos países comparten, al igual que todos los latinoamericanos, muchos rasgos políticos, sociales y culturales comunes. Consideramos que las características referentes al alto grado de conciencia de status son menos fuertes en Costa Rica que en Colombia, y quizás que en otros países centroamericanos.

En nuestra opinión, la segunda variable es claramente aplicable en nuestro medio. Al respecto, se hizo una encuesta a un grupo de estudiantes universitarios a quienes se les pidió evaluar un importante número de ocupaciones, y se obtuvo como respuesta que los puestos políticos de alto nivel recibieron la mayor puntuación.

La tercera variable, relativa a una de las cuestiones fundamentales que motivaron este análisis, se examina a lo largo de este estudio y, dentro de ciertos límites, se comprueba su validez.

A fin de demostrar que los puestos públicos altos tienen un status sumamente elevado en Colombia, Payne analizó las evaluaciones hechas por 75 estudiantes universitarios sobre el rango social de una serie de ocupaciones. Dimos la lista de ocupaciones de Payne a 50 estudiantes de sociología de la Universidad de Costa Rica, y les pedimos que expresaran sus impresiones acerca de cuáles ocupaciones tenían un status

---

1 James L. Payne, "Patterns of Conflict in Colombia" (tesis doctoral, Universidad de California en Berkeley, 1967).

2 *Ibid.*, pág. 23.

alto, medio o bajo en la sociedad costarricense. Los resultados obtenidos fueron muy similares a los de Colombia.[1]

El principal comentario que debe hacerse aquí es que en ambas sociedades (según la opinión de los estudiantes universitarios), a los cargos políticos elevados se les asigna un status sobresaliente, más alto aún que el atribuido normalmente a las profesiones liberales. Estas últimas son, por supuesto, posiciones de status alto, pero están en un nivel inferior a los puestos políticos de primer orden.

Payne sostiene que, cuando se dan las tres variables fundamentales, su hipótesis se confirma, y que en el caso de Colombia el impulso hacia la participación política reside en la elevación de status obtenida cuando se alcanza un puesto político alto. En Costa Rica la situación parece ser muy semejante: una diputación o un puesto ministerial implican prestigio y estimación para quienes los desempeñan. Para algunas personas –industriales, finqueros, empresarios en general– un cargo político de alto nivel no es conveniente desde el punto de vista pecuniario, y si buscan estos puestos es fundamentalmente por el prestigio y no por los sueldos. De igual manera, para algunos profesionales poco conocidos, que ingresan jóvenes a la política, el ocupar un cargo de alto nivel –Ministro o Diputado– significa destacarse como hombres públicos, lo cual redunda en beneficio de sus futuras carreras profesionales.

La educación: Una característica propia de las élites políticas, de manera casi universal, es su alto nivel de educación.[2] Este es el caso de Costa Rica. Como se comprueba en el cuadro 5, los políticos de Costa

---

1 Véase el apéndice III

2 Véase: Keith R. Legg, "Political Recruitment in Greece" (tesis doctoral, Universidad de California en Berkeley, 1967), pág. 316; Rafiquil I. Choudhury, "Recruitment of Political Elite and Political Development in India and Nigeria" (tesis doctoral, Universidad de Oregón, 1967), págs. 112-113; Frederick W. Frey, *The Turkish Political Elite* (Cambridge: The MIT Press, 1965), pág. 43; Julio A. Fernández, *The Political Elite in Argentina* (Nueva York: New York University Press, 1970), pág. 67; Peter G. J. Pulzer, *Political Representation and Elections in Britain* (Londres: George Allen & Unwin Ltd., 1967), págs. 68-69; Donald R. Matthews, *U. S. Senators and Their World* (Nueva York, Vintage Books, 1960), págs. 25-27; Leonard I. Ruchelman, "Career Patterns of New York State Legislators" (tesis doctoral, Universidad de Columbia, 1965), pág. 52-53.

Rica tienen un alto grado educacional. Con base en la observación de los datos obtenidos de quienes pertenecen a las esferas legislativa y ejecutiva, puede afirmarse que los de la primera tienen condiciones educacionales más bajas, comparadas con los de la segunda. Lo anterior confirma las diferencias ya mencionadas entre esas dos ramas, en cuanto a los estratos sociales de sus representantes.

En la rama ejecutiva, todos los líderes del Republicano Nacional se ubican en la categoría de "Graduado universitario". Sin embargo, debemos tener presente el hecho de que esta tendencia política tiene pocos afiliados. La élite política de la tendencia del PRN es también la que posee, en el campo legislativo, una mayor educación. Ambos aspectos se relacionan muy estrechamente con la circunstancia de pertenecer al estrato social más alto. En la rama del Ejecutivo, si comparamos la tendencia del PLN con la del Unión Nacional, se observa que los dirigentes de la primera tienen una jerarquía educacional más alta que los de la segunda. Ahora bien, debemos tomar en cuenta la edad de las personas y sus oportunidades de educación: los afiliados del Unión Nacional son relativamente de mayor edad y tuvieron menos oportunidades de educarse, por cuanto no es sino en las últimas décadas cuando ha habido una mayor democratización de la enseñanza superior.

En un principio se estimó que un significativo número de personas podría haber recibido preparación vocacional o pedagógica. Sin embargo, los resultados del estudio fueron otros. Se encontró que la categoría de "Escuela de educación" es importante en la rama legislativa, donde la participación de individuos en este ciclo educativo es considerable. Por ejemplo, casi el 10% de los diputados del PLN han sido profesores, maestros, o al menos han recibido este tipo de formación. En lo concerniente al ciclo vocacional, por tratarse de centros de reciente creación y de pocos estudiantes, sólo un reducido número de líderes había recibido este tipo de educación.

Los resultados obtenidos con este estudio pueden compararse con los datos disponibles de los censos nacionales de 1950 y 1963. Como puede verse en el cuadro 6, hay una gran diferencia entre el nivel de educación de los dirigentes formales y el de la población total. Los resultados del censo de 1963 muestran una marcada diferencia en la distribución de la educación entre el total de habitantes mayores de 35

CUADRO 5
NIVEL DE EDUCACION POR RAMA DE GOBIERNO Y TENDENCIA POLITICA 1948 – 1974
(Valores Relativos)

Nivel de Educación	Rama Ejecutiva				Rama Legislativa			
	Total (N=123)	P.L.N. (N=66)	P.R.N. (N=14)	P.U.N. (N=43)	Total (N=359)	P.L.N. (N=175)	P.R.N. (N=81)	P.U.N. (N=108)
Sin educación	--	--	--	--	0,3	0,6	--	--
Educación primaria	1,6	1,5	--	2,4	6,3	5,7	3,7	9,7
1-4 años secundaria	4,1	4,5	--	4,8	11,4	12,6	11,1	9,7
Graduado de secundaria	7,3	4,5	--	14,3	9,5	6,9	11,1	13,6
Alguna educación universitaria	14,6	19,7	--	9,5	9,5	10,9	4,9	7,8
Graduado universitario	69,9	68,2	100,0	64,3	54,3	52,4	61,7	52,4
Escuela de Educación	0,8	1,5	--	--	6,8	9,7	4,9	3,9
Escuela vocacional	--	--	--	--	1,1	0,6	2,5	1,0
No respondieron	1,6	--	--	4,7	0,8	0,6	--	1,9
TOTAL	100,0	100,0	100,0	100,0	100,0	100,0	100,0	100,0

CUADRO 6

PORCENTAJE DE POBLACION[1] COMPARADO CON EL PORCENTAJE DE DIRIGENTES SEGUN LAS CATEGORIAS EDUCACIONALES ESPECIFICAS EN LOS CENSOS DE 1950 Y 1963*
1948 – 1974
(Valores Relativos)

Nivel Educacional	Dirigentes estudiados	Censo de 1963	Censo de 1950
Sin educación	0,2	22,7	23,7
Educación primaria	5,2	68,1	68,4
1-4 años de secundaria	9,7	5,0	4,3
Bachillerato	9,1	1,8	1,9
Universidad	75,9	2,4	1,6
TOTAL	100,0	100,0	100,0

años y la élite política: cerca del 90% de la población tiene un nivel de educación primaria o menor, en tanto que el 85% de la élite política ha completado la educación secundaria o ha tenido algún tipo de educación superior.

La relación entre educación y actividad política en Costa Rica, parece coincidir con la conclusión de Ruchelman, de que la actividad política y el interés de un individuo aumentan con la capacidad intelectual y la educación formal.[2] Si aplicamos esto a la educación en Costa Rica, concluiremos que la actividad política es inaccesible para la mayoría de los costarricenses. Como lo afirma Mario Carvajal:

---

1 Unicamente se incluyó la población de más de 35 años, ya que había muy pocos dirigentes menores de 35.

* Dirección General de Estadística y Censos (San José, Costa Rica: 1950, 1963).

2 Leonard I. Ruchelman, "Career Patterns of New York State Legislators" (tesis doctoral, Universidad de Columbia, 1965), págs. 52-53.

Aunque los costarricenses están orgullosos de una tasa de alfabetismo del 85% según el censo de 1963, lo cierto es que sólo un 23,3% ha completado la escuela primaria. De este 23,3%, un 6,9% ha completado la educación media y sólo un 2% ha terminado sus estudios universitarios. . . En su diagnóstico del sistema educativo en Costa Rica, la Oficina de Planificación afirma que el índice de eficiencia para un período de diez años (1950-1960) en la escuela primaria, fue de un 23%; en otras palabras, de cada 100 estudiantes que aprueban el primer grado, sólo 23 aprueban el sexto. Aunque este índice había mejorado hasta llegar a un 34% en 1966, todavía señala grandes disparidades en la educación. Solamente los hijos de los dirigentes pueden dar por un hecho la educación universitaria. [1]

Además de tener una educación superior, ¿qué grupo o grupos dentro de la élite política costarricense han recibido o complementado su educación con estudios en el exterior? Si el signo fundamental del status intelectual es la educación formal, entonces la educación recibida fuera del país, con todo lo que ello implica –conocimiento de un idioma extranjero, recursos económicos para cubrir los gastos de matrícula o capacidad para obtener una beca– indudablemente eleva el prestigio del individuo. Los miembros del Poder Ejecutivo han sido privilegiados en cuanto al nivel de educación formal, y también han tenido más experiencia y preparación académica en el exterior. Los cuadros 7 y 8 muestran que sólo un 16% de los ministros no tienen educación universitaria, en tanto que casi un 36% de los legisladores están en esta categoría.

Como se ve en el cuadro 7, todos los miembros del Republicano Nacional en la rama ejecutiva son graduados de universidades; la mitad de ellos recibió su educación en el país, y la mitad en el exterior. Si comparamos los cuadros 7 y 8 encontramos que entre los legisladores y los ministros que estudiaron en Costa Rica es mayor el porcentaje de los primeros. También hallamos que, aun cuando hay un porcentaje similar de congresistas de todas las tendencias que efectuaron sus estudios en el

---

1 Mario Carvajal, "Political Attitudes and Political Changes in Costa Rica" (Actitudes políticas y cambios políticos en Costa Rica) (tesis doctoral, Universidad de Kansas, 1972), pág. 64.

CUADRO 7

LUGAR EN QUE SE REALIZARON LOS ESTUDIOS UNIVERSITARIOS
Rama Ejecutiva
1948 – 1974

(Valores Absolutos y Relativos)

Lugar	Valores Absolutos				Valores Relativos			
	Total	P.L.N.	P.R.N.	P.U.N.	Total	P.L.N.	P.R.N.	P.U.N.
Sin estudios universitarios	20	8	--	12	16,3	12,1	--	27,9
Universidad de Costa Rica	44	23	7	14	35,8	34,8	50,0	32,6
Nacional Autónoma de México	5	2	2	1	4,1	3,0	14,3	2,3
Universidades europeas	15	10	1	4	12,2	15,2	7,1	9,3
Universidades norteamericanas	21	14	2	5	17,1	21,2	14,3	11,6
Universidades sudamericanas	1	1	--	--	0,8	1,5	--	--
Universidades centroamericanas y del Caribe	1	--	--	1	0,8	--	--	2,3
Otras	1	--	1	--	0,8	--	7,1	--
Graduados en C.R. – Posgraduado en el exterior	12	7	1	4	9,8	10,6	7,1	9,3
No respondieron	3	1	--	2	2,4	1,5	--	4,7
TOTAL	123	66	14	43	100,0	100,0	100,0	100,0

CUADRO 8

LUGAR EN QUE SE REALIZARON LOS ESTUDIOS UNIVERSITARIOS

Rama Legislativa

1948 – 1974

(Valores Absolutos y Relativos)

Lugar	Valores Absolutos				Valores Relativos			
	Total	P.L.N.	P.R.N.	P.U.N.	Total	P.L.N.	P.R.N.	P.U.N.
Sin estudios universitarios	128	62	27	39	35,7	35,4	33,3	37,9
Universidad de Costa Rica	160	78	34	48	44,6	44,6	42,0	46,0
Nacional Autónoma de México	9	5	4	––	2,5	2,9	4,9	––
Universidades europeas	15	7	4	4	4,2	4,0	4,9	3,9
Universidades norteamericanas	19	9	6	4	5,3	5,1	7,4	3,9
Universidades sudamericanas	10	6	2	2	2,8	3,4	2,5	1,9
Universidades centroamericanas y del Caribe	6	3	1	2	1,7	1,7	1,2	1,9
Otras	––	––	––	––	––	––	––	––
Graduados en C.R. – Posgraduado	6	4	1	1	1,7	2,3	1,2	0,1
No respondieron	6	1	2	3	1,7	0,6	2,5	2,9
TOTAL	359	175	81	103	100,0	100,0	100,0	100,0

exterior, los miembros del Republicano Nacional, tanto legisladores como ministros, exceden a los otros partidos en ese aspecto. Puede afirmarse, pues, que la alta dirigencia del PRN es más educada, en el sentido académico, y ha estudiado en mayor variedad de centros educativos.

Los miembros del Gabinete son bastante más cosmopolitas. Una amplia proporción (45,6%, según se ve en el cuadro 7), comparada con la de los legisladores (18,2%, según el cuadro 8), ha tenido experiencia universitaria en el exterior, lo cual puede considerarse sumamente alto para un país con un bajo grado de desarrollo socioeconómico. Como se aprecia, predominan las universidades europeas y norteamericanas, en tanto que las universidades sudamericanas y centroamericanas, menos conocidas y con menos prestigio internacional, no son tan populares. La Universidad Nacional Autónoma de México, famosa por su facultad de medicina y conveniente para los costarricenses por su ubicación, ha tenido más estudiantes del Republicano, mientras que los representantes del PLN han preferido las universidades europeas y norteamericanas. Respecto de los estudios de posgraduado en el exterior, no encontramos muchas diferencias entre los partidos.

Con respecto al lugar en que realizaron sus estudios, podemos mencionar el tipo de carrera que siguieron. Generalmente existe una relación entre las facultades de educación superior a las cuales se asistió y el comportamiento político. Esta afirmación es plausible sobre todo en lo que atañe a los países en vías de desarrollo. Como lo señala Frederick W. Frey:

La posibilidad de aceptar la idea de que las diferencias en el comportamiento político entre los diputados se relacionan con los centros de educación superior a los cuales asistieron, parece evidente. Las condiciones del sistema educativo en Turquía contribuyen al mismo efecto. En E.E.U.U., la asistencia a una facultad de derecho, medicina, economía, generalmente significa que los individuos preparados en común tienen experiencias educacionales más o menos similares. Sin embargo, dado que hay muchas facultades de cada carrera, las experiencias de los jóvenes que se educan en el mismo tipo de escuela profesional pueden tener poca similitud, con exclusión de la que forma parte del ethos y curricu-

lum profesional general. Por el contrario, en Turquía generalmente ha habido una o a lo sumo dos facultades para la misma disciplina. Así, todos los que estudiaron ciencias políticas, como carrera principal, fueron a la **misma facultad**. . . *lo mismo puede decirse de la medicina, la ingeniería y muchos otros campos. No sólo hay similitudes en la preparación educacional, sino que existen muchas otras experiencias comunes para quienes estudian profesiones semejantes. Personas de la misma edad y profesión, tienen una probabilidad mucho mayor de haberse conocido en la facultad universitaria en Turquía, que personas en el mismo caso en E.E.U.U.*[1]

Esta situación se da también entre los legisladores costarricenses que se educaron en la Universidad de Costa Rica, y en menor grado en los ministros que han tenido una mayor experiencia en el exterior. Como se verá en el capítulo VI, la gran mayoría de los "profesionales" que participan en la política costarricense son abogados.[2] Estos abogados no sólo estudiaron juntos en la Facultad de Derecho de la Universidad de Costa Rica, sino que se vieron involucrados en los mismos movimientos políticos de su tiempo y en sus repercusiones. Es posible que su experiencia estudiantil determinara o reafirmara sus ideologías políticas. También pueden haber participado políticamente en el ámbito universitario. Ahí formaron sus círculos de amigos y grupos de estudio, y establecieron sus contactos sociales y profesionales más significativos. Es innegable que esta experiencia mutua tiene efectos posteriores sobre el comportamiento político. Aun cuando difieran en sus credos políticos, la manera de interpretar los problemas, de comprender los asuntos sociales, de tratar con la gente, de atacar y defenderse políticamente, hace que los abogados-políticos costarricenses sean muy similares entre sí, en cuanto a sus acciones y reacciones.

---

1 Frederick W. Frey, *The Turkish Political Elite*, págs. 62-63 (subrayado nuestro).

2 En general, desde 1948 los abogados han constituido de un 30 a un 45% de la rama ejecutiva de todas las administraciones, y de un cuarto a un tercio de la rama legislativa. El Derecho siempre ha predominado sobre las demás profesiones.

Ingreso: Joseph A. Kahl escribe:

Quizás la manera más fácil de estudiar la estratificación sea por medio del ingreso monetario, y sabemos que las personas con altos ingresos pueden darse un estilo de vida elegante en sus hábitos de consumo, establecer contactos con personas destacadas, lograr un prestigio considerable y, mediante inversiones de capital, multiplicar sus ingresos.[1]

Sin embargo, como se sabe, es bastante difícil medir el ingreso. En nuestras investigaciones encontramos dos limitaciones básicas en el uso de la variable "ingreso", como criterio fundamental para asignar los estratos sociales. En primer lugar, al responder a la pregunta de cuál era su ingreso anual cuando fue electo por primera vez a la Asamblea Legislativa o a la Corte, o cuando fue nombrado ministro, se observó una tendencia a declarar un ingreso menor que el que se tenía realmente. En segundo lugar, había un "problema de memoria", ya que la respuesta se refería a menudo a los años veintes o treintas. En tercer lugar, como las estadísticas existentes acerca de los precios de ese período no abarcan todo el país,[2] era completamente imposible hacer comparaciones sobre el ingreso real de nuestros líderes.

No obstante, percatándose de estas limitaciones, vale la pena hacer una comparación entre los ingresos declarados de los dirigentes y los del resto de la población. Como puede verse en el cuadro 9, sólo un 20% de los ministros y diputados declaró tener un ingreso anual menor de 20.000 colones. La mayoría se sitúa en la categoría media, aunque existe un porcentaje muy significativo (30%) que declara un ingreso mayor de 40.000 colones al año.

El cuadro 10 muestra la distribución del ingreso en el país. Como puede notarse, el 10% más pobre gana sólo un 2% del ingreso nacional, en tanto que el 10% más rico gana más de un tercio; en otras palabras: el 10% de las familias con el ingreso más alto tiene un ingreso anual dieciséis veces mayor que el recibido por el 10% de las familias más pobres (49.248 colones comparado con 2.976 colones por familia).

---

1 Joseph A. Kahl, *The American Class Structure* (Nueva York: Reinhart & Company, 1951), pág. 9.

2 Véase la nota 1 de la pág. 48.

CUADRO 9
DISTRIBUCION DEL INGRESO ANUAL DE LA ELITE POLITICA
(Ministros y Diputados)

Ingreso (en colones)	Porcentaje de dirigentes (N = 409)
Menos de 20.000	20% (82)
20.001 a 40.000	40% (163)
Más de 40.000	30% (123)
No respondieron	10% (41)
TOTAL	100%

CUADRO 10
DISTRIBUCION DEL INGRESO DE LA POBLACION COSTARRICENSE

Porcentaje de familias	Porcentaje del ingreso	Ingreso anual por familia (en colones)
10% más bajo	2,1	2.976
segundo 10%	3,3	4.608
tercer 10%	4,2	5.880
cuarto 10%	5,1	7.236
quinto 10%	6,2	8.760
sexto 10%	7,5	10.596
sétimo 10%	9,3	13.020
octavo 10%	11,7	16.536
noveno 10%	16,2	22.740
décimo 10%	34,4	49.248

FUENTE: Víctor Hugo Céspedes, "Costa Rica, La Distribución del Ingreso y Algunos Alimentos", IECES, Publicaciones de la Universidad de Costa Rica No. 45 (1973).

A diferencia de los líderes formales, entre los cuales sólo un 20% tiene un ingreso anual menor de 20.000 colones, en la población total esta proporción se elevaba a casi el 90 por ciento. De hecho, como se aprecia en el cuadro 10, el 90% de la población total gana menos de 22.740 colones al año, lo cual demuestra que también en cuanto al ingreso, nuestros dirigentes constituyen una élite.[1]

Participación social: Respecto de la participación social de los líderes, la afiliación a grupos formales parece diferir entre países. Refiriéndose a la situación norteamericana, Ruchelman dice:

¿Por qué pertenecen a tantos grupos formales los legisladores? . . . En primer lugar, numerosos estudios han demostrado que el número de afiliaciones formales aumenta cuanto más alta sea la condición social de los individuos . . . Los legisladores son generalmente de clase alta. Además, muestran una gran movilidad social, esto es, tienen una mayor capacidad para ascender de posiciones sociales bajas a posiciones sociales más altas . . . Otro factor es que los legisladres se enfrentan constantemente a la tarea de encontrar apoyo electoral . . . En consecuencia, los candidatos a diputados ingresan deliberadamente a organizaciones con el fin de adquirir el máximo apoyo electoral posible. Al mismo tiempo, los grupos con intereses políticos generalmente tienen mucho que ganar o perder según el tipo de hombre que desempeña un puesto público. ***El candidato cuyos antecedentes y plataforma correspondan mejor a las necesidades y objetivos de un grupo específico, puede contar generalmente con el grupo para que lo respalde en sus luchas políticas.*** *Por lo tanto, existe una atracción natural entre los grupos formales y los políticos –se buscan unos a otros con fines de ayuda mutua.*[2]

Matthews encontró que:

---

1 Véase la nota al pie de la pág. 87, capítulo III.

2 Ruchelman, *Career Patterns of New York State Legislators*, págs. 74-75 (subrayado nuestro).

La participación social de los senadores puede ser el resultado de su elevado status y de su movilidad ascendente. Una segunda interpretación, en modo alguno excluyente, de la fuerte participación del senador en organizaciones voluntarias, es de carácter político. Las personas que tienen una participación activa en diversas organizaciones, es posible que actúen con fines eminentemente políticos. A uno debe gustarle la gente (o al menos aparentar que le gusta) para ser un político, y el pertenecer a asociaciones es un indicador de que se tiene esta actitud, así como la capacidad de llevarse bien con los demás. Es un hecho que las personas activas en política buscan conscientemente ingresar a asociaciones como un medio para lograr el éxito electoral. En política, entre más "hermanos" se tenga, mejor.[1]

Como contraste, veamos la situación en Turquía. En este país menos del diez por ciento de los legisladores afirma pertenecer a esas organizaciones, mientras que en los Estados Unidos la situación normal es que menos del diez por ciento afirma no pertenecer a ellas. Además, la mayoría de los políticos turcos pertenece a una sola asociación voluntaria, en tanto que los políticos estadounidenses mencionan muchas.[2] La discrepancia es comprensible: Turquía es una sociedad mucho menos organizada en asociaciones voluntarias que la sociedad norteamericana.

Según los datos en los cuadros 11 y 12, los políticos costarricenses parecen encontrarse en una etapa intermedia entre la adhesión exagerada a asociaciones, característica de los Estados Unidos, y la situación que presenta Turquía. Comparados con los miembros del Poder Legislativo, los ministros dijeron pertenecer a más organizaciones. Esto no es sorprendente, pues como vimos, los ministros constituyen el grupo con mayor número de profesionales, y generalmente la condición de profesional implica participación más amplia en asociaciones, sociedades o clubes. No obstante, en Costa Rica ambos grupos muestran un alto grado de participación: un 60% de los componentes de la rama ejecutiva (cuadro 11) y casi la mitad de los de la rama legislativa (cuadro 12) pertenecen a tres o más organizaciones.

---

1 Matthews, *U.S. Senators and Their World*, págs. 43-44.
2 Frey, *The Turquish Political Elite*, pág. 99.

CUADRO 11

NUMERO TOTAL DE ORGANIZACIONES A LAS CUALES PERTENECEN LOS DIRIGENTES

Rama Ejecutiva

1948 – 1974

(Valores Relativos y Absolutos)

Número de organizaciones	Valores Absolutos				Valores Relativos			
	Total	P.L.N.	P.R.N.	P.U.N.	Total	P.L.N.	P.R.N.	P.U.N.
Ninguna	8	5	--	3	6,5	7,6	--	7,0
Una	13	9	--	4	10,6	13,6	--	9,3
Dos	20	11	7	2	16,3	16,7	50,0	4,7
Tres	14	5	3	6	11,4	7,6	21,4	14,0
Cuatro	11	5	1	5	8,9	7,6	7,1	11,6
Cinco	9	7	2	--	7,3	10,6	14,3	--
Seis	14	8	--	6	11,4	12,1	--	14,0
Siete	7	5	--	2	5,7	7,6	--	4,7
Ocho o más	18	9	1	8	14,6	13,6	7,1	18,6
No respondieron	9	2	--	7	7,3	3,0	--	16,3
TOTAL	123	66	14	43	100,0	100,0	100,0	100,0

CUADRO 12

NUMERO TOTAL DE ORGANIZACIONES A LAS CUALES PERTENECEN LOS DIRIGENTES

Rama Legislativa

1948 – 1974

(Valores Absolutos y Relativos)

Número de organizaciones	Valores Absolutos				Valores Relativos			
	Total	P.L.N.	P.R.N.	P.U.N.	Total	P.L.N.	P.R.N.	P.U.N.
Ninguna	40	24	7	9	11,1	13,7	8,6	8,7
Una	60	28	13	19	16,7	16,0	16,0	18,5
Dos	62	25	14	23	17,3	14,3	17,3	22,3
Tres	47	24	12	11	13,1	13,7	14,8	10,7
Cuatro	45	26	13	6	12,5	14,9	16,0	5,8
Cinco	29	17	4	8	8,1	9,7	4,9	7,8
Seis	17	7	5	5	4,7	4,0	6,2	4,9
Siete	12	5	1	6	3,3	2,9	1,2	5,8
Ocho o más	19	7	5	7	5,3	4,0	6,2	6,8
No respondieron	28	12	7	9	7,8	6,9	8,6	8,7
TOTAL	359	175	81	103	100,0	100,0	100,0	100,0

Respecto del tipo de organizaciones (cuadros 13 y 14), los miembros del Gabinete participan más en las cámaras comerciales, industriales, agrícolas y ganaderas, así como en asociaciones y clubes sociales. En el cuadro 13 se aprecian diferencias significativas entre los partidos políticos, de las cuales cabe destacar el elevado número de agricultores dentro de las filas del PUN, así como la ausencia de ministros del PRN en cooperativas, asociaciones religiosas y sindicatos.

Los grupos de terratenientes no tienen muchos representantes en la Asamblea Legislativa (cuadro 14), excepción hecha del PUN. Sin embargo, en términos absolutos el número de agricultores y ganaderos del PLN es considerable. Por el contrario, como puede verse, los industriales y comerciantes sólo están representados en proporción reducida. Como era de esperar, las profesiones tienen una participación significativa. Según señalamos antes, hay un grado más alto de "profesionalismo" entre los miembros del Poder Ejecutivo. Con excepción del PRN, la cuarta parte de los ministros y la quinta parte de los legisladores pertenecían a cooperativas. Finalmente, es importante señalar que los ministros y diputados del Republicano Nacional son afiliados de un número mayor de asociaciones, cámaras profesionales y clubes sociales.

Los clubes sociales están entre los lugares de reunión más importantes para los políticos costarricenses: el 61% de los ministros y el 55,2% de los legisladores pertenecen a estas organizaciones. Sin embargo, corresponde a los legisladores del PLN un porcentaje ligeramente menor. Los clubes sociales de mucho prestigio y de acceso limitado a los individuos de ingresos más altos, parecen tener más importancia en la vida política costarricense que cualquier otro tipo de organización. El cuadro 15 enumera los principales clubes a los cuales pertenecen los miembros del Gabinete y los legisladores. Según Samuel Stone:

> *. . . sus socios fundadores, en el momento de sus respectivas fundaciones, fueron cafetaleros en una muy importante medida; en todo caso, todos fueron miembros de la clase política. El hecho de que hayan sido cafetaleros es importante, puesto que por constituir ese grupo, junto con los comerciantes salidos de la misma clase, la élite económica en aquellos entonces, el valor de las acciones, así como luego el costo de las mensualidades, limitó el*

CUADRO 13

TIPOS DE ORGANIZACIONES A LAS CUALES PERTENECEN LOS DIRIGENTES

Rama Ejecutiva

1948 – 1974

(Valores Absolutos y Relativos)

Tipos de organizaciones	Valores Absolutos				Valores Relativos			
	Total	P.L.N.	P.R.N.	P.U.N.	Total	P.L.N.	P.R.N.	P.U.N.
No pertenecen a ninguna	9	5	––	4	7,3	7,6	––	9,3
Asociaciones (nacionales o internacionales)	47	25	11	11	38,2	37,9	78,6	25,6
Cámaras agrícolas y ganaderas	36	15	2	19	29,3	22,7	14,3	44,2
Cámaras comerciales e industriales	5	4	1	––	4,1	6,1	7,1	––
Cámaras profesionales	55	26	10	19	44,7	39,4	71,4	44,2
Cooperativas	31	17	––	14	25,2	25,8	––	32,6
Clubes	75	39	9	27	61,0	59,1	64,3	62,8
Movimientos cívicos y comunales	9	7	––	2	7,3	10,6	––	4,7
Religiosas	9	6	––	3	7,3	9,1	––	7,0
Sindicatos	26	19	––	7	21,1	28,8	––	16,3
Movimientos políticos	8	5	––	3	6,5	7,6	––	7,0
No respondieron – otros	5	2	––	3	4,1	3,0	––	7,0
TOTAL*	315	170	33	112	123/123	66/123	14/123	43/123

* El total se modificó debido a que los dirigentes pertenecían simultáneamente a varias organizaciones. Valores relativos según el total real: de 123 dirigentes, 66 son del PLN, 14 del PRN y 43 del PUN.

CUADRO 14

TIPOS DE ORGANIZACIONES A LAS CUALES PERTENECEN LOS DIRIGENTES

Rama Legislativa

1948 – 1974

(Valores Absolutos y Relativos)

Tipos de organizaciones	Valores Absolutos				Valores Relativos			
	Total	P.L.N.	P.R.N.	P.U.N.	Total	P.L.N.	P.R.N.	P.U.N.
No pertenecen a ninguna	54	27	8	19	15,0	15,4	9,9	18,4
Asociaciones (nacionales o internacionales)	88	46	26	16	24,5	26,3	32,1	15,5
Cámaras agrícolas y ganaderas	30	17	6	7	8,4	9,7	7,4	6,8
Cámaras comerciales e industriales	44	18	9	17	12,3	10,3	11,1	16,5
Cámaras profesionales	128	62	33	33	35,7	35,4	40,7	32,0
Cooperativas	70	35	12	23	19,5	20,0	14,8	22,3
Clubes	198	83	52	63	55,2	47,4	64,2	61,2
Movimientos cívicos y comunales	59	40	8	11	16,4	22,9	9,9	10,7
Religiosas	21	15	2	4	5,8	8,6	2,5	3,9
Sindicatos	42	24	10	8	11,7	13,7	12,3	7,8
Movimientos políticos	25	20	1	4	7,0	11,4	1,2	3,9
No respondieron – otros	19	10	6	3	5,3	5,7	7,4	2,9
TOTAL*	778	397	173	208	359/359	175/359	81/359	103/359

*** El total se modificó debido a que los dirigentes pertenecían simultáneamente a varias organizaciones. Valores relativos según el total real: de 359 dirigentes, 175 son del PLN, 81 del PRN y 103 del PUN.**

acceso a estos centros, a una minoría de los miembros de la clase política. De ahí que en años subsiguientes se fueran formando otros centros sociales como el Tennis Club, más accesible económicamente hablando, cuyo núcleo organizador salió de la clase política, pero cuya nómina de socios llegó a incluir, por motivos económicos, a grupos fuera de la clase política.
Puede tenerse una idea de la importancia del aspecto económico de estos clubes, al considerar que hacia 1958 una acción del Country Club se cotizaba en alrededor de ₡15.000, mientras que una del Tennis Club en ₡700.[1]

CUADRO 15
PRINCIPALES CLUBES A LOS CUALES PERTENECEN LOS DIRIGENTES FORMALES
1948 – 1974
(Valores Relativos)

	Rama Ejecutiva			Rama Legislativa		
Nombre del Club	**P.L.N.**	**P.R.N.**	**P.U.N.**	**P.L.N.**	**P.R.N.**	**P.U.N.**
Unión	27,9	27,3	85,7	9,6	27,9	24,0
Country	32,6	9,0	50,0	5,9	17,7	20,0
Tennis	16,3	––	14,3	8,8	1,5	6,7
Otros	7,9	18,2	28,6	28,7	41,2	36,0

El "Unión", el "Country" y el "Tennis" son los clubes sociales más antiguos y de mayor prestigio en Costa Rica. Recientemente ha habido una proliferación de estas asociaciones: entre los años 1970 y 1974 se construyó por lo menos media docena de nuevos clubes campestres; desde el "Cariari", exclusivo y caro; uno o dos de equitación, hasta el "Castillo", mucho menos sofisticado pero igualmente atractivo, accesible a muchas personas que no habían sido aceptadas antes en ninguno de los centros más tradicionales.

---

1 Samuel Stone, "Inversiones Industriales en Costa Rica", *Revista de Ciencias Sociales* (San José, Universidad de Costa Rica, abril, 1973), págs. 67-68.

Consideramos que esta proliferación de clubes sociales no es muy beneficiosa para el país. Todo lo contrario. La verdad es que una nación con el grado de desarrollo de Costa Rica, de escasos recursos económicos y en la que la inversión –tanto pública como privada– es financiada en gran parte con ahorro externo, no debería darse el lujo de destinar parte del escaso ahorro nacional a inversiones que no sólo son improductivas desde el punto de vista económico, sino también poco convenientes desde el punto de vista social, por cuanto, dado el carácter más o menos clasista que poseen los clubes, agudizan las tensiones existentes.

El "Unión" es frecuentado, como mínimo, por la cuarta parte de todos los miembros del Gabinete y legisladores, con excepción de los diputados del PLN. Es posible que por su condición de clase media muchos de ellos no pudieron afiliarse a una organización tan cara y exclusiva. Por el contrario, vemos que el 85% de los ministros del PUN sí pertenecían a ese club, famoso en el ambiente político y social costarricense como centro de reunión para banqueros y empresarios, y como lugar de origen de muchas candidaturas políticas. De igual manera, el "Country" tiene más representantes del Gabinete que legisladores; también en este caso los ministros del PUN y los legisladores del PLN se destacan por ser los que tienen un mayor y menor número de adherentes, respectivamente. El "Tennis" es más popular por cuanto sus cuotas de ingreso son más bajas y un poco menos restrictivo en sus requisitos de afiliación.

Aunque la forma de participación en organizaciones corresponde al modelo occidental, o mejor aún, al modelo norteamericano, el contenido de esta participación tiene características latinoamericanas o del Tercer Mundo que la diferencian. Las agrupaciones que tienen mayor número de asociados son las de intereses específicos, junto con los clubes sociales, creados por sectores restringidos de la sociedad costarricense para ellos mismos. Los grupos ideológicos, movimientos cívicos, organizaciones de acción y desarrollo, y los que combinan varios intereses, parecen haber tenido poca importancia en la participación social del político costarricense.

La percepción de la propia clase social: A continuación analizaremos cómo los miembros de la élite perciben la clase social a la que dicen pertenecer, y cómo el estrato social asignado corresponde con su percepción acerca de esa clase social declarada. Como puede notarse en el cuadro 16, los miembros de la rama ejecutiva reconocen su pertenencia a una clase social relativamente más alta que aquella a la cual afirman pertenecer los legisladores. Esto coincide con los niveles de educación más elevados y el tipo de ocupación que tiene la mayoría de los ministros. Es interesante señalar que, mientras es frecuente encontrar personas en el campo legislativo que afirmaron "no creer en o no pertenecer a" ninguna clase social, o pertenecer a la "clase obrera", en la rama ejecutiva las cifras correspondientes no tienen ninguna significación.

Respecto de la esfera ejecutiva, excepción hecha de los miembros del PRN, de los cuales casi el 80% afirmó pertenecer a la "clase media alta", hay muy pocas diferencias entre las tendencias políticas. En términos generales, según su propia definición, los ministros pertenecen a la clase media alta y a las clases altas.

En la rama legislativa, los diputados liberacionistas tienden a identificar su ascendencia con una clase social más baja que la de los diputados del Unión Nacional. El 62,9% de los legisladores del PLN se clasifican como "clase media alta", y el único otro porcentaje significativo de este grupo, se encuentra en la categoría "media baja" (14,9%). Un fenómeno que se destaca en el sector legislativo es el mayor número de diputados del PRN que se incluyen en los estratos "alto inferior" y "alto superior" (37%).

Los líderes políticos costarricenses, tanto ministros como legisladores, pero especialmente los legisladores, según su propia evaluación de su posición en la sociedad, parecen constituir una mezcla de las clases superiores y de los sectores medios más recientes. El crecimiento de los sectores medios es el resultado del desarrollo económico y social de Costa Rica en las últimas dos décadas, y, como hemos visto, una parte significativa de estos nuevos sectores se incorporó a Liberación Nacional después de 1948.

Algunas personas consideran que, con el rápido crecimiento de la clase media, se ha diluido el poder de las clases más altas, predominantes en el siglo pasado. Por ejemplo, Samuel Stone se ha referido a la "diferenciación de la clase" o a los cambios habidos entre los descendientes de la oligarquía original, lo cual produjo sectores liberales y conservado-

CUADRO 16

CLASE SOCIAL A LA CUAL SE AFIRMA PERTENECER, POR RAMAS DE GOBIERNO Y TENDENCIA POLITICA 1948 – 1974

(Valores Relativos)

Clase social	Rama Ejecutiva				Rama Legislativa			
	Total	P.L.N. (N=66)	P.R.N. (N=14)	P.U.N. (N=43)	Total	P.L.N. (N=175)	P.R.N. (N=81)	P.U.N. (N=103)
No cree en o no pertenece a ninguna clase	0,8	1,5	--	--	3,1	1,1	4,9	4,9
Clase obrera	0,8	--	--	2,4	4,2	2,9	4,9	5,8
Clase media baja	4,9	7,6	7,1	--	9,7	14,9	8,6	1,9
Clase media alta	48,8	43,9	78,6	47,6	54,6	62,9	42,0	50,5
Clase alta inferior	14,6	16,7	--	16,7	13,4	8,6	22,2	14,6
Clase alta superior	22,0	22,7	7,1	23,8	9,7	5,6	14,8	12,6
No respondieron	8,1	7,6	7,2	9,5	5,3	4,0	2,6	9,7
TOTAL	100,0	100,0	100,0	100,0	100,0	100,0	100,0	100,0

res, de terratenientes y de profesionales, de ricos y de pobres. La siguiente es una referencia a este fenómeno:

Los grandes cambios no ocurrieron durante los primeros años de la Independencia, sino a mediados del siglo XIX, con la aparición del café. Fue entonces cuando se constituyeron las fortunas cafetaleras dentro de la clase, naciendo por ende las grandes propiedades. Con esto, nuevos elementos se introducirían en el proceso de diferenciación: los cafetaleros, para evitar la parcelación de sus tierras entre sus hijos, encargarían a uno de los herederos con la administración del conjunto de las propiedades. De ahí nacería una diferenciación económica entre hermanos, y esto entrañaría una diferenciación política: los que lograron conservar la tierra tenderían a ser resueltamente conservadores; los que se dedicaron a las profesiones adoptarían tendencias liberales. . . Por lo tanto puede llegarse a la conclusión de que si la clase sigue siendo poderosa políticamente, lo es menos hoy que ayer. Su debilitación se debe no solamente a una mayor participación de los sectores populares en la vida política, sino también a una diferenciación entre sus propios miembros. En el siglo XIX tuvo el monopolio del poder, mientras que hoy ya no parece ser éste el caso.[1]

En el cuadro 17 no se encuentra ninguna relación entre aquellos líderes que se consideraban a sí mismos como parte de la amplia "clase media" costarricense, y el estrato que se les asignó. De los 258 dirigentes entrevistados que dijeron pertenecer a la clase media, el 62,2% tenía ocupaciones que los incluirían en el estrato social alto, lo cual significa que sólo un 37% de ellos son realmente miembros del estrato medio. De los dirigentes que afirmaron ser de la clase obrera, no creer en clases o no pertenecer a ninguna, el 61% se asignó al estrato alto y el 39% al medio.

En cuanto a las limitaciones de la percepción de la propia clase social como variable, hemos mencionado que las imágenes sociales son una cosa y las realidades sociales otra. Se ha confirmado, con excepción de los

1 Samuel Stone, *La Dinastía de los Conquistadores. La Crisis del Poder en la Costa Rica Contemporánea* (San José: EDUCA, 1975), págs. 278-279.

CUADRO 17

CLASE SOCIAL A LA CUAL AFIRMAN PERTENECER LOS DIRIGENTES COMPARADA CON EL ESTRATO SOCIAL ASIGNADO

(Valores Relativos)

Clase social a la cual afirman pertenecer	N	Total	Estrato social asignado			
			Alto	Medio	Bajo	No respondieron
Alto	103	100	85,5	14,5	--	--
Medio	258	100	62,2	37,0	0,8	--
No cree en o no pertenece a ninguna clase, o clase obrera	24	100	60,7	39,3	--	--
No respondieron	18	100	54,5	34,1	--	11,4

líderes que se clasificaron como pertenecientes a los sectores sociales superiores, que el punto de vista de los dirigentes acerca de su propia posición en la sociedad, contrasta en forma clara con su colocación objetiva en la jerarquía de clases. Algunas generalizaciones acerca de la sociedad costarricense, pueden contribuir a la explicación de este fenómeno.

El sistema social costarricense es definido a menudo, generalizando demasiado, como casi desprovisto de diferencias de clase. La pequeñez de la población ha contribuido a que casi todos hayan visto al Presidente de la República, lo hayan saludado o conversado con él, y de igual modo sucede con respecto a los diputados. Esto da la impresión de que el pueblo puede relacionarse con las personas políticamente importantes y tiene el derecho de hacerlo, y también de que sus exigencias serán atendidas. La alta movilidad social que ha permitido nuestro sistema educacional, y la tendencia a referirse orgullosamente a nuestro país como la "Suiza Centroamericana", son factores que tradicionalmente han dificultado el surgimiento de una mayor conciencia de clase. Los costarricenses no tienen muy clara la existencia de su estratificación social debido al mito de la ausencia de diferencias de clase, y las personas influyentes política y económicamente, son admiradas y tratadas con respeto y deferencia, y no con resentimiento.

Un segundo aspecto de este mito de la inexistencia de diferencias de clase es la afirmación, de parte de muchos autores norteamericanos, de que Costa Rica es una "nación de clase media". Estos intelectuales extranjeros, generalmente bien impresionados después de una estada en el país, presentan a los sectores medios como predominantes, o bien predicen que lo serán en el futuro. Suponen que el proceso de desarrollo (económico, político y social) conducirá a una situación en que las clases superiores perderán poder, y en que las clases inferiores llegarán a ser numéricamente insignificantes. Cuando la definición de "clase media" se emplea en forma vaga para referirse a las personas que votan, que saben leer y escribir, y que tienen algún tipo de propiedad, entonces es lógico que "el escritor norteamericano, si no investiga más, afirmará que Costa Rica es de hecho una nación de clase media, en que todos los problemas graves han sido resueltos, y en que la integración política y social del país es un fait accompli".[1] Esta concepción, engendrada fuera del país, ha sido tomada muy en serio por los costarricenses en la formación de la idea de su propia sociedad.

---

1 Robert H. Trudeau, "Costa Rican Voting: Its Economic Correlates" (tesis doctoral inédita, Universidad de Carolina del Norte en Chapel Hill, 1971), pág. 19.

CAPITULO III

MOVILIDAD SOCIAL DE LA ELITE DEL PODER

Introducción: En este capítulo analizamos la movilidad social intrageneracional, mediante una comparación de los estratos sociales a los cuales pertenecían los líderes cuando fueron electos por primera vez para desempeñar cargos formales, y su estrato social actual. Analizamos también la movilidad social inter-generacional, mediante una comparación de los estratos sociales de los padres y sus hijos. Evidentemente, hay otros aspectos de la movilidad social que se excluyen totalmente de este análisis, como el matrimonio.[1] También investigamos la clase social de los padres según la declaran los dirigentes, su condición económica y su educación, en un intento de presentar otros aspectos del origen socioeconómico de los líderes.

---

1 No obstante, en otros estudios sobre Costa Rica se han empleado métodos basados en el matrimonio y la genealogía para estudiar a la élite política nacional, y se ha llegado a las mismas conclusiones, esto es, que la mayoría de los dirigentes formales, tanto en la rama ejecutiva como en la legislativa, vienen del estrato superior. Un ejemplo es que 34 de los 44 Presidentes desde la Independencia (1821), son descendientes consanguíneos o por afinidad de tres familias nobles (hidalgas) desde los primeros años de la Conquista. De la misma manera, aproximadamente 750 de los 1300 congresistas son descendientes de seis de esas familias. Una sola de esas familias ha poducido 330 congresistas desde la Independencia. Generalmente, esta élite política ha constituido también una élite económica, Véase: Samuel Stone, "Aspects of Power Distribution in Costa Rica", en Dwight Heath, *Contemporary Culture and Societies of Latin America* (Nueva York: Random House, 1973), pág. 402.

Toda clase dominante se enfrenta a ciertos dilemas. ¿De qué manera y hasta qué punto está dispuesta a aceptar en la dirigencia a quienes carecen de antecedentes sociales adecuados? ¿Cuántos recién llegados con preparación (que pueden ser peligrosos si no son absorbidos) debería, o más bien podría, aceptar la élite sin minar su prestigio legítimo? ¿En qué condiciones puede una élite antigua negarse a asumir nuevas funciones sociales y mantener aún el monopolio de su alto status?[1] Estas preguntas señalan la importancia de la relación entre la movilidad interna de una sociedad y la estabilidad de su régimen político. Puede afirmarse que en la mayoría de los países subdesarrollados, las élites políticas tradicionales han tenido que compartir puestos importantes con nuevas élites profesionales y económicas en ascenso.

> *. . . Los grupos dirigentes que tradicionalmente han controlado la producción, han ejercido, y siguen ejerciendo, en la mayoría de los casos, el poder político. El caso de Costa Rica lo ilustra. Sin embargo, estamos presenciando en todo el continente latinoamericano, reivindicaciones crecientes de los demás sectores de la población para una mayor participación en el proceso político, así como en la producción de las diferentes sociedades. Este fenómeno es la consecuencia de una combinación de factores, que incluyen en particular el mejoramiento del nivel de educación, de los medios de comunicación, y de una mayor interacción con los países industrializados; todo esto ha creado una ola de esperanza, en las capas inferiores de las sociedades, de poder alcanzar lo que hasta la sazón ha parecido inaccesible.* **Grosso modo**, *desde la Segunda Guerra Mundial, el poder político ya no puede ser monopolizado por los grupos tradicionales, debido a que están surgiendo otras fuerzas sociales . . . Las clases dirigentes se ven obligadas, por lo tanto, a enfrentarse con problemas económicos crecientes para seguir controlando la producción; al mismo tiempo, deben contar con esta nueva participación popular en las decisiones políticas. En ambos campos, no pueden escoger: deben adaptarse. Si saben conservar cierto equilibrio entre los dos, podrán sobrevivir, por un tiempo más o menos prolongado.*[2]

Seymour, M. Lipset y Reinhard Bendix, *Social Mobility in Industrial Society* (Berkeley, E.E.U.U.: University of California Press, 1967), pág. 3.
Samuel Stone, "La Crisis del Poder en la Costa Rica Contemporánea", *La Dinastía de los Conquistadores* (San José: EDUCA, 1975), págs. 374-375.

En general, la supervivencia de la élite tradicional ha dependido de su flexibilidad para aceptar representantes de los estratos más bajos sin que peligre seriamente su propia posición. El ejercicio del sufragio universal ha permitido oportunidades más amplias de acceso al poder, y la disponibilidad de nuevas fuentes de riqueza y educación, aunque limitada, también ha ampliado la participación en el proceso de la toma de decisiones.

La movilidad social intra-generacional: ¿Qué sucede con los individuos una vez que dejan un puesto público? ¿Vuelven a sus anteriores ocupaciones, o pueden mantener o mejorar el status social derivado de sus cargos políticos?

Los cuadros 18, 19 y 20 muestran la relación entre los estratos sociales de los líderes cuando fueron electos por primera vez a un puesto formal, y su estrato social en el presente, derivados en ambos casos de su ocupación principal. Esta información nos ayudará a determinar si la posición formal originó un cambio en el estrato social inicial de los dirigentes. Una limitación encontrada al respecto es el hecho de que los diferentes estratos sociales incluyen varias categorías de ocupación. Por lo tanto, muchos cambios dentro de estas categorías no se registran como casos de movilidad, pues por movilidad se entienden los cambios de un estrato a otro.

Otra limitación obedece al porcentaje considerable de líderes fallecidos o retirados, y otros que en este momento ocupan por primera vez un puesto formal. Por razones prácticas, debidas principalmentea la dificultad para obtener información acerca de los fenecidos, los hemos excluido de este análisis. Puesto que la ocupación es nuestro criterio para establecer estratos sociales, los individuos retirados también han sido excluidos. Como la Escala de Fonseca[1] no incluye ese tipo de categoría, la asignación de un estrato social a esos individuos fue imposible. Finalmente, como ya hemos dicho, uno de los propósitos de este análisis es estudiar el efecto de la posición política sobre la movilidad social intra-generacional. Los individuos que actualmente ocupan un puesto formal por primera vez, no ofrecen el efecto comparativo que buscamos y, por lo tanto, también han sido eliminados.

---

1 Véase la Metodología, pág. 257.

CUADRO 18

PUN – COMPARACION DEL ESTRATO SOCIAL ACTUAL CON EL QUE SE TENIA AL SER ELECTO POR PRIMERA VEZ

(Valores Relativos)

	Estrato social actual del dirigente						
	Rama Ejecutiva			Rama Legislativa			
Estrato social al ser electo	**N**	**Total**	**Alto**	**N**	**Total**	**Alto**	**Medio**
Alto	22	100	100	40	100	100	--
Medio	--	--	--	15	100	46,7	53,3

CUADRO 19

PLN – COMPARACION DEL ESTRATO SOCIAL ACTUAL CON EL QUE SE TENIA AL SER ELECTO POR PRIMERA VEZ

(Valores Relativos)

	Estrato social actual del dirigente						
	Rama Ejecutiva			Rama Legislativa			
Estrato social al ser electo	**N**	**Total**	**Alto**	**N**	**Total**	**Alto**	**Medio**
Alto	22	100	100	53	100	96,2	3,8
Medio	2	100	100	39	100	43,6	56,4
Bajo	--	--	--	1	100	100	--

El cuadro 18 muestra una movilidad ascendente entre los diputados del PUN, de los cuales un 46,7% pasó desde el estrato medio al alto, después de que dejaron su puesto político. En el PLN, como se ve en el cuadro 19, este fenómeno se da tanto en el Poder Ejecutivo como en la rama legislativa: sus dos ministros que pertenecían al estrato medio ascendieron al estrato alto y en la rama legislativa hubo una movilidad ascendente y descendente. Un 43,6% de los diputados de este Partido ascendió del estrato medio al alto, y sólo un diputado del estrato bajo alcanzó el alto, en tanto que un 3,8% del estrato alto descendió al medio. En el PRN, el cuadro 20 señala que el único ministro perteneciente al estrato medio ascendió al estrato alto, y en la rama legislativa, un 25% de los diputados presentan la misma característica. Sin embargo, un 5,1% de los diputados que pertenecían al estrato alto descendieron al estrato medio.

Estos datos confirman que es probable el ascenso social de un individuo, luego de abandonar su puesto formal, y que este ascenso se da principalmente del estrato medio al alto. El caso que muestra un ascenso del estrato bajo al alto parece ser una excepción. Un aspecto interesante es el porcentaje muy reducido de dirigentes que descendieron del

CUADRO 20

PRN – COMPARACION DEL ESTRATO SOCIAL ACTUAL CON EL QUE SE TENIA AL SER ELECTO POR PRIMERA VEZ

(Valores Relativos)

	Estrato social actual del dirigente						
	Rama Ejecutiva			Rama Legislativa			
Estrato social al ser electo	N	Total	Alto	N	Total	Alto	Medio
Alto	10	100	100	39	100	94,9	5,1
Medio	1	100	100	12	100	25	75

estrato alto al medio. Podría tratarse, en estos casos, de individuos de edad avanzada que, después de muchos años de ejercer su profesión, optan por retirarse y efectuar actividades que, según nuestra clasificación, corresponden a un estrato inferior.

En general, una vez más, podemos afirmar que la Asamblea Legislativa es accesible a los sectores medios de la sociedad, y les ofrece una apertura hacia el estrato superior. Este aspecto posiblemente estimule a los individuos que aspiran a ser elegidos al Congreso, pues tal posición facilita el ascenso social, en virtud del prestigio que significa haber ocupado un alto cargo político.

La movilidad inter-generacional: El cambio de estrato entre dos generaciones puede observarse en los cuadros 21, 22 y 23. El cuadro 21 muestra, para el PUN, la relación entre el estrato social de los padres de los líderes y el de los líderes al ser electos por primera vez. Puede notarse que todos los miembros del Ejecutivo cuyos padres pertenecían al estrato medio, habían alcanzado el estrato alto cuando fueron electos, característica que también presenta casi la mitad de los legisladores.

CUADRO 21

PUN – MOVILIDAD SOCIAL INTER-GENERACIONAL DE PADRE A HIJO VISTA EN LA PRIMERA ELECCION DEL HIJO

(Valores Relativos)

	Estrato social de los dirigentes						
	Rama Ejecutiva			Rama Legislativa			
Estrato social de los padres	N	Total	Alto	N	Total	Alto	Medio
Alto	19	100	100	30	100	86,7	13,3
Medio	8	100	100	47	100	48,9	51,1

CUADRO 22

PLN – MOVILIDAD SOCIAL INTER-GENERACIONAL DE PADRE A HIJO VISTA EN LA PRIMERA ELECCION DEL HIJO

(Valores Relativos)

Estratos sociales de los padres	Estratos sociales de los dirigentes								
	Rama Ejecutiva				Rama Legislativa				
	N	Total	Alto	Medio	N	Total	Alto	Medio	Bajo
Alto	23	100	100	--	26	100	69,2	30,8	--
Medio	16	100	81,3	18,7	101	100	44,5	52,5	3
Bajo	1	100	100	--	14	100	57,1	42,9	

CUADRO 23

PRN – MOVILIDAD SOCIAL INTER-GENERACIONAL DE PADRE A HIJO VISTA EN LA PRIMERA ELECCION DEL HIJO

(Valores Relativos)

Estratos sociales de los padres	Estratos sociales de los dirigentes							
	Rama Ejecutiva				Rama Legislativa			
	N	Total	Alto	Medio	N	Total	Alto	Medio
Alto	8	100	100	--	32	100	90,6	9,4
Medio	3	100	66,7	33,3	39	100	56,4	43,6
Bajo	–	--	--	--	5	100	60,0	40,0

Para el PLN, como se ve en el cuadro 22, el 81,3% de los miembros del Ejecutivo cuyos padres pertenecían al estrato medio, había ascendido al estrato alto, y el único ministro que tenía un origen de estrato bajo, también había alcanzado un estrato alto. De los legisladores, un 44,5% ascendió del estrato medio de sus padres al estrato alto; el 57,1% del bajo al alto, y un 42,9% del estrato bajo al medio para la fecha en que ocuparon su primer puesto político.

El cuadro 23 nos indica la movilidad social para los militantes del PRN. De los tres ministros cuyos padres pertenecían al estrato medio, dos ascendieron al estrato alto, y de los legisladores, el 56,4% muestra el mismo tipo de movilidad, en tanto que de los cinco diputados con un origen de estrato bajo, tres alcanzaron el alto y dos ascendieron del bajo al medio.

En conclusión, es evidente que la movilidad social sí se dio entre los dirigentes formales de Costa Rica, y que la mayoría de estos dirigentes ya había ascendido socialmente para el tiempo en que ocuparon el puesto político formal,aun cuando hubo una ligera movilidad social descendente, según se nota en los cuadros.

Las anteriores observaciones reflejan dos aspectos importantes de la sociedad costarricense. En primer lugar, cierto número de hijos de las familias de clase media ha podido ascender, con esfuerzo, perseverancia y autodisciplina, de ocupaciones de estratos medios a ocupaciones de estratos altos. La movilidad entre estos dos estratos ha sido más posible que la movilidad de los estratos bajos a los altos y suponemos que esto continúa así en la actualidad. En segundo lugar, estos individuos, hoy prósperos profesionales o empresarios, encuentran un lugar en el sistema político cuando surge la oportunidad de optar por un puesto. El hecho de que ninguna élite poderosa obstaculice sus aspiraciones políticas, y la circunstancia de que, una vez satisfechos económica y profesionalmente, también sean aceptados en el escenario político, en cierto modo incorporados al marco establecido, son dos de los pilares de la estabilidad política costarricense en un continente en constante agitación.

El cuadro 24 nos señala la clase social de los padres de los líderes tal como lo declaran los propios dirigentes. El predominio de la clase media alta es claro. El total dentro de esta categoría es casi igual para los poderes Ejecutivo y Legislativo, y mientras que los representantes del Legislativo provienen de progenitores en su mayoría de la clase obrera, los

CUADRO 24
CLASE SOCIAL DEL PADRE
1948 – 1974
(Valores Relativos)

Clase social del padre	Rama Ejecutiva				Rama Legislativa			
	Total (N=123)	P.L.N.	P.R.N.	P.U.N.	Total (N=359)	P.L.N.	P.R.N.	P.U.N.
No cree en o afirma no pertenecer a ninguna clase	0,8	1,5	--	--	3,1	1,7	2,5	5,8
Clase obrera	2,4	1,5	--	4,7	9,2	10,9	7,4	7,8
Clase media baja	11,4	15,2	14,3	4,7	13,1	14,9	12,4	10,7
Clase media alta	43,9	45,5	42,9	41,9	43,5	49,7	34,6	39,8
Clase alta inferior	17,9	21,2	14,3	14,0	12,5	10,3	13,6	15,5
Clase alta superior	15,5	9,1	7,1	27,9	12,5	5,7	23,5	15,5
Fallecidos	3,3	3,1	14,3	--	2,8	4,6	2,5	--
No respondieron	4,9	3,1	7,1	7,0	3,3	2,3	3,7	4,9
TOTAL	100,0	100,0	100,0	100,0	100,0	100,0	100,0	100,0

padres de los ministros pertenecen generalmente a las clases "alta inferior" y "alta superior".

Aquí interesan dos fenómenos. En primer lugar, casi el 80% de los elementos de rama ejecutiva y el 70% de la legislativa, declaran que provienen de familias con un nivel social "medio alto" o "alto". La presencia de familias consideradas como socialmente inferiores es poco frecuente. Un origen social más alto parece facilitar el acceso, aunque no permite un monopolio de la participación política. En segundo lugar, en vez de la movilidad establecida sobre la base del estrato social asignado, lo que se nota es que la clase social de la familia y la clase social declarada por los líderes, en general son las mismas.[1] Aunque se ha argumentado que en muchos casos la simple participación política tiende a elevar el status o la clase social del individuo, parece que entre los dirigentes costarricenses existe renuencia a declarar que provienen de una clase social más alta que la de sus familias, sobre todo si ésta puede considerarse satisfactoria. No parece existir la tendencia a declarar una posición de clase alta si se proviene de los grupos medios superiores, si se ha tenido una posición acomodada y si por la tradición, la socialización o el interés personal, se ha tenido la oportunidad de figurar políticamente en puestos elevados.

La referencia a una clase media alta, en el caso de los padres, indudablemente supone, en nuestro criterio, la existencia de una condición económica satisfactoria. En la rama ejecutiva, conforme al cuadro 25, poco más de la mitad de los miembros afirma provenir de hogares "acomodados", y sólo un 6,5% declaró pertenecer a familias de escasos recursos económicos (condición económica "estrecha"). Si bien no existe gran diferencia entre las tendencias políticas, un 14,3% de los ministros del PRN declaró provenir de familias relativamente pobres.[2] En síntesis, puede concluirse que la condición socioeconómica de las familias de la gran mayoría de los integrantes de la rama ejecutiva les permitió a los líderes recibir una educación profesional, establecer contactos sociales favorables y, en consecuencia, mayores oportunidades políticas.

---

1 Véase el cuadro 16, pág. 81.

2 Como puede observarse, esta afirmación de los líderes del PRN no concuerda con los datos consignados en el cuadro 4.

CUADRO 25

CONDICION ECONOMICA DE LA FAMILIA
1948 – 1974

(Valores Relativos)

Condición económica	Rama Ejecutiva				Rama Legislativa			
	Total (N=123)	P.L.N.	P.R.N.	P.U.N.	Total (N=359)	P.L.N.	P.R.N.	P.U.N.
Estrecha	6,5	7,6	14,3	2,3	6,4	6,3	6,2	6,8
Mediana	36,6	33,3	21,4	46,5	47,9	50,3	45,7	45,6
Acomodada	52,0	54,6	42,9	51,2	39,8	34,9	42,0	46,6
Fallecidos	4,9	4,6	21,4	––	3,1	5,1	2,5	––
No respondieron	––	––	––	––	2,8	3,4	3,7	1,0
TOTAL	100,0	100,0	100,0	100,0	100,0	100,0	100,0	100,0

En la rama legislativa, y sin olvidar que los antecedentes sociales de los congresistas son menos elevados que los antecedentes de los líderes del Poder Ejecutivo, observamos que el número de quienes se consideran provenientes de hogares "acomodados" es ligeramente menor. Sin embargo, al igual que en el caso de los ministros, alrededor del 90% de los diputados proviene de familias de condiciones "mediana" y "acomodada". De igual manera, la proporción de diputados provenientes de familias de condición económica "estrecha" es muy semejante a la de los representantes del Ejecutivo.

Mediante el análisis de la percepción de la clase social a la que se cree pertenecer y la condición económica de la familia, podemos concluir que el sistema político no es en modo alguno el monopolio de una clase alta tradicional, aunque, según nuestros datos, parecería estar en manos de una combinación de los grupos "medio alto" y "alto", lo que da como resultado la exclusión de los individuos provenientes de los estratos inferiores.

¿Cuál es el nivel educacional de los padres de los políticos costarricenses, y cómo se relaciona este factor con los estratos sociales asignados a ellos?

En la rama ejecutiva (cuadro 26), como era de esperar, un apreciable porcentaje de los padres son graduados de universidades (un 32,5%, cifra muy alta si se considera que se refiere a un período en que, excepción hecha de unas pocas facultades, la Universidad de Costa Rica no existía). La siguiente cifra, en orden descendente, se encuentra en la educación secundaria. Si tomamos en cuenta los que completaron la educación secundaria, los que tenían alguna educación universitaria y los maestros de escuela, advertimos que el 80% de los padres mostraba elevado nivel educativo para su tiempo. El número de padres con un grado relativamente alto de educación refuerza la hipótesis de que esos hombres, aunque no fueran profesionales, formaban parte o estaban muy cerca de los niveles sociales superiores de su época.

En el sector legislativo, aunque la categoría de "graduado universitario" muestra un respetable 20%, se nota una diferencia marcada si se compara con el ejecutivo. Por otra parte, casi un 40% de los padres de los legisladores recibió educación primaria, y un 30% alcanzó la educación secundaria. Aunque estas cifras son mucho más altas que las referi-

CUADRO 26
NIVEL DE EDUCACION DE LOS PADRES
1948 – 1974
(Valores Relativos)

Nivel de educación	Rama Ejecutiva				Rama Legislativa			
	Total (N=123)	P.L.N.	P.R.N.	P.U.N.	Total (N=359)	P.L.N.	P.R.N.	P.U.N.
Sin educación	––	––	––	––	––	––	––	––
Educación primaria	·16,3	18,2	7,1	16,3	37,6	46,3	22,2	35,0
1-4 años secundaria	26,8	31,8	28,6	18,6	25,6	23,4	34,6	22,3
Bachillerato	7,3	9,1	––	7,0	5,6	5,7	4,9	5,8
Alguna educación universitaria	6,5	9,1	7,1	2,3	6,1	4,0	12,4	4,9
Graduado universitario	32,5	30,3	50,0	30,2	20,3	14,9	20,2	28,2
Escuela de educación	7,3	––	7,1	18,6	1,7	2,9	––	1,0
Escuelas vocacionales u otras	0,8	1,5	––	––	0,3	––	1,2	––
No respondieron	2,4	––	––	7,0	2,8	2,9	2,5	2,9
TOTAL	100,0	100,0	100,0	100,0	100,0	100,0	100,0	100,0

das a la población total de Costa Rica durante ese mismo período, no demuestran el grado de "elitismo" intelectual que se encuentra entre los padres de los ministros. Esto refuerza la hipótesis de que los miembros de la rama ejecutiva forman una élite dentro de la clase política costarricense, e ingresan en la política en busca de poder, mientras quienes entran en el campo legislativo tienen antecedentes sociales menos prestigiosos y persiguen fundamentalmente status.

En un esfuerzo por determinar cómo se relacionan con su educación los estratos sociales asignados a los padres, se elaboró el cuadro 27. Podría esperarse que la educación a nivel universitario correspondiera al estrato social alto, la educación secundaria al estrato medio y la educación primaria al estrato bajo. En los dos primeros casos, se comprueba la existencia de una correlación muy alta. El porcentaje de padres del estrato medio que sólo tienen educación primaria, puede explicarse por el hecho de que las oportunidades educacionales no eran muy accesibles

CUADRO 27

NIVEL DE EDUCACION DEL PADRE DEL DIRIGENTE EN COMPARACION CON LOS ESTRATOS SOCIALES ASIGNADOS

(Valores Relativos)

Nivel de educación del padre del dirigente	N	Estrato social asignado al padre				
		Total	Alto	Medio	Bajo	No respondieron
Primaria[1]	138	100	16,3	68,9	14,8	--
Secundaria[2]	125	100	24,5	71,6	2,3	1,6
Universitaria[3]	120	100	76,2	23,8	--	--
Técnica[4]	10	100	8,3	91,7	--	--
No respondieron	10	100	29,2	50,0	--	20,8

1 Incluye sin educación y escuela primaria.
2 Incluye educación secundaria y bachillerato.
3 Incluye educación universitaria y título universitario.
4 Incluye escuelas de educación, vocacionales y otras.

para la generación anterior. Además, en la atrasada Costa Rica de las primeras décadas de este siglo, con sus niveles educacionales universalmente bajos, la propiedad de un pequeño negocio, o la administración de una propiedad agrícola productiva, en fin, las ocupaciones clasificadas aquí como pertenecientes a los estratos sociales medios, simplemente no requerían mucha educación formal.

CAPITULO IV

ORIGEN RURAL O URBANO DE LA ELITE DEL PODER

Lugar de nacimiento: La élite del poder formal costarricense que ha gobernado desde 1948 hasta 1974 ha provenido predominantemente de las áreas urbanas. El cuadro 28 muestra que el 77,2% de los ministros y el 65,1% de los legisladores nació en las regiones más urbanas del país, o en las ciudades principales de Costa Rica. Menos de un 14% de los miembros del Poder Ejecutivo era originario de ciudades menos importantes. De los diputados, un 24% provenía de ciudades secundarias.

Al analizar la categoría de "distrito rural", se comprobó que sólo un 4% de los ministros y apenas un 6,3% de los legisladores nacieron en áreas rurales.[1] El grupo del PLN es el menos urbano de los tres. Comparado con los otros dos partidos, un porcentaje menor de sus líderes es oriundo de las capitales nacional y provinciales, tanto en la rama ejecutiva como en la legislativa, y un mayor número ha provenido de ciudades secundarias o sedes cantonales. Respecto de los distritos rurales, el PLN ostenta una proporción de origen rural ligeramente superior a la de las otras tendencias, tanto para el Poder Ejecutivo como para los diputados.

---

1 La capital nacional es San José y las provinciales son: Cartago, Heredia, Alajuela, Puntarenas, Limón y Liberia. Por "ciudades secundarias" se entienden las únicas otras áreas urbanas del país: los distritos centrales de cada cantón, clasificados como urbanos para efectos estadísticos de censo, ya que en casi todos los casos cumplen los requisitos objetivos para la clasificación urbana, tales como planeamiento de calles, instalaciones sanitarias, electricidad, pavimento, alcantarillado, etc. Los "distritos rurales con características urbanas", son aquellos distritos cantonales (sin incluir el central) que presentan algunas particularidades urbanas, pero carecen de otras, o que se encuentran en acelerado proceso de urbanización.

CUADRO 28
LUGAR DE NACIMIENTO RURAL O URBANO, POR RAMA DE GOBIERNO Y TENDENCIA POLITICA 1948 – 1974
(Valores Relativos)

	Rama Ejecutiva				Rama Legislativa			
Lugar de nacimiento (rural o urbano)	**Total (N=123)**	**P.L.N. (N=66)**	**P.R.N. (N=14)**	**P.U.N. (N=43)**	**Total (N=359)**	**P.L.N. (N=175)**	**P.R.N. (N=81)**	**P.U.N. (N=103)**
Capitales nacional y provinciales	77,2	71,2	85,7	83,3	65,1	55,4	77,8	69.9
Ciudades secundarias	13,8	18,2	7,1	9,5	24,0	31,4	17,3	18,5
Distrito rural con características urbanas	0,8	––	7,1	––	1,1	1,7	1,2	8,7
Distrito rural	4,1	6,1	––	2,4	6,3	7,4	1,2	––
Nacido en el extranjero	3,3	4,5	––	2,4	1,6	2,3	1,2	––
No respondieron	0,8	––	––	2,4	1,9	1,7	1,2	2,8
TOTAL	100,0	100,0	100,0	100,0	100,0	100,0	100,0	100,0

Aparte de que el PLN difiere un tanto de los otros dos grupos, debemos reconocer que, desde 1948 hasta 1974, el sistema político formal ha girado alrededor de los individuos de los sectores más urbanos del país. El origen rural al parecer ha obstaculizado la educación, las posibilidades económicas y el despertar de un profundo interés político a la juventud rural y por lo tanto le ha cerrado casi por completo la puerta de las oportunidades políticas. Las áreas rurales del país no han estado representadas por ciudadanos locales, sino por individuos nacidos y criados en áreas urbanas, que luego adoptan, por razones políticas, la representación de uno u otro cantón rural. Las personas con ocupaciones agrícolas a que se refiere este estudio, casi sin excepción, han sido individuos nacidos en pueblos o ciudades, que adquirieron propiedades en los distritos aledaños. El campo ha estado escasamente representado por su propia gente. Este hecho se destaca en una sociedad en la que, en 1950, sólo un 33,5% de la poblacón total se clasificó como "urbana", porcentaje que para 1963 apenas era de un 34,5%.[1] Como lo señala Miguel Gómez, este cambio parece "muy moderado a la luz de la experiencia de otros países latinoamericanos y asiáticos como México, Brasil, Venezuela, Panamá, Indonesia y Japón . . . (y) si se aceptan las cifras censales y se siguen los criterios más usados para medir el grado de urbanización, Costa Rica seguía siendo un país eminentemente 'rural' . . ."[2]

Conviene advertir que, si bien el campo ha sido escasamente representado por individuos nacidos en las áreas rurales, a pesar del origen urbano de sus representantes, éstos actúan como verdaderos "diputados rurales", por cuanto su acción en la Asamblea Legislativa se dirige fundamentalmente a satisfacer las exigencias de las comunidades rurales menos desarrolladas.

---

1 Dirección General de Estadística y Censos, *Censos de Población de 1950 y 1963* (San José, Costa Rica: Ministerio de Economía, Industria y Comercio, 1966). Según datos preliminares del censo de 1973, la población urbana constituye un 65,0%.

2 Miguel Gómez, "Costa Rica: Situación Demográfica y Perspectivas Alrededor de 1970" en *Informe General Sobre la Situación de la Infancia, la Juventud y la Familia en Costa Rica* (San José: IECES, Universidad de Costa Rica), pág. 128.

Provincia natal: Primero examinaremos las cifras de población de las provincias según los tres últimos censos del país: los de 1950, 1963 y 1973.[1]

		1950	1963	1973
(1)	San José	281.822	487.658	683.193
(2)	Alajuela	148.850	240.672	321.875
(3)	Puntarenas	88.168	156.508	215.351
(4)	Cartago	100.725	155.433	201.898
(5)	Guanacaste	88.190	142.555	175.785
(6)	Heredia	51.760	85.063	132.496
(7)	Limón	41.360	68.385	115.133
	TOTAL	800.875	1.336.274	1.845.731

El cuadro 29 muestra que en San José han nacido la mayoría de los ministros y una tercera parte de los legisladores. En Alajuela, la segunda provincia importante en escala demográfica, ha nacido casi un 20% de los miembros del Poder Ejecutivo y un 26,2% de los diputados. Les sigue Cartago en importancia como lugar de nacimiendo de líderes, tanto del Ejecutivo como del Legislativo. Como puede verse en el censo de 1950, Cartago era la tercera provincia con mayor número de habitantes. Los movimientos migratorios iniciados en los años treintas harían de Puntarenas la provincia que ocupa el tercer lugar en cuanto a población a partir de 1963, pero esta región costera del Pacífico, históricamente un tanto aislada de San José, ha aportado un número muy reducido de ministros y legisladores. Guanacaste, Heredia y Limón también han producido muy pocos de nuestros dirigentes políticos, lo cual se explica por el hecho de que, conforme a la ley, el número de diputados que pue-

1 Dirección General de Estadística y Censos. (El censo de 1963 no fue publicado sino hasta 1966. Los datos preliminares para 1973 fueron suministrador por el Director General).

CUADRO 29

PROVINCIA EN QUE NACIERON LOS DIRIGENTES, POR RAMA DE GOBIERNO Y TENDENCIA POLITICA

1948 – 1974

(Valores Relativos)

Provincia	Rama Ejecutiva Total (N=123)	Rama Ejecutiva P.L.N. (N=66)	Rama Ejecutiva P.R.N. (N=14)	Rama Ejecutiva P.U.N. (N=43)	Rama Legislativa Total (N=359)	Rama Legislativa P.L.N. (N=175)	Rama Legislativa P.R.N. (N=81)	Rama Legislativa P.U.N. (N=103)
San José	54,5	57,6	42,9	52,4	33,0	26,3	42,0	35,9
Alajuela	18,7	16,7	14,3	23,8	26,2	31,4	19,8	24,3
Cartago	15,5	13,6	35,7	11,9	13,4	12,6	12,4	14,6
Heredia	2,4	1,5	7,1	2,4	10,6	10,9	11,1	10,7
Guanacaste	2,4	1,5	--	4,8	5,4	5,1	4,9	6,8
Puntarenas	2,4	4,5	--	--	4,6	4,6	4,9	3,9
Limón	--	--	--	--	3,3	5,1	2,5	1,0
Nacidos en el extranjero	3,3	4,5	--	2,4	1,6	2,3	1,2	2,9
No respondieron	0,8	--	--	2,4	1,9	1,7	1,2	--
TOTAL	100,0	100,0	100,0	100,0	100,0	100,0	100,0	100,0

de elegir cada provincia se basa en su población, y estas tres son las menos pobladas del país. Merece destacarse el hecho de que en Heredia, no obstante poseer una población más reducida que las de Guanacaste y Puntarenas, ha nacido un mayor número de diputados que en estas provincias.

En general, el porcentaje de legisladores nacidos en las provincias, excluida la de San José, es más alto que el de ministros. En su estudio de diez Magnas Asambleas Nacionales turcas, Frey descubrió que una significativa mayoría de los diputados había nacido en la provincia que representaban, lo cual implica un acentuado grado de "localismo".[1] En Costa Rica, con respecto a los legisladores nacidos en las provincias, las de San José, Alajuela, Cartago y Heredia están representadas en exceso, en comparación con las demás.

Los ministros han provenido casi exclusivamente de la Meseta Central, y la mayoría nació en la provincia de San José. En su libro *Ambition and Politics*, Joseph Schlesinger dice:

> *En otras palabras, si escritores como Floyd Hunter y C. Wright Mills están en lo justo en su concepto acerca de una élite nacional, entonces los orígenes geográficos de los miembros de esa élite son menos un indicador de la fortaleza de la unidad política local, que un indicador de la fortaleza de importantes centros industriales y comerciales. Así, Nueva York y Massachusetts son los Estados natales de muchos dirigentes nacionales, no por su política sino porque la ciudad de Nueva York y la de Boston son dos de las principales comunidades financieras e intelectuales de la nación . . . De los 238 dirigentes nacionales que hemos estudiado, 81, o sea, un tercio, no ocuparon puestos públicos anteriores en sus Estados natales . . . Estos 81 hombres apoyan la hipótesis de que existe una élite nacional independiente de las locales. Su concentración en los Estados con grandes centros metropolitanos –más de la mitad de ellos proviene de Nueva York, Illinois, Ohio y Pennsylvania– fortalece la idea de que su éxito no es debido a su fuerza política local.*[2]

---

1 Frederick W. Frey, *The Turquish Political Elite* (Cambridge: The MIT Press, 1965), pág. 94.

2 Joseph A. Schlesinger, *Ambition and Politics: Political Careers in the United States* (Chicago: Rand McNally & Company, 1966), pág. 29.

Como veremos en el capítulo siguiente, el 75% de los ministros costarricenses sólo ha ocupado puestos nacionales altos, por lo que su ascenso no se debe a la circunstancia de haber estado previamente en cargos políticos de ámbito local. Por consiguiente, el caso de Costa Rica parece apoyar la idea de una élite predominantemente nacional y no local. Los miembros del Poder Ejecutivo provienen de los centros urbanos más iimportantes y de mayor actividad intelectual, pues es en esos lugares donde existen mayores oportunidades de educación, relaciones influyentes, y acceso a la política.

Lugar de residencia al ser nombrados o electos: Como se observa en el cuadro 30, los ministros nombrados desde 1948 hasta 1974 vivían, al ser designados, en los centros urbanos más activos: San José, Alajuela, Cartago y Heredia, o sea, en las principales capitales políticas, administrativas y comerciales del país. Excepción hecha del grupo del PLN, muy pocos ministros tenían su residencia en ciudades secundarias y pequeñas comunidades rurales. Sin embargo, existe una diferencia entre quienes forman el Poder Ejecutivo y los diputados. Aunque la mayor parte de estos últimos vivía en las principales ciudades del país, cerca de un 25% habitaba en ciudades menos importantes. Como se verá en el capítulo siguiente, los legisladores han tenido, en sus carreras políticas, contacto, tanto con la "maquinaria política" de sus partidos, como con lo que hemos denominado puestos de nivel medio.[1] Para esos legisladores que viven en ciudades secundarias, los mencionados contactos implican una mayor vinculación con los problemas de sus regiones.

Son pocos los ministros y legisladores que vivían en distritos rurales cuando fueron nombrados o electos. Menos de un 6% de estos líderes radicaban permanentemente en áreas rurales. Este porcentaje es ligeramente superior para la rama ejecutiva del PLN. En consecuencia, podemos reiterar que los distritos rurales no están representados en la Asamblea Legislativa por individuos radicados en esas zonas, aunque es necesario hacer aquí la observación que hicimos antes con respecto a que estos líderes actúan como verdaderos "diputados rurales" (pág. 105).

---

1 Véase cita al pie de la página 133.

CUADRO 30

RESIDENCIA RURAL O URBANA AL SER ELECTOS, POR RAMA DE GOBIERNO Y TENDENCIA POLITICA 1948 – 1974

(Valores Relativos)

Lugar de residencia	Rama Ejecutiva				Rama Legislativa			
	Total (N=123)	P.L.N. (N=66)	P.R.N. (N=14)	P.U.N. (N=43)	Total (N=359)	P.L.N. (N=175)	P.R.N. (N=81)	P.U.N. (N=103)
Capitales nacional y provinciales	83,7	73,3	85,7	92,9	65,9	58,3	75,3	70,9
Ciudades secundarias	6,5	10,6	--	2,4	25,3	29,7	22,2	22,3
Distrito rural con características urbanas	2,5	1,5	7,1	2,4	2,5	4,0	2,5	1,0
Distrito rural	4,9	9,1	--	--	5,5	6,9	--	4,9
Residentes en el extranjero	1,6	1,5	7,1	--	0,3	0,6	--	1,0
No respondieron	0,8	--	--	2,4	0,9	0,6	--	--
TOTAL	100,0	100,0	100,0	100,0	100,0	100,0	100,0	100,0

Provincia en que residían al ser nombrados o electos: Un estudio relativo a la provincia en que vivían los líderes cuando fueron nombrados o electos, suministra mayores elementos de juicio para comprobar en qué medida se presentan en Costa Rica las características de una élite "nacional" más que "local".

De acuerdo con el cuadro 31, casi tres cuartas partes de los ministros vivían en la provincia de San José. Si se considera que en la provincia de San José existen el mayor número de centros de educación y de oportunidades de relación política y social, es explicable que en ella resida la mayor parte de los líderes del Ejecutivo, quienes, como se mencionó antes, son los que poseen el nivel educacional más elevado. Por otra parte, como se observa en el cuadro 29, el 55% de los ministros nació en la provincia de San José, mientras que alrededor de las tres cuartas partes de ellos residían en esa provincia al ser nombrados (cuadro 31), lo cual se explica por el hecho de que, en el intervalo de febrero a mayo, o sea, entre la fecha de las elecciones y el inicio del nuevo gobierno, buena parte de los ministros residentes en otras provincias se traslada a la capital del país.

La situación cambia en el caso de la Asamblea Legislativa. En comparación con los ministros, un mayor número de legisladores proviene de todo el país, aunque casi la mitad de ellos vivía en San José cuando fueron electos. Las otras provincias también están representadas. Ello se debe a que un candidato desconocido en su provincia tiene pocas posibilidades de resultar electo, y la residencia en ella puede considerarse como uno de los mejores medios para ese fin.

En síntesis, este breve análisis del origen geográfico de los dirigentes formales demuestra que, cualesquiera que hayan sido los cambios en el sistema político desde 1948 hasta el presente, no han sido a favor de una representación *directa* de las áreas rurales del país, aun cuando nuestros parlamentarios actúan, como hemos observado, con un sentido localista en perjuicio, muchas veces, de una visión política integral.

CUADRO 31

PROVINCIA DE RESIDENCIA AL SER ELECTOS, POR RAMA DEL GOBIERNO Y TENDENCIA POLITICA

1948 – 1974

(Valores Relativos)

Provincia	Rama Ejecutiva				Rama Legislativa			
	Total (N=123)	P.L.N. (N=66)	P.R.N. (N=14)	P.U.N. (N=43)	Total (N=359)	P.L.N. (N=175)	P.R.N. (N=81)	P.U.N. (N=103)
San José	72,4	69,7	85,7	71,4	44,7	42,9	45,7	45,6
Alajuela	6,5	7,6	7,1	4,8	16,4	18,3	16,1	14,6
Cartago	7,3	7,6	7,1	9,5	11,7	13,7	8,6	9,7
Heredia	7,3	7,6	--	7,1	8,5	7,4	7,4	10,7
Guanacaste	--	--	--	--	7,9	6,3	9,9	9,7
Puntarenas	--	--	--	--	6,8	6,3	8,6	6,8
Limón	2,4	3,0	--	2,4	3,3	4,0	3,7	1,9
Residencia en el extranjero	3,3	4,5	--	2,4	0,3	0,6	--	1,0
No respondieron	0,8	--	--	2,4	0,5	0,6	--	--
TOTAL	100,0	100,0	100,0	100,0	100,0	100,0	100,0	100,0

CAPITULO V

EXPERIENCIA POLITICA Y CARRERAS POLITICAS

La experiencia política de la familia: En Grecia, según Legg, el grupo familiar es fundamental para desarrollar el interés y la conciencia políticos, así como para iniciar una carrera política. En el ámbito nacional, la dirigencia de los partidos ha pasado de padre a hijo o de pariente a pariente. En el parlamento, un número significativo de diputados ha provenido de familias con un largo historial de participación política. Un individuo nacido en una familia política, no sólo tiene la ventaja de un temprano interés y conciencia políticos debidos al proceso normal de socialización, sino que también, cuando tenga edad suficiente, probablemente disponga de más ventajas. En muchos casos no tiene que formar él mismo su grupo de seguidores, sino que puede usar la organización ya establecida por otros miembros de su familia.[1]

Un diputado sin estos antecedentes sociales normalmente debe dedicar parte de su tiempo a otra ocupación mientras crea sus relaciones políticas. El hombre con antepasados políticos tiene mayores probabilidades de obtener un puesto en la papeleta de los grupos dominantes en la región. Por lo tanto, quienes poseen esos antecedentes en su familia, es posible que ingresen a la política a una edad más temprana que quienes carecen de este tipo de antecedentes. Esto, por supuesto, da una ventaja a los individuos de familias de status superior, y constituye una gran desventaja para los que provienen de las clases que han comenzado a surgir recientemente.[2]

---

1 Keith Raymond Legg, *Political Recruitment in Greece*, pág. 287.
2 *Ibid.*, págs. 290-291.

Mencionamos estos aspectos de la "herencia política", descritos por Legg, porque explican en forma sucinta ciertas facilidades que se presentan a los individuos que nacen y crecen en una familia política. Grecia, como Costa Rica, es un país en vías de desarrollo, y muchas de las observaciones hechas acerca de su socialización y carreras políticas, son aplicables a nuestro país. Por ejemplo, en Grecia:

Para quienes fijan el despertar del interés político en la adolescencia o posteriormente, su fuente principal varía. En general, la familia es aún de gran importancia, no obstante la participación en otros grupos. La facilidad con que se recuerda y el orgullo en decirlo, indican que el papel de la familia en la formación de orientaciones políticas es muy importante. Definitivamente los lazos con dirigentes, el elemento más estable de la política griega, son en gran parte un producto de la socialización por medio del grupo primario.[1]

El fenómeno de la "herencia política" no se limita exclusivamente a las naciones en vías de desarrollo. En *The British Political Elite*, W. L. Guttsman afirma que la tradición política que existe en la familia afecta de dos maneras la carrera de un individuo. Prepara su ingreso al escenario político, porque un nombre ilustre aumenta su reputación, y los miembros influyentes de la familia pueden ayudarlo a escalar elevadas posiciones. También la actividad política y los puestos destacados de un antepasado, influyen en la decisión de un joven para actuar en la política, pues elevan su nivel de aspiraciones.[2]

También en Inglaterra, en lo que concierne a la élite aristocrática, una tradición política en la familia es de gran importancia para determinar el ingreso de un individuo en la política y en el partido al cual pertenecerá. El joven político normalmente depende del apoyo material de su padre en sus primeras actividades, por lo cual su filiación política es igual, de ordinario, a la de su progenitor. La actividad política impli-

---

1 *Ibid.*, pág. 274. Esto parece especialmente aplicable a Costa Rica debido a la "pequeñez" tradicional de su ambiente social.

2 G. L. Guttsman, *The British Political Elite* (Londres: Mac Gibbon & Kee, 1965), pág. 162.

ca poco o ningún sacrificio para el político de los estratos gobernantes tradicionales. Un caso específico, citado por Guttsman, resulta aplicable aquí:

El iniciar una carrera parlamentaria no cambió en forma perceptible su estilo de vida. Rara vez le mueven aquellas fuertes pasiones morales que impulsan a los políticos de las clases media y obrera, especialmente aquellos que trabajan bajo un sentimiento de injusticia originado en desventajas y discriminaciones sufridas. La actividad política tampoco tiene para él la "vòcación", al punto de que absorba completamente su vida y excluya la mayor parte de sus demás actividades.[1]

El conocimiento de los canales por medio de los que entran los hombres en la política, de las causas con las que se identifican, y de los pasos que dan en su carrera, es importante para comprender a la élite política. Si el origen social es un indicador de las influencias que conforman el carácter político de un individuo, entonces la presencia o la falta de factores como una educación privada, experiencia universitaria, tradición política familiar, solvencia económica y contactos con movimientos políticos populares o corrientes intelectuales, constituye un rasgo esencial en la vida de estos grupos e influye decididamente en su ingreso a la política y su actitud hacia ella.[2]

¿En qué medida existe una "herencia política" entre los líderes costarricenses? Hemos visto que su origen socioeconómico comprende el nacimiento en estratos relativamente altos, una situación económica satisfactoria y altas escalas educacionales. En el cuadro 32 se observa que casi el 55% de los padres de los ministros no había ocupado ningún puesto público.[3] En la rama legislativa, la cifra correspondiente es seme-

1 *Ibid.*, pág. 148.
2 *Ibid.*, pág. 140.
3 Aquí incluimos aquellos puestos públicos que tienen una importancia política significativa: Presidente de la República; Vicepresidente de la República; Ministro; Contralor; Subcontralor; Procurador General; Viceministro; Miembro de la Junta Directiva de una Institución Autónoma; Gerente o Subgerente de una Institución Autónoma; Embajador; Oficial Mayor de un Ministerio; Diputado; Constituyente; Regidor; Gobernador; Cónsul o Vicecónsul; Comandantes de Policía y Capitanes de Puerto; Ejecutivo Municipal; Presidente Municipal.

CUADRO 32

NUMERO DE PUESTOS PUBLICOS DESEMPEÑADOS POR LOS PADRES, POR TENDENCIA POLITICA Y RAMA DE GOBIERNO

1948 – 1974

(Valores Relativos)

Número de puestos políticos	Rama Ejecutiva				Rama Legislativa			
	Total	P.L.N.	P.R.N.	P.U.N.	Total	P.L.N.	P.R.N.	P.U.N.
Ninguno	54,5	69,7	42,9	34,9	55,7	61,7	51,9	48,5
Uno	24,4	21,2	35,7	25,6	23,7	22,3	27,2	23,3
Dos	11,4	1,5	14,3	25,6	12,0	8,6	13,6	16,5
Tres	4,1	1,5	7,1	7,1	2,8	1,7	2,5	4,9
Cuatro	1,6	3,0	--	--	0,6	--	1,2	1,0
Cinco	--	--	--	--	1,1	1,1	1,2	1,0
Seis	--	--	--	--	--	--	--	--
Siete	--	--	--	--	--	--	--	--
Ocho o más	--	--	--	--	--	--	--	--
No respondieron	4,0	3,1	--	6,8	4,1	4,6	2,4	4,8
TOTAL	100,0	100,0	100,0	100,0	100,0	100,0	100,0	100,0

jante. El 41% de los padres de los ministros ha ocupado puestos políticos de una a cinco veces, y en la rama legislativa la cifra es muy similar. Cerca de la cuarta parte de los padres dentro de cada rama había ocupado sólo un puesto político. La mayor concentración en ambos sectores se encuentra, por lo tanto, en la categoría "un puesto". El PLN exhibe la mayor frecuencia en la categoría de "ninguna participación", quizás porque es el partido más recientemente fundado, o bien porque su objetivo podría ser dar mayores oportunidades a individuos de estratos más bajos. En las tendencias del PRN y el PUN los totales en las ramas de "uno" y "dos" puestos, son más altos. Parece, pues, que el PLN ha dado mayores oportunidades a individuos que no forman parte de la élite.

El cuadro 33, que también se refiere a la tradición política familiar, refuerza lo que se vio en el cuadro anterior. Aun cuando la mayoría de los hermanos de los dirigentes no ha ocupado puestos públicos, un número considerable los ha desempeñado de una a cinco veces. Se aprecian ligeras diferencias entre los tres partidos: en el Poder Ejecutivo encontramos que el PLN tiene la más alta frecuencia en la categoría de "ninguna participación", en tanto que en la Asamblea Legislativa esa frecuencia corresponde al PUN.

Si empleamos la participación de los padres y hermanos como indicador de una tradición política familiar, notamos que poco más de la mitad de los líderes proviene de familias sin ningún antecedente político. No obstante, este resultado debería atenuarse por cuanto sólo se refiere al análisis de los padres y los hermanos. Es evidente que de haber sido el análisis más amplio y con inclusión de otros parientes (abuelos, tíos, primos, etc.), el número de dirigentes con una tradición política familiar, habría sido mucho mayor. Este aserto se apoya en los resultados de las investigaciones realizadas por Samuel Stone, acerca de la élite política costarricense, para las cuales empleó la técnica del análisis genealógico.[1]

Como conclusión podemos decir que, en general, el político costarricense proviene de una familia con tradición política, por lo que los efectos de la "politización" en el seno familiar parecen ser muy fuertes.

---

1 Véase la nota al pie de la página 87.

CUADRO 33
NUMERO DE PUESTOS PUBLICOS DESEMPEÑADOS POR LOS HERMANOS, POR TENDENCIA POLITICA Y RAMA DE GOBIERNO
1948 – 1974
(Valores Relativos)

Número de puestos públicos	Rama Ejecutiva				Rama Legislativa			
	Total	P.L.N.	P.R.N.	P.U.N.	Total	P.L.N.	P.R.N.	P.U.N.
Ninguno	55,3	59,1	50,0	51,2	56,8	58,9	48,2	60,2
Uno	19,5	19,7	21,4	18,6	21,7	20,6	23,5	20,3
Dos	6,5	6,1	14,3	4,7	8,1	8,0	12,4	4,9
Tres	3,3	--	--	9,3	4,5	1,7	7,4	6,8
Cuatro	6,5	7,6	--	7,0	1,4	1,7	--	1,9
Cinco	1,6	1,5	--	2,3	0,8	1,1	1,2	--
Seis	--	--	--	--	--	--	--	--
Siete	--	--	--	--	0,3	0,6	--	--
Ocho o más	--	--	--	--	--	--	--	--
Sin hermanos	--	--	--	--	0,8	1,1	--	1,0
No respondieron	7,3	6,0	14,3	6,9	5,6	6,3	7,3	4,9
TOTAL	100,0	100,0	100,0	100,0	100,0	100,0	100,0	100,0

No hay duda de que los líderes cuyas familias han participado activamente en la política, desarrollan una actitud favorable hacia esas actividades. Como hemos afirmado, es más fácil para ellos ingresar al escenario político que para quienes carecen de este tipo de antecedentes.

Ausencia de un patrón de carrera política: Nuestro interés original era determinar si el ministro o diputado "típico" de Costa Rica debe subir desde la base los escalones de una carrera política antes de alcanzar un puesto formal superior. Si es así, dónde comienza, a qué edad, qué puestos ocupa, y finalmente, si existen en este punto diferencias entre los individuos de los diversos partidos políticos.

Antes de hacer un análisis de los datos relativos a Costa Rica, deberíamos considerar la situación de América Latina, que no es necesariamente igual a la de Gran Bretaña o Estados Unidos, donde los aspirantes a puestos ejecutivos o legislativos tienen detrás de sí una larga carrera política.[1] Parece que las normas de selección, los servicios prestados al partido, el ascenso y la participación, pueden diferir en el subcontinente latinoamericano.

En el capítulo II, referido a los estratos sociales de los políticos, mencionamos el estudio realizado por Payne en Colombia, en el cual afirma que la adquisición de status es el principal incentivo para quienes actúan en política. Respecto al tiempo que dura la participación de los diputados en los planos superiores del escenario político, Payne hace los siguientes comentarios:

> *Si estudiamos el fenómeno de la reelección legislativa, por ejemplo, sería de esperar que donde predominara un "incentivo de status" los miembros del Congreso llegarían y partirían con bastante rapidez, pues sólo buscarían el prestigio social inherente al título de senador o diputado y, una vez adquirido este reconocimiento, seguirían hacia arriba o hacia afuera. Volver a participar en elecciones para la misma cámara le parecería, a un individuo cuyo incentivo fuera el status, algo así como regresar a la universidad para obtener una nueva mención de honor. El individuo con un*

---

1 Véase W. L. Guttsman, *The British Political Elite*, pág. 203; y Donald R. Matthews, *U. S. Senators and Their World*, pág. 52.

"incentivo ideológico" obtiene satisfacción del trabajo mismo, antes que del título formal; es probable que desee regresar al Congreso a fin de experimentar de nuevo la satisfacción de que sus iniciativas sean aprobadas.[1]

En consecuencia, el legislador o senador colombiano se esforzaría por seguir "hacia arriba", a un puesto ministerial. Si esta posibilidad se le cerrara, sería de esperar que siguiera "hacia afuera", contentándose con haber alcanzado por lo menos una vez un alto puesto político. Este tipo de político latinoamericano posiblemente sólo se interese por seguir una carrera política cuando las recompensas sean importantes y estén garantizadas. De no ser así, es probable que no esté dispuesto a ocupar su tiempo otra vez en el mismo cargo. Estas circunstancias no favorecen una carrera política tradicional ni la acumulación de experiencia.

En lo que concierne al reclutamiento por parte de los partidos, la información disponible sobre Argentina nos indica que en este país no se da un patrón definido de carrera política.

Según el sociólogo José Luis de Imaz, no existen criterios uniformes para el reclutamiento de los grupos dirigentes en la estructura de partidos en Argentina; hay tantos criterios como partidos, y en última instancia los diferentes modos de selección se determinan por sus ideologías. Estos rasgos heterogéneos se explican por la falta de consenso en el sistema político argentino, en contraste con sistemas más estables como el de E.E.U.U., en que el consenso político permite el empleo de técnicas de selección similares independientemente de la ideología.[2]

En relación con la importancia de las carreras políticas en Argentina, Fernández expresa lo siguiente:

---

1 James L. Payne, "Patterns of Conflict in Colombia", págs. 27-28.
2 Julio Fernández, *The Political Elite in Argentina* (Nueva York: New York University Press, 1970), pág. 51.

> *En cuanto a la actividad política de quienes llegan a ocupar altos puestos en el gobierno, las características de los tres sectores... presentan gran variedad entre los individuos. Los datos muestran que la experiencia política, tomada como participación anterior en puestos políticos en ámbito nacional, provincial, o local, no fue considerada indispensable para una candidatura política con éxito en ninguno de los tres sectores estudiados.*[1]

Hechos estos comentarios sobre la ausencia de un patrón de carrera política en Colombia y de un criterio uniforme para el reclutamiento de dirigentes en Argentina, analicemos ahora el caso de Costa Rica. El cuadro 34 muestra que más de la mitad de los ministros y los diputados no habían participado anteriormente en política local, regional o nacional. Por lo tanto, una carrera política previa no era la clave para ocupar un puesto de liderazgo. Parece que otros factores son iguales o más importantes para alcanzar esta meta. Si bien el político costarricense no requiere, por regla general, experiencia política previa para aspirar a una diputación, a un ministerio o a la presidencia, lo cierto es que, a veces, esa experiencia facilita mucho una carrera política. Este es el caso de un diputado representante de un pequeño cantón rural que antes haya sido regidor.

El 55,3% de los ministros y casi el 53% de los diputados, nunca habían ocupado un puesto público[2] antes de ser nombrados en el Gabinete o electos a la Asamblea Legislativa. Si bien esto es aplicable a todas las tendencias políticas, los líderes del PUN son quienes tienen, en ambas ramas, la mayor experiencia política previa. Como se desprende del cuadro, la norma parece ser que el político costarricense no es un hombre de carrera en el sentido de ascender los escalones desde los puestos bajos hasta los altos.

El hecho de que en años recientes no hayan predominado los políticos de carrera en las posiciones ejecutivas y legislativas, no es un fenómeno nuevo. Con respecto a los representantes del Poder Ejecutivo, existen razones para estimar que se trata de una situación tradicional. Alberto Quijano escribió en 1939:

---

1 **Ibid., pág. 79.**
2 **Véase la nota 3 al pie de la página 115.**

CUADRO 34

NUMERO DE PUESTOS POLITICOS ANTERIORES, POR RAMA DE GOBIERNO Y TENDENCIA POLITICA 1948 – 1974

(Valores Relativos)

Número de puestos anteriores	Rama Ejecutiva				Rama Legislativa			
	Total	P.L.N.	P.R.N.	P.U.N.	Total	P.L.N.	P.R.N.	P.U.N.
0	55,3	56,1	57,2	54,8	52,6	51,4	58,0	49,5
1	22,8	27,3	28,6	14,3	29,2	33,7	24,7	26,2
2	12,2	9,1	7,1	16,7	10,4	10,3	6,2	12,6
3	4,1	4,5	7,1	2,4	4,4	3,4	4,9	5,8
4 o más	5,6	3,0	--	11,8	3,4	1,2	6,2	5,9
	100,0	100,0	100,0	100,0	100,0	100,0	100,0	100,0

En Costa Rica no existen partidos políticos de orientación o tendencias definidas. Cada cuatro años, uno antes de terminar su período de Gobierno el Presidente de la República, se forman tantas agrupaciones como candidatos haya para la campaña electoral que se inicia... Alrededor de un hombre de mérito y prestigio bastantes para llamar la atención pública, se forman los partidos políticos, cuyo distintivo se reduce a agregar al nombre o al apellido del candidato las sílabas "ista" y con eso y una insignia de colores aislados o combinados, queda listo el partido para entrar de lleno en una lucha ardiente de prensa, propaganda personal, discursos, desfiles e improperios contra el o los candidatos contrarios.[1]

La descripción de la forma como se escogió al candidato presidencial ganador en 1940, nos da una idea de los principales requisitos que se tomaban en cuenta en esa época:

Hay por allí un médico joven y bien parecido que tiene aspiraciones; parece ser, y dice que es, amigo personal del Presidente; es diputado, y aunque no interviene activamente en la labor parlamentaria, es el que, a los ojos de los diputados pueblerinos, interpreta las intenciones del Gobierno, y es, además, muy hábil en conseguir para éstos los pequeños y aislados trabajos de Obras Públicas que ellos requieren para complacer a su clientela electoral, y a solicitar los cuales limitan ya su gestión de legisladores. Por otra parte, en su ejercicio profesional, este médico, que se llama Rafael Angel Calderón Guardia, tiene la virtud de ser muy caritativo; se olvida de pasar las cuentas y habla muy suavemente a los enfermos. Además, la burguesía se comienza a alarmar por las algaradas que arma un pequeño Partido Comunista que funciona desde 1931 y que ha logrado elegir dos diputados; y el doctor Calderón es un ferviente, rabioso y hasta a veces irracional anticomunista. Esto la satisface.[2]

---

1 Alberto Quijano Quesada, *Costa Rica Ayer y Hoy* (San José: Editorial Borrasé Hermanos, 1939), pág. 33.

2 Alberto F. Cañas, *Los Ocho Años* (San José: Editorial Liberación Nacional, 1955), pág. 15.

En síntesis, parece ser que la experiencia política anterior no es indispensable para que un costarricense sea electo diputado, o nombrado ministro. En cuanto al puesto electivo más importante, el de Presidente de la República, no hay ninguna norma. José Figueres, el dirigente nacional más importante de los últimos 25 años, surgió a la vida política del país después de triunfar en el movimiento que condujo a la guerra civil de 1948. Figueres era y sigue siendo un empresario. Nunca fue regidor, diputado ni ministro. Otilio Ulate, quien lo sucedió en la Presidencia en 1949, dueño de uno de los periódicos más importantes del país, era un viejo político con muchos años de experiencia parlamentaria. Mario Echandi, Presidente desde 1958 hasta 1962, fue diputado y ministro antes de alcanzar la Presidencia de la República. Francisco Orlich, electo Presidente para el período 1962-1966, comenzó su carrera política como regidor de un pequeño pueblo, luego fue diputado en dos ocasiones antes de 1948, año en que se le nombró miembro de la Junta Fundadora de la Segunda República. Posteriormente resultó electo diputado y se le nombró ministro, antes de ser Presidente. José Joaquín Trejos, distinguido profesor universitario, completamente desconocido en los círculos políticos del país, dejó su cátedra para aceptar la candidatura presidencial en 1966 por el Partido Unificación Nacional. Trejos gobernó hasta 1970, año en que José Figueres ocupó el poder por tercera vez. Daniel Oduber, con una amplia experiencia parlamentaria y ministerial, triunfó en la elección presidencial para el cuatrienio 1974-1978.

Edad al ser nombrados o electos por primera vez: Como no existe un patrón de carrera política, sería lógico esperar de los líderes que llegaron directamente a puestos públicos altos, una edad menor que la de quienes debieron forjarse sus carreras desde posiciones más bajas. Los cuadros 35 y 36 suministran las edades de los líderes costarricenses cuando alcanzaron puestos ejecutivos o legislativos, y demuestran la existencia de varios grupos, de cierta edad, predominantes tanto en el Poder Ejecutivo como en el Legislativo. La mayoría de los ministros (75,5%) y de los legisladores (73,7%) ocuparon su primer puesto político entre las edades de 30 y 49 años. Después de los 50 años es poca la posibilidad de iniciar una carrera política. También se dan unos

CUADRO 35

EDAD DEL DIRIGENTE AL OCUPAR SU PRIMER PUESTO POLITICO

Rama Ejecutiva

1948 – 1974

(Valores Absolutos y Relativos)

	Valores Absolutos				Valores Relativos			
Edad	**Total**	**P.L.N.**	**P.R.N.**	**P.U.N.**	**Total**	**P.L.N.**	**P.R.N.**	**P.U.N.**
Menos de 25 años	1	1	–	–	1,0	2,0	––	––
25 – 29 años	9	3	2	4	9,2	6,0	14,3	11,7
30 – 34 años	21	15	1	5	21,4	30,0	7,1	14,7
35 – 39 años	19	9	4	6	19,4	18,0	28,6	17,7
40 – 44 años	20	10	4	6	20,4	20,0	28,6	17,7
45 – 49 años	14	7	–	7	14,3	14,0	––	20,6
50 – 54 años	6	2	2	2	6,1	4,0	14,3	5,9
55 – 59 años	2	1	–	1	2,0	2,0	––	2,9
60 – 64 años	2	1	–	1	2,0	2,0	––	2,9
65 – 69 años	4	1	1	2	4,2	2,0	7,1	5,9
70 años o más	––	––	––	––	––	––	––	––
TOTAL	98	50	14	34	100,0	100,0	100,0	100,0

CUADRO 36

EDAD DEL DIRIGENTE AL OCUPAR SU PRIMER PUESTO POLITICO

Rama Legislativa

1948 – 1974

(Valores Absolutos y Relativos)

	Valores Absolutos				Valores Relativos			
Edad	Total	P.L.N.	P.R.N.	P.U.N.	Total	P.L.N.	P.R.N.	P.U.N.
Menos de 25 años	4	1	1	2	1,4	0,7	1,4	2,7
25 – 29 años	17	12	2	3	6,0	9,0	2,7	4,0
30 – 34 años	56	30	14	12	19,9	22,6	19,2	16,0
35 – 39 años	64	34	13	17	22,8	25,6	17,8	22,7
40 – 44 años	52	27	11	14	18,5	20,3	15,1	18,7
45 – 49 años	35	15	12	8	12,5	11,3	16,4	10,7
50 – 54 años	21	6	10	5	7,4	4,5	13,7	6,7
55 – 59 años	16	5	6	5	5,7	3,8	8,2	6,7
60 – 64 años	10	2	3	5	3,6	1,5	4,1	6,7
65 – 69 años	3	1	1	1	1,1	0,7	1,4	1,3
70 años o más	3	--	--	3	1,1	--	--	3,8
TOTAL	281	133	73	75	100,0	100,0	100,0	100,0

pocos casos aislados de individuos que ocuparon su primer puesto cuando eran menores de 25 o tenían entre 25 y 29 años de edad. Los anteriores datos prueban que Costa Rica está muy lejos de ser una gerontocracia. Desde joven, un costarricense puede destacarse fácilmente en la política, pues los partidos generalmente le tienen reservadas algunas diputaciones y algunos puestos en las papeletas municipales, para representar a la juventud. Por otra parte, es necesario tener en cuenta que la sociedad costarricense es esencialmente joven: un 44% de la población es menor de 15 años y sólo un 11% mayor de 50.[1]

Edad al ocupar puestos de alto nivel: Una vez más, notamos en el cuadro 37 que la estructura superior del poder en Costa Rica está formada desde 1948 por líderes relativamente jóvenes. De los ministros, el 64,3% ocupó sus puestos entre las edades de 30 y 49 años, y lo mismo sucedió con el 68,9% de los diputados. Aunque había algunos dirigentes en las categorías que abarcan de 50 a 65 años, la tendencia después de la edad de 49 años, en ambas ramas, es descendente.

Una carrera política no es necesaria para alcanzar las cimas del sistema formal de gobierno, el cual está abierto a quienes posean los requisitos intelectuales, económicos y sociales. Una vez alcanzada la posición, la norma probablemente no será el retiro a los 40 ó 45 años, sino que la actividad política continúa mediante la "circulación" de un puesto político alto a otro, ya sea por nombramiento, o por elección. Por ejemplo, un abogado puede llegar a ser diputado a los 35 años y al final de su gestión dedicarse cuatro años al ejercicio del derecho, y si mantiene la confianza de los dirigentes del partido, en el próximo período de gobierno puede ser nombrado ministro o viceministro. De ahí en adelante puede ser embajador, volver después de un tiempo a la Asamblea Legislativa, o incluso ascender a la Vicepresidencia o a la Presidencia de la República.

---

1 En 1973 la estructura de edades de la población era la siguiente:

menos de 15 años de edad	44,0%
de 15 a 29	27,4%
de 30 a 49	17,8%
más de 50	10,8%

Fuente: Dirección General de Estadística y Censos, 1973.

CUADRO 37
EDAD DE LOS DIRIGENTES EN PUESTOS DE ALTO NIVEL, POR RAMA DE GOBIERNO Y TENDENCIA POLITICA
1948 – 1974
(Valores Relativos)

Edad	Rama Ejecutiva				Rama Legislativa			
	Total (N=123)	P.L.N. (N=66)	P.R.N. (N=14)	P.U.N. (N=43)	Total (N=359)	P.L.N. (N=175)	P.R.N. (N=81)	P.U.N. (N=103)
25 – 29 años	4,9	6,1	7,1	2,4	6,4	8,6	2,5	5,8
30 – 34 años	12,2	16,7	7,1	7,1	14,5	18,3	8,6	12,6
35 – 39 años	17,9	18,2	26,9	14,3	21,2	22,3	18,5	21,4
40 – 44 años	17,1	16,7	21,4	16,3	18,7	22,3	16,1	14,6
45 – 49 años	17,1	16,7	21,4	16,3	14,5	14,3	19,8	10,7
50 – 54 años	11,2	13,6	16,1	5,6	7,2	5,7	12,4	5,8
55 – 59 años	5,7	4,5	--	9,5	8,4	4,6	12,4	11,7
60 – 64 años	4,9	4,5	--	7,1	4,7	1,7	4,9	9,7
65 o más	6,6	1,5	--	16,7	4,4	2,2	4,8	7,7
No respondieron	2,4	1,5	--	4,7	--	--	--	--
TOTAL	100,0	100,0	100,0	100,0	100,0	100,0	100,0	100,0

La importancia de los partidos para alcanzar puestos de élite: ¿En qué medida conduce el trabajo en el partido a un puesto de liderazgo? Si la ruta no es por la vía de los puestos políticos menores y la política local, ¿será por medio del ascenso dentro del partido? Los cuadros 38 y 39 ilustran el número de cargos desempeñados por los ministros y los legisladores dentro de cada partido. Más de un 40% de los miembros de la élite del Poder Ejecutivo nunca han sido delegados a una asamblea distrital, cantonal o provincial, ni han trabajado en un comité electoral o de propaganda o como coordinadores distritales durante la campaña. Como se desprende de los datos, no hay muchas diferencias entre los partidos. Dado el carácter presidencial de nuestro sistema político, es factible que el Presidente de la República seleccione sus ministros sin ninguna subordinación a los dirigentes de su partido. Como los ministros son los colaboradores más cercanos del Presidente, lo que más se toma en cuenta para su nombramiento es la confianza y amistad del Presidente.

Hay rasgos diferentes en el caso de los diputados. Estos son más dependientes de las estructuras del partido para alcanzar la diputación. Sólo una cuarta parte de ellos no ha trabajado en su partido, y más de la mitad ha tenido por lo menos uno o dos puestos. Esa mayor dependencia del partido es comprensible si consideramos el hecho de que una persona para llegar a ser diputado necesita los votos de sus compatriotas, y una manera de darse a conocer al electorado la constituyen sus actividades en el seno del partido.

En este punto es pertinente observar que aquellos diputados que representan a cantones específicos, aunque hayan sido electos como diputados provinciales, tienen una orientación localista. Por lo general, estos diputados deben competir por su candidatura dentro de la estructura del partido, y de ahí que les resulte obligatorio participar activamente en su maquinaria. Otros diputados tienen una apreciación más integral acerca de los problemas del país. Su candidatura es propuesta tradicionalmente por el candidato presidencial para llenar los primeros puestos en la papeleta de la provincia de San José, y no es necesario que hayan hecho carrera dentro de las filas del partido. No obstante que son representantes de dicha provincia, actúan como "diputados nacionales".

CUADRO 38

NUMERO TOTAL DE PUESTOS DESEMPEÑADOS POR UN DIRIGENTE EN SU PARTIDO POLITICO

Rama Ejecutiva

1948 – 1974

(Valores Absolutos y Relativos)

Número de puestos	Valores Absolutos				Valores Relativos			
	Total	P.L.N.	P.R.N.	P.U.N.	Total	P.L.N.	P.R.N.	P.U.N.
Ninguno	54	30	6	18	43,9	45,5	42,9	41,9
Uno	33	19	4	10	26,8	28,8	28,6	23,3
Dos	11	6	2	3	8,9	9,1	14,3	7,0
Tres	11	8	1	2	8,9	12,1	7,1	4,7
Cuatro	1	1	--	--	0,8	1,5	--	--
Cinco	--	--	--	--	--	--	--	--
Seis	2	2	--	--	1,6	3,0	--	--
Siete	--	--	--	--	--	--	--	--
Ocho o más	--	--	--	--	--	--	--	--
No respondieron	11	--	1	10	9,1	--	7,1	23,1
TOTAL	123	66	14	43	100,0	100,0	100,0	100,0

CUADRO 39

NUMERO TOTAL DE PUESTOS DESEMPEÑADOS POR UN DIRIGENTE EN SU PARTIDO POLITICO

Rama Legislativa

1948 – 1974

(Valores Absolutos y Relativos)

Número de puestos	Valores Absolutos				Valores Relativos			
	Total	P.L.N.	P.R.N.	P.U.N.	Total	P.L.N.	P.R.N.	P.U.N.
Ninguno	88	29	17	42	24,5	16,6	21,0	40,8
Uno	138	53	44	41	38,4	30,3	54,3	39,8
Dos	52	32	11	9	14,5	18,3	13,6	8,7
Tres	28	25	2	1	7,8	14,3	2,5	1,0
Cuatro	14	12	2	––	3,9	6,9	2,5	––
Cinco	3	3	––	––	0,8	1,7	––	––
Seis	5	5	––	––	1,4	2,8	––	––
Siete	––	––	––	––	––	––	––	––
Ocho o más	2	2	––	––	0,6	1,1	––	––
No respondieron	29	14	5	10	8,1	8,0	6,1	9,7
TOTAL	359	175	81	103	100,0	100,0	100,0	100,0

Es importante destacar que son muy pocos los parlamentarios que en nuestra Asamblea Legislativa ostentan el carácter de "diputados nacionales" y pueden dedicar su tiempo a legislar para todo el país, sin las presiones de un electorado exigente como el nuestro. Por el contrario, la mayoría de nuestros "diputados cantonales" actúan como "mandaderos" de sus representados. Aun cuando no existen en nuestro sistema electoral la reelección consecutiva de los diputados ni el distrito electoral, el grado de sujeción de los representantes a quienes los eligieron llega a tal punto, que virtualmente no disponen de tiempo para realizar su labor legislativa. Como su actividad suele valorarse en función de los favores personales otorgados a sus partidarios o por las obras materiales procuradas a su comunidad, el "diputado cantonal" no puede hacer, prácticamente, otra cosa sino visitar las oficinas públicas en busca de empleo para sus simpatizantes –con lo cual contribuye a aumentar la burocracia estatal– y distribuir las "partidas específicas" del presupuesto de la República.

Otra observación se refiere al modo como están organizados los partidos. Ninguno de los tres partidos analizados tiene una estructura permanente para todo el país. Algunos observadores extranjeros exageran el alto grado de desarrollo de los partidos políticos costarricenses,[1] cuando la verdad es que, de manera semejante a otras sociedades donde se realizan periódicamente elecciones libres, nuestros partidos políticos son poco más que organizaciones electorales. El Partido Liberación Nacional, como se colige del cuadro 39, es el más activo y esto se refleja en la elevada participación de sus diputados en sus estructuras.

Tipos de puestos públicos desempeñados: Aun cuando la experiencia política anterior no ha sido un requisito sine qua non para ocupar un puesto ejecutivo o legislativo, casi la mitad de nuestros líderes ha desempeñado de antemano algún puesto político, electivo o de nombramiento, alto, medio o bajo. Ahora bien, ¿cuál ha sido el esquema de participación característico para quienes han hecho alguna carrera antes de alcanzar sus puestos de alto nivel, o para quienes continuaron después

1 Burt H. English, *Liberación Nacional in Costa Rica: The Development of a Political Party in a Transitional Society* (Gainesville: University of Florida Press, 1971).

en la política? ¿Se ha iniciado la actividad política desde el nivel bajo o medio, o se ha limitado la actividad de estos individuos a las esferas más altas?

Los cuadros 40 y 41 muestran los mismos rasgos presentados a lo largo de este capítulo, especialmente en el caso de los representantes del Poder Ejecutivo. Las tres cuartas partes de éstos han ocupado uno o varios puestos de alto nivel,[1] y un 21% ha ocupado tanto cargos de nivel medio como alto. El número de quienes iniciaron su carrera política en puestos de bajo nivel es insignificante. Por su parte, la rama legislativa muestra diferencias, aunque no muy marcadas. Más de la mitad de los diputados también ha desempeñado uno o varios puestos altos, y casi un 40%, medianos y altos.

Los datos anteriores nos permiten llegar a las siguientes conclusiones: en un régimen presidencial como el de Costa Rica, los ministros de gobierno, típicos representantes de los estratos sociales altos, como indicamos en el capítulo II, no requieren iniciar sus carreras políticas en el escalón más bajo. Generalmente, si han ocupado algún puesto público previo, ha sido de alto nivel. Durante el período estudiado, sólo tres ministros siguieron el modelo político "ideal" de iniciar su carrera en un puesto bajo, seguido por uno medio y culminar con uno de alto nivel.

La carrera política del legislador no es muy diferente de la del ministro. Los datos enseñan que una carrera política previa no es indispensable para llegar a ser diputado. Comparados con los ministros, encontramos que un mayor número de diputados comienza su carrera política en el nivel medio. Este es el caso del gobernador, del regidor y del embajador que, después de desempeñar esos puestos, pueden aspirar a con-

---

1 *Entre los cargos de alto nivel están:* Presidente de la República; Vicepresidente de la República; Ministro; Constituyente; Diputado; Gerente de una Institución Autónoma; Contralor; Miembro de la Junta Directiva de una Institución Autónoma; Procurador General.

Entre los cargos de nivel medio están: Viceministro; Subgerente de una Institución Autónoma; Subcontralor; Embajador; Gobernador; Regidor (capital de provincia); Cónsul; Ejecutivo Municipal (capital de provincia); Presidente Municipal (capital de provincia).

Entre los cargos de bajo nivel están: Regidor; Vicecónsul; Ejecutivo Municipal; Oficial Mayor de un Ministerio; Presidente Municipal; Comandantes de Policía y Capitanes de Puerto.

CUADRO 40

TIPOS DE PUESTOS PUBLICOS DESEMPEÑADOS POR LOS DIRIGENTES

Rama Ejecutiva

1948 – 1974

(Valores Absolutos y Relativos)

Tipos de puestos	Valores Absolutos				Valores Relativos			
	Total	P.L.N.	P.R.N.	P.U.N.	Total	P.L.N.	P.R.N.	P.U.N.
Un puesto público de alto nivel	68	34	8	26	55,3	51,6	57,3	60,5
Sólo puestos públicos de alto nivel	24	14	1	9	19,5	21,2	7,1	20,9
Puestos públicos de nivel medio y alto	26	16	3	7	21,1	24,2	21,4	16,3
Puestos públicos de nivel bajo, medio y alto	3	1	1	1	2,4	1,5	7,1	2,3
Sólo puestos públicos de bajo nivel y uno alto	2	1	1	--	1,6	1,5	7,1	--
Puestos públicos de nivel alto, medio y alto, en ese orden	--	--	--	--	--	--	--	--
TOTAL	123	66	14	43	100,0	100,0	100,0	100,0

CUADRO 41

TIPOS DE PUESTOS PUBLICOS DESEMPEÑADOS POR LOS DIRIGENTES

Rama Legislativa

1948 – 1974

(Valores Abolutos y Relativos)

Tipos de puestos	Valores Absolutos				Valores Relativos			
	Total	P.L.N.	P.R.N.	P.U.N.	Total	P.L.N.	P.R.N.	P.U.N.
Un puesto público de alto nivel	176	72	44	60	49,0	41,1	54,4	58,3
Sólo puestos públicos de alto nivel	20	16	4	--	5,6	9,1	4,9	--
Puestos públicos de nivel medio y alto	138	75	26	37	38,4	42,9	32,1	35,9
Puestos públicos de nivel bajo, medio y alto	10	4	4	2	2,8	2,3	4,9	1,9
Sólo puestos públicos de bajo nivel y uno alto	14	8	3	3	3,9	4,6	3,7	2,9
Puestos públicos de nivel alto, medio y alto, en ese orden	1	--	--	1	0,3	--	--	1,0
TOTAL	359	175	81	103	100,0	100,0	100,0	100,0

vertirse en diputados. Por último, de manera similar a los ministros, sólo 10 de los 359 legisladores estudiados llegaron al Congreso después de haber ocupado puestos bajos y medios.

Aunque no parece necesario iniciar una carrera política desde los puestos bajos y escalar los intermedios hasta alcanzar los altos, es interesante notar el gran número de líderes que ha tenido alguna experiencia política previa, sobre todo si consideramos, en primer lugar, que la población estudiada se compone de individuos relativamente jóvenes. Es imposible esperar, por esta razón, que nuestros dirigentes hayan tenido una amplia experiencia política anterior. En segundo término, no debemos olvidar que, en el caso de los diputados, la Constitución Política prohíbe la reelección inmediata de los legisladores, de modo que quienes han sido electos deben esperar necesariamente cuatro años para un nuevo período.

Tipos de puestos públicos desempeñados según el estrato social y el origen rural o urbano: En los cuadros 42, 43, 44 y 45 se consignan los niveles de puestos públicos ocupados por los líderes, según su partido político y su estrato social.

Como se ha observado, los ministros se concentran en el estrato más alto, y aproximadamente tres cuartas partes de ellos han ocupado sólo puestos altos. En todos los partidos, cerca de un 20% de los miembros del estrato superior en la rama ejecutiva ha ocupado puestos medios y su participación casi no ha descendido de ese plano. Los pocos ministros del estrato social medio también se concentran en las primeras dos categorías de puestos y, como puede notarse, sólo un ministro del PLN se halla en la quinta categoría. En general, encontramos que la tendencia política no parece afectar el patrón de carrera de los miembros del Ejecutivo provenientes del estrato alto. Cualquiera sea su filiación política, llegan a ocupar puestos altos sin haber estado previamente en otros más bajos.

En la rama legislativa, aparte del hecho ya mencionado de que un número mucho mayor de congresistas proviene del estrato medio, los totales en las dos primeras categorías de puestos no son tan notorios como en el caso de los miembros del Poder Ejecutivo. Así, encontramos que los diputados del estrato alto han ocupado más puestos medios, y esta característica es común a los tres partidos.

CUADRO 42

TIPOS DE PUESTOS PUBLICOS DESEMPEÑADOS SEGUN ESTRATO SOCIAL Y TENDENCIA POLITICA

Rama Ejecutiva

1948–1974

(Valores Absolutos)

	Tendencias y tipos de experiencia política (*)																										
	Total							P.L.N.							P.R.N.							P.U.N.						
Estrato social	Total	1	2	3	4	5	6	Total	1	2	3	4	5	6	Total	1	2	3	4	5	6	Total	1	2	3	4	5	6
Alto	114	63	23	24	3	1	--	59	31	13	14	1	--	--	14	8	1	3	1	1	--	41	24	9	7	1	--	--
Medio	8	4	1	2	--	1	--	7	3	1	2	--	1	--	---	--	--	--	--	--	--	1	1	--	--	--	--	--
Bajo	----	---	---	---	--	--	--	---	---	---	---	--	--	--	---	--	--	--	--	--	--	---	---	--	--	--	--	--
No respondieron	1	1	---	---	--	--	--	---	---	---	---	--	--	--	---	--	--	--	--	--	--	1	1	--	--	--	--	--
TOTAL	123	68	24	26	3	2	--	66	34	14	16	1	1	--	14	8	1	3	1	1	--	43	26	9	7	1	--	--

(*) 1 Un puesto público de alto nivel
2 Sólo puestos públicos de alto nivel
3 Puestos públicos de nivel medio y alto
4 Puestos públicos de nivel bajo, medio y alto
5 Sólo Puestos públicos de bajo nivel y uno alto
6 Puestos públicos de nivel alto, medio y alto, en ese orden

CUADRO 43
TIPOS DE PUESTOS PUBLICOS DESEMPEÑADOS SEGUN
ESTRATO SOCIAL Y TENDENCIA POLITICA
Rama Ejecutiva
1948 — 1974
(Valores Relativos)

	Tendencias y tipo de experiencia política (*)																											
	Total							P.L.N.							P.R.N.							P.U.N.						
Estrato social	Total	1	2	3	4	5	6	Total	1	2	3	4	5	6	Total	1	2	3	4	5	6	Total	1	2	3	4	5	6
Alto	100,0	55,3	20,2	21,0	2,6	0,9	–	100,0	52,5	22,0	23,7	1,8	—	–	100,0	57,2	7,1	21,5	7,1	7,1	–	100,0	58,5	22,0	17,1	2,4	–	–
Medio	100,0	50,0	12,5	25,0	—	12,5	–	100,0	42,8	14,3	28,6	—	14,3	–	—	—	—	—	—	—	–	100,0	100,0	—	—	—	–	–
Bajo	—	—	—	—	—	—	–	—	—	—	—	—	—	–	—	—	—	—	—	—	–	—	—	—	—	—	–	–
No respondieron	100,0	100,0	—	—	—	—	–	—	—	—	—	—	—	–	—	—	—	—	—	—	–	100,0	100,0	—	—	—	–	–
TOTAL	100,0	55,3	19,5	21,1	2,4	1,7	–	100,0	51,5	21,3	24,2	1,5	1,5	–	100,0	57,2	7,1	21,5	7,1	7,1	–	100,0	60,5	20.9	16,3	2,3	–	–

(*) 1 Un puesto público de alto nivel
2 Sólo puestos públicos de alto nivel
3 Puestos públicos de nivel medio y alto
4 Puestos públicos de nivel bajo, medio y alto
5 Sólo puestos públicos de bajo nivel y uno alto
6 Puestos públicos de nivel alto, medio y alto, en ese orden

CUADRO 44
TIPOS DE PUESTOS PUBLICOS DESEMPEÑADOS SEGUN
ESTRATO SOCIAL Y TENDENCIA POLITICA
Rama Legislativa
1948 — 1974
(Valores Absolutos)

	Tendencias y tipo de experiencia política (*)																											
	Total							P.L.N.							P.R.N.							P.U.N.						
Estrato social	Total	1	2	3	4	5	6	Total	1	2	3	4	5	6	Total	1	2	3	4	5	6	Total	1	2	3	4	5	6
Alto	218	104	15	90	3	6	--	88	33	11	40	1	3	–	61	31	4	22	2	2	–	69	40	–	28	–	1	–
Medio	136	68	5	47	7	8	1	83	36	5	34	3	5	–	20	13	–	4	2	1	–	33	19	–	9	2	2	1
Bajo	3	2	—	1	—	—	–	3	2	—	1	–	–	–	—	—	–	—	–	–	–	—	—	–	—	–	–	–
No respondieron	2	2	—	—	—	—	–	1	1	—	—	–	–	–	—	—	–	—	–	–	–	1	1	–	—	–	–	–
TOTAL	359	176	20	138	10	14	1	175	72	16	75	4	8	--	81	44	4	26	4	3	–	103	60	--	37	2	3	1

(*) 1 Un puesto público de alto nivel
2 Sólo puestos públicos de alto nivel
3 Puestos públicos de nivel medio y alto
4 Puestos públicos de nivel bajo, medio y alto
5 Sólo puestos públicos de bajo nivel y uno alto
6 Puestos públicos de nivel alto, medio y alto, en ese orden

CUADRO 45

TIPOS DE PUESTOS PUBLICOS DESEMPEÑADOS SEGUN ESTRATO SOCIAL Y TENDENCIA POLITICA

Rama Legislativa

1948 — 1974

(Valores Relativos)

Tendencias y tipo de experiencia política (*)

Estrato social	Total: Total	1	2	3	4	5	6
Alto	100,0	47,7	6,8	41,3	1,4	2,8	—
Medio	100,0	50,0	3,7	34,6	5,1	5,9	0,7
Bajo	100,0	66,7	—	33,3	—	—	—
No respondieron	100,0	100,0	—	—	—	—	—
TOTAL	100,0	49,0	5,6	38,4	2,8	3,9	0,3

Estrato social	P.L.N.: Total	1	2	3	4	5	6
Alto	100,0	37,5	12,5	45,5	1,1	3,4	—
Medio	100,0	43,4	6,0	41,0	3,6	6,0	—
Bajo	100,0	66,7	—	33,3	—	—	—
No respondieron	100,0	100,0	—	—	—	—	—
TOTAL	100,0	41,1	9,1	42,9	2,3	4,6	—

Estrato social	P.R.N.: Total	1	2	3	4	5	6
Alto	100,0	50,8	6,6	36,0	3,3	3,3	—
Medio	100,0	65,0	—	20,0	10,0	5,0	—
Bajo	—	—	—	—	—	—	—
No respondieron	—	—	—	—	—	—	—
TOTAL	100,0	54,3	4,9	32,2	4,9	3,7	—

Estrato social	P.U.N.: Total	1	2	3	4	5	6
Alto	100,0	58,0	—	40,6	—	1,4	—
Medio	100,0	57,6	—	27,2	6,1	6,1	3,0
Bajo	—	—	—	—	—	—	—
No respondieron	100,0	100,0	—	—	—	—	—
TOTAL	100,0	58,3	—	35,9	1,9	2,9	1,0

(*) 1 Un puesto público de alto nivel
2 Sólo puestos públicos de alto nivel
3 Puestos públicos de nivel medio y alto
4 Puestos públicos de nivel bajo, medio y alto
5 Sólo puestos públicos de bajo nivel y uno alto
6 Puestos públicos de nivel alto, medio y alto, en ese orden

CUADRO 46
TIPOS DE PUESTOS PUBLICOS DESEMPEÑADOS SEGUN ORIGEN RURAL O URBANO Y TENDENCIA POLITICA
Rama Ejecutiva
1949 — 1974
(Valores Absolutos)

Origen rural o urbano del dirigente	Tendencias y tipo de experencia política (*)																											
	Total							P.L.N.							P.R.N.							P.U.N.						
	Total	1	2	3	4	5	6	Total	1	2	3	4	5	6	Total	1	2	3	4	5	6	Total	1	2	3	4	5	6
Capitales nacional y provinciales	96	53	20	18	3	2	—	47	25	11	9	1	1	—	12	9	—	2	1	—	—	36	19	9	7	1	—	—
Ciudades secundarias	17	10	3	4	—	—	—	12	6	2	4	—	—	—	1	—	1	—	—	—	—	4	4	—	—	—	—	—
Distritos rurales son características urbanas	1	—	—	1	—	—	—	—	—	—	—	—	—	—	1	—	—	1	—	—	—	—	—	—	—	—	—	—
Distritos rurales	6	3	—	3	—	—	—	5	2	—	3	—	—	—	—	—	—	—	—	—	—	1	1	—	—	—	—	—
Nacidos en el Extranjero	2	1	1	—	—	—	—	2	1	1	—	—	—	—	—	—	—	—	—	—	—	1	1	—	—	—	—	—
No respondieron	1	1	—	—	—	—	—	—	—	—	—	—	—	—	—	—	—	—	—	—	—	1	1	—	—	—	—	—
TOTAL	123	68	24	26	3	2	—	66	34	14	16	1	1	—	14	9	1	3	1	—	—	43	26	9	7	1	—	—

(*) 1 Un puesto público de alto nivel
2 Sólo puestos públicos de alto nivel
3 Puestos públicos de nivel medio y alto
4 Puestos públicos de nivel bajo, medio y alto
5 Sólo puestos públicos de bajo nivel y uno alto
6 Puestos públicos de nivel alto, medio y alto, en ese orden

CUADRO 47
TIPOS DE PUESTOS PUBLICOS DESEMPEÑADOS SEGUN ORIGEN RURAL O URBANO Y TENDENCIA POLITICA
Rama Ejecutiva
1949 — 1974
(Valores Relativos)

Origen rural o urbano del dirigente	Tendencias y tipo de experiencia política (*)																											
	Total							P.L.N.							P.R.N.							P.U.N.						
	Total	1	2	3	4	5	6	Total	1	2	3	4	5	6	Total	1	2	3	4	5	6	Total	1	2	3	4	5	6
Capitales nacional y provinciales	78,1	43,1	16,3	14,6	2,4	1,6	–	71,2	37,9	16,7	13,6	1,5	1,5	–	85,7	57,2	—	14,3	7,1	7,1	–	83,7	44,2	20,9	16,3	2,3	–	–
Ciudades secundarias	13,8	8,1	2,4	3,3	—	—	–	18,2	9,1	3,0	6,1	—	—	–	7,1	—	7,1	—	—	—	–	9,3	9,3	—	—	—	–	–
Distritos rurales con características urbanas	0,8	—	—	0,8	—	—	–	—	—	—	—	—	—	–	7,1	—	—	7,1	—	—	–	—	—	—	—	—	–	–
Distritos rurales	4,9	2,4	—	2,4	—	—	–	7,6	3,0	—	4,5	—	—	–	—	—	—	—	—	—	–	2,3	2,3	—	—	—	–	–
Nacidos en el extranjero	1,6	0,8	0,8	—	—	—	–	3,0	1,5	1,5	—	—	—	–	—	—	—	—	—	—	–	2,3	2,3	—	—	—	–	–
No respondieron	0,8	0,8	—	—	—	—	–	—	—	—	—	—	—	–	—	—	—	—	—	—	–	2,3	2,3	—	—	—	–	–
TOTAL	100,0	55,3	19,5	21,1	2,4	1,6	–	100,0	51,5	21,2	24,2	1,5	1,5	–	100,0	57,2	7,1	21,4	7,1	7,1	–	100,0	60,4	20,9	16,3	2,3	–	

(*) 1 Un puesto público de alto nivel
2 Sólo puestos públicos de alto nivel
3 Puestos públicos de nivel medio y alto
4 Puestos públicos de nivel bajo, medio y alto
5 Sólo puestos públicos de bajo nivel y uno alto
6 Puestos públicos de nivel alto, medio y alto, en ese orden

CUADRO 48
TIPOS DE PUESTOS PUBLICOS DESEMPEÑADOS SEGUN
ORIGEN RURAL O URBANO Y TENDENCIA POLITICA
Rama Legislativa
1949 — 1974
(Valores Absolutos)

Origen rural o urbano del dirigente	Tendencias y tipo de experiencia política (*)																											
	Total							P.L.N.							P.R.N.							P.U.N.						
	Total	1	2	3	4	5	6	Total	1	2	3	4	5	6	Total	1	2	3	4	5	6	Total	1	2	3	4	5	6
Capitales nacionales y provinciales	232	120	13	84	6	8	1	97	44	10	39	1	3	–	63	35	3	18	4	3	–	72	41	–	27	1	2	1
Ciudades secundarias	88	41	5	34	2	6	–	55	22	5	22	1	5	–	14	8	–	6	–	–	–	19	11	–	6	1	1	–
Distritos rurales con características urbanas	4	—	—	4	—	—	–	3	—	—	3	–	–	–	1	—	–	1	–	–	–	—	—	–	—	–	–	–
Distritos rurales	23	12	—	9	2	—	–	13	6	—	5	2	–	–	1	1	–	—	–	–	–	9	5	–	4	–	–	–
Nacidos en el extranjero	5	—	2	3	—	—	–	4	—	1	3	–	–	–	1	—	1	—	–	–	–	—	—	–	—	–	–	–
No respondieron	7	3	—	4	—	—	–	3	—	—	3	–	–	–	1	—	–	1	–	–	–	3	3	–	—	–	–	–
TOTAL	359	176	20	138	10	14	1	175	72	16	75	4	8	–	81	44	4	26	4	3	–	103	60	–	37	2	3	1

(*) 1 Un puesto público de alto nivel
2 Sólo puestos públivos de alto nivel
3 Puestoa públicos de nivle medio y alto
4 Puestos públicos de nivel bajo, medio y alto
5 Sólo puestos públicos de bajo nivel y uno alto
6 Puestos públicos de nivel alto, medio y bajo, en ese orden

CUADRO 49
TIPOS DE PUESTOS PUBLICOS DESEMPEÑADOS SEGUN ORIGEN RURAL O URBANO Y TENDENCIA POLITICA
Rama Legislativa
1949 — 1974
(Valores Relativos)

Origen rural o urbano del dirigente	Tendencias y tipo de experiencia política (*)																										
	Total							P.L.N.							P.R.N.							P.U.N.						
	Total	1	2	3	4	5	6	Total	1	2	3	4	5	6	Total	1	2	3	4	5	6	Total	1	2	3	4	5	6
Capitales nacional y provinciales	64,6	33,4	3,6	23,4	1,7	2,2	0,3	55,4	25,1	5,7	22,3	0,6	1,7	-	77,8	43,2	3,7	22,2	4,9	3,7	-	69,9	39,8	-	26,2	1,0	1,9	1,0
Ciudades secundarias	24,5	11,4	1,4	9,5	0,6	1,7	—	31,4	12,6	2,9	12,6	0.6	2,9.	-	17,3	9,9	—	7,4	—	—	-	18,4	10,7	-	5,8	1,0	1,0	—
Distritos rurales con características urbanas	1,1	—	—	1,1	—	—	—	1,7	—	—	1,7	—	—	-	1,2	—	—	1,2	—	—	-	—	—	-	—	—	—	—
Distritos rurales	6,4	3,3	—	2,5	0.6	—	—	7,4	3,4	—	2,9	1,1	—	-	1,2	1,2	—	—	—	—	-	8.7	4,9	-	3,9	—	—	—
Nacidos en el extranjero	1,4	—	0,6	0,8	—	—	—	2,3	—	0.6	1,7	—	—	-	1,2	—	1,2	—	—	—	-	—	—	-	—	—	—	—
No respondieron	1,9	0,8	—	1,1	—	—	—	1,7	—	—	1,7	—	—	-	1,2	—	—	1,2	—	—	-	2,9	2,9	-	—	—	—	—
TOTAL	100,0	49,9	5,6	38,4	2,9	3,9	0,3	100,0	41,1	9,2	42,9	2,3	4,6	-	100,0	54,3	4,9	32,0	4,9	3,7	-	100,0	58,3	-	35,9	2,0	2,9	1,0

(*) 1 Un puesto público de alto nivel
2 Sólo puestos públicos de alto nivel
3 Puestos públicos de nivel medio y alto
4 Puestos públicos de nivel bajo, medio y alto
5 Sólo puestos públicos de bajo nivel y uno alto
6 Puestos públicos de nivel alto, medio y bajo, en ese orden

En comparación con los demás partidos, los diputados del estrato alto del PLN han tenido, proporcionalmente, un número menor de puestos altos y uno mayor de puestos medios, aun cuando las diferencias en este campo no son muy marcadas entre las diversas tendencias políticas.

La mayoría de los diputados del estrato medio también se ubica en las tres primeras categorías de puestos. Aunque unos pocos han desempeñado puestos bajos, sólo rara vez descienden del nivel político medio. De nuevo se confirma que un mayor número de los diputados liberacionistas del estrato medio ha ocupado más puestos medios que los legisladores de los otros dos partidos, y que muy pocos han bajado de ese nivel en las tres tendencias políticas.

Los cuadros 46, 47, 48 y 49 dan la relación entre los tipos de puestos públicos, la tendencia política y el origen rural o urbano de los individuos de la élite del poder. Los resultados para la rama ejecutiva son de gran interés, pero no inesperados. De todos los ministros, el 78,1% proviene de la capital nacional y las capitales de provincias, y casi el 60% de éstos ha ocupado únicamente puestos de alto nivel. El 13,8% procede de ciudades secundarias, y en su mayoría han ocupado sólo puestos altos. Las cifras mencionadas confirman el origen urbano de los miembros del Gabinete. En el caso de los diputados, como era de esperar, se presentan características similares aun cuando menos marcadas. Casi el 90% de los legisladores es de áreas urbanas, y ha participado tanto en puestos altos como medios. Como se ha señalado, el nivel bajo no parece tener ninguna importancia.

Período de la participación política: Hemos establecido que para la mayoría de los líderes no es necesaria una carrera política "vertical", o sea, que no requieren ascender desde los puestos bajos hasta los altos. Lo típico de los dirigentes con experiencia política previa, ha sido iniciar su carrera desde el nivel medio, o directamente desde el superior. El total de años durante los cuales han ocupado puestos políticos relevantes, podría darnos una visión más pormenorizada de su participación. Para esto, hemos seleccionado los líderes que tenían 50 o más años de edad en 1970, pues como dijimos anteriormente, después de los 50 el porcentaje de dirigentes que participan por primera vez se reduce considerablemente. Si la mayoría de los líderes ha ocupado su primer puesto político entre los 30 y los 49 años de edad, podríamos suponer que al cumplir los 50 o más años, deberían haber participado lo suficiente como para proporcionarnos una imagen del ciclo de una vida política en Costa Rica. Este análisis nos permitirá determinar si la élite política se renueva con el tiempo, o si se compone en su mayoría de un grupo estable de dirigentes que circulan entre los diferentes puestos.

En el cuadro 50 se aprecia que casi un 30% de los líderes ha permanecido sólo durante un corto período (1 a 4 años) en puestos públicos. Alrededor de un 45% se ha mantenido más de 8 años en esos puestos, y más de un 30%, en posiciones altas por 12 años o más. En consecuencia, parece ser que casi un 30% de los dirigentes cedió su puesto a nuevos individuos, y más de un 30% ha constituido el grupo estable dentro de la élite.

CUADRO 50
PERIODO DE PARTICIPACION POLITICA DE LOS DIRIGENTES DE 50 AÑOS O MAS EN 1970

Total de años	Valores Absolutos	Valores Relativos
1	13	5,5
2	3	1,3
3	4	1,7
4	49	20,8
5	20	8,5
6	10	4,2
7	9	3,8
8	23	9,8
9 – 11	30	12,7
12 – 14	39	16,5
15 – 17	18	7,6
18 – 20	6	2,5
21 – 34	12	5,1
TOTAL	236	100,0

TERCERA PARTE

PARTICIPACION DE LOS ABOGADOS

CAPITULO VI

LOS ABOGADOS-POLITICOS

Hay dos formas de hacer de la política una profesión. O se vive "para" la política o se vive "de" la política. La oposición no es un absoluto excluyente. Por el contrario, generalmente se hacen las dos cosas, al menos idealmente; y, en la mayoría de los casos, también materialmente.
Quien vive "para" la política hace "de ello su vida" en un sentido ***íntimo****; o goza simplemente con el ejercicio del poder que posee, o alimenta su equilibrio y su tranquilidad con la conciencia de haberle dado un* ***sentido*** *a su vida, poniéndola al servicio de "algo". En este sentido profundo, todo hombre serio que vive para algo vive también de ese algo. La diferencia entre el vivir* ***para*** *y el vivir* ***de*** *se sitúa, pues, en un nivel mucho más grosero, en el nivel económico. Vive "de" la política como profesión quien trata de hacer de ella una fuente duradera de* ***ingresos****; vive "para" la política quien no se halla en este caso. Para que alguien pueda vivir "para" la política en este sentido económico, y siempre que se trate de un régimen basado en la propiedad privada, tienen que darse ciertos supuestos, muy triviales, si ustedes quieren: en condiciones normales, quien así viva ha de ser económicamente independiente de los ingresos que la política pueda proporcionarle. Dicho de la manera más simple: tiene que tener un patrimonio o una situación privada que le proporcione entradas suficientes. Esto es al menos lo que sucede en circunstancias normales. . . Quien vive para la política tiene que ser además económicamente "libre"*

(abkömmlich), esto es, sus ingresos no han de depender del hecho de que él consagre a obtenerlos todo o una parte importante de su trabajo personal y sus pensamientos. Plenamente libre en este sentido es solamente el rentista, es decir, aquel que percibe una renta sin trabajar, sea que esa renta tenga su origen en la tierra, como es el caso de los señores del pasado o los terratenientes y los nobles en la actualidad (en la Antigüedad y en la Edad Media había también rentas procedentes de los esclavos y los siervos), sea que proceda de valores bursátiles u otras fuentes modernas. Ni el obrero ***ni*** *el empresario (y esto hay que tenerlo muy en cuenta), especialmente el gran empresario moderno, son libres en este sentido. Pues también el empresario, y precisamente él, está ligado a su negocio y* ***no*** *es libre, y mucho menos el empresario industrial que el agrícola, dado el carácter estacional de la agricultura. Para él es muy difícil en la mayor parte de los casos hacerse representar por otro, aunque sea transitoriamente. Tampoco es libre, por ejemplo, el médico, y tanto menos cuanto más notable sea y más ocupado esté. Por motivos puramente técnicos se libera, en cambio, con mucha mayor facilidad el abogado, que por eso ha jugado como político profesional un papel mucho más importante que el médico y, con frecuencia, un papel resueltamente dominante.*[1]

El objetivo de este capítulo es estudiar la participación de los profesionales del derecho en la estructura política formal de Costa Rica. En capítulos anteriores definimos que los abogados constituyen la mayoría de los profesionales que han ocupado puestos en las ramas ejecutiva y legislativa del gobierno. Aunque este es un fenómeno usual y señalado en casi todos los sistemas políticos occidentales, en Costa Rica es particularmente cierto, debido al hecho de que hasta los años cuarentas la Facultad de Derecho era la más importante de las pocas escuelas profesionales que funcionaban en el país. Por lo tanto, es pertinente mencionar, aunque en forma sucinta, algunos aspectos de la historia de la Universidad de Costa Rica.

---

1 Max Weber, "Politics as a Vocation", en H. H. Gerth y C. W. Mills, Selección y traducción, *From Max Weber: Essays in Sociology* (Londres: Routledge & Kegan Paul Ltd., 1967), pág. 85.

Al iniciarse el siglo XIX Costa Rica era la provincia más pobre y atrasada del Reino de Guatemala. Nuestros historiadores coinciden en que sus cincuenta mil habitantes vivían miserablemente en gran aislamiento. No había en toda ella una imprenta, ni un médico, ni una botica. Aun entre los hombres de más alta posición, la ignorancia crasa era la norma, pues raro era el que sabía leer y escribir. Unicamente los clérigos adquirían una instrucción muy rudimentaria y el costarricense que deseaba estudiar se veía obligado a viajar a Guatemala o a León de Nicaragua en donde sí existían universidades desde el siglo XVI.[1]

El origen de la educación pública costarricense se encuentra hacia finales de la época colonial. La Escuela de Santo Tomás abrió sus puertas como escuela primaria por contribución pública en 1814, bajo la influencia reformadora de la Constitución de Cádiz (1812), en la cual se decía: "En todos los pueblos de la monarquía se establecerán escuelas primarias. . ."[2] En 1824 se convirtió en escuela secundaria y finalmente en 1843 la institución alcanzó su más alto grado cuando se transformó, bajo la dirección del erudito y liberal Dr. José María Castro, en la Universidad de Santo Tomás. Los estatutos de esta universidad se redactaron en concordancia con el pensamiento francés del siglo XVIII, ya que en ellos se establecía:

1. Que sólo la ilustración pone al hombre en el importante conocimiento de sus derechos y obligaciones; que refrena y dirige sus pasiones;

2. Que la ilustración es el baluarte indestructible de la libertad de los pueblos, el firme apoyo de su tranquilidad, el Paladión de sus derechos y la primordial causa de su engrandecimiento y prosperidad;

---

1 Oscar Arias Sánchez, *Significado del Movimiento Estudiantil en Costa Rica* (San José: Publicaciones de la Universidad de Costa Rica, No. 144, 1970), pág. 3.

2 Niní Mora, "La Educación en Costa Rica: Su Desarrollo", en *El Desarrollo Nacional en 150 años de Vida Independiente* (San José: Publicaciones de la Universidad de Costa Rica, 1973), pág. 304.

3. Que por lo mismo, es el primer deber de un buen Gobierno promover la instrucción pública.[1]

Aunque aparentemente se había concebido dentro de los cánones liberales e ilustrados del siglo XVIII, la Universidad de Santo Tomás contenía una serie de factores contradictorios: en la práctica, se administraba según viejos moldes coloniales, que a su vez fueron heredados de las universidades medievales españolas. Esto se definió en forma gráfica cuando, en 1852, fue declarada "Universidad Pontificia", lo cual contradecía abiertamente el pensamiento de la época. Como lo señaló muy acertadamente uno de los que han investigado el desarrollo de la educación en Costa Rica:

> *La Universidad de Santo Tomás fue apenas una 'prolongación incompleta y tardía del tipo de la Universidad colonial, que por lo mismo no consiguió tener arraigo en la sociedad de su tiempo, pues esta sociedad comenzaba a contemplar el mundo a través de un nuevo espíritu'.*[2]

En otras palabras, la enseñanza de la Universidad se conducía por cauces esencialmente tradicionales: según el ex-rector Rodrigo Facio, se caracterizaba por la

> *falta de medios materiales para el trabajo científico, carencia de instructores, escasez de estudiantes idóneos, organización anacrónica, y limitaciones de orden filosófico, político y financiero. . .*[3]

---

1 Citado por Oscar Arias Sánchez, *Significado del Movimiento Estudiantil en Costa Rica* (San José: Publicaciones de la Universidad de Costa Rica, No. 144, 1970), pág. 4.

2 Luis Galdámez, en Rafael Obregón Loría, *Los Rectores de la Universidad de Santo Tomás de Costa Rica* (San José: Publicaciones de la Universidad de Costa Rica, 1958), pág. 16.

3 Rodrigo Facio, en Rafael Obregón Loría, *Los Rectores de la Universidad de Santo Tomás de Costa Rica* (San José: Editorial Universitaria, Sección Historia No. 1, 1955), pág. 15.

En 1888 la Universidad de Santo Tomás fue clausurada (acontecimiento que algunos intelectuales consideran el peor error cometido en toda la historia de Costa Rica) con la intención de estimular una educación media que sería centralizada, pública y laica, y crear un sistema de educación superior técnica: un politécnico. Sin embargo, el objetivo era difícil de alcanzar sin el respaldo de una universidad que organizara y preparara los profesores requeridos. Sólo la Facultad de Derecho pudo sobrevivir, gracias al Colegio de Abogados, que la mantuvo y aumentó su prestigio.

En esta época escribió Rubén Darío –el más conocido y admirado poeta de América Latina:

> *¡Me pide V. . ., mi opinión sobre Costa Rica! Tiene la tierra ubérrima y noble un cielo azul. Los dos océanos mira el explorador desde la cumbre de sus altos volcanes. Da oro y maíz Costa Rica; exporta a barco repleto el banano, saca de la tierra el jugo de la riqueza y adora al buey . . . y así como es el costarricense esclavo del pensativo trabajador de cuatro patas, no consiente tirano de dos. No es aquél un pueblo revoltoso. Las revoluciones turban la faena que enriquece, y los costarricenses no quieren dejar la faena . . . Por eso cuando el vapor viene de Centro América y hay noticias de las barrabasadas de los hermanos, el 'tico' se asombra y juzga que las noticias que recibe son cuentos, historias antiguas, de lugares bárbaros o lejanos. Tuvieron un tirano, Guardia: Guardia no derramó una gota de sangre . . . Y lo que nota el observador en aquella República, es la influencia absoluta del abogado. El abogado, el comerciante, el agricultor: trimurti potente. El bufete, el mostrador y el buey.*[1]

Durante los años en que Costa Rica estuvo casi completamente desprovista de Facultades para la preparación profesional, parte de la juventud privilegiada buscó en el exterior la educación adicional que no podía obtener en el país, mientras otros ingresaron en la Facultad de

1 Citado por Oscar Arias Sánchez, *Significado del Movimiento Estudiantil en Costa Rica* (San José: Publicaciones de la Universidad de Costa Rica, No. 144, 1970), pág. 5.

Derecho. La carrera jurídica ofrecía un gran prestigio, una mayor remuneración económica y mejores oportunidades de movilidad social que una en farmacia, agronomía o educación. Debe suponerse, pues, que quienes ingresaron en la Faculad de Derecho eran miembros de un estrato social alto, y por lo tanto económicamente libres.

Hay muchas razones que explican el papel preponderante del abogado: en primer lugar, el costo de los estudios de derecho era bastante menor que el de otros cursos (como la medicina) incluidos en el currículo universitario. En segundo lugar, por su mayor estabilidad política, Costa Rica recibió como exiliados a destacadas personalidades, que eran abogados o habían completado estudios afines al derecho. De ese modo se agregó a la Facultad un número significativo de preceptores descollantes. Hacia finales de siglo, el país requirió profesionales que pudieran colocarse en el primer plano del escenario político, burocrático y de dirección de empresas, debido al incremento de las actividades agrícolas y comerciales, y a la vitalidad que un sector público liberal de avanzada infundió al país.

El abogado costarricense era casi el único profesional disponible para cumplir una función política. En un país ligado por tradición al gobierno de derecho civil, el ciudadano abogado con mayor conocimiento y capacidad, era la alternativa natural para representar a sus conciudadanos. Si no ocupaba un puesto formal, estaba lo bastante cerca de la estructura de poder como para influir en ella. Por esta razón, Lasswell y McDougal están en lo cierto al afirmar que el abogado es "... el único asesor indispensable para quien tiene la responsabilidad de formular lineamientos políticos".[1]

Costa Rica ha sido "una nación de abogados", de lo cual legítimamente se enorgullece. Muchos de los abogados que decidieron cumplir una función política, desde el período de la Independencia en adelante, y sobre todo en la rama ejecutiva, han sido individuos de extraordinario talento que contribuyeron a la tradición cívica, y a la creación y conservación de los procesos democráticos. Buena parte de las más importantes características liberales de nuestra sociedad, se debe a esos abogados que forjaron las bases de nuestra vida cívica.

---

1 H. D. Lasswell y M. S. McDougal, "Legal Education and Public Policy", en Lasswell, *Analysis of Political Behavior* (Londres: Routledge & Kegan Paul Ltd., 1948), pág. 27.

En la segunda mitad del siglo XIX, se destaca la figura de Lorenzo Montúfar, cuyo prestigio intelectual se extendió por toda Centroamérica. Nacido en Guatemala, obtuvo su diploma de abogado en la universidad de su país, en 1848. Vino a Costa Rica en 1855 en calidad de exiliado y se le otorgó la ciudadanía mediante un acuerdo entre ambos países. Desempeñó los cargos de Ministro de Gobernación, Magistrado de la Corte Suprema de Justicia y Rector de la Universidad de Santo Tomás. Fundamentalmente anticlerical, fue uno de los autores intelectuales de las reformas de 1884, las cuales influyeron en forma decisiva para que el país mantuviera, desde esa fecha, plena independencia de la política eclesiástica. En esa oportunidad afirmó:

> *Costa Rica no era hasta entonces (hasta 1884) independiente. No es independiente el pueblo a quien un poder extranjero (el Vaticano) dicta las leyes de instrucción pública. No es independiente el pueblo a quien un poder extranjero nombra los profesores. No es independiente el pueblo a quien un poder extranjero ordena lo que se ha de decir y lo que se ha de callar. No es independiente el pueblo que no puede suprimir el presupuesto del clero. No es independiente el pueblo que no puede decir: todas las religiones son iguales ante la ley. No es independiente el pueblo que no puede legislar acerca del contrato que se llama matrimonio. No es independiente el pueblo que no puede salvar los cadáveres de sus hijos de ser lanzados ignominiosamente de los panteones de la patria. No es independiente el pueblo, lo diré todo de una vez, que carece de la soberanía inmanente, y carece de la soberanía inmanente el que no puede constituirse como le place.*[1]

En el período en que Lorenzo Montúfar ejerció su influencia, Costa Rica fue gobernada por Bernardo Soto, que también era abogado, y había sido Secretario de Hacienda durante la administración del general

---

1 Constantino Láscaris, *Desarrollo de las Ideas Filosóficas en Costa Rica* (San José: Editorial Costa Rica, 1965), págs. 443-444.

Próspero Fernández. Al morir Fernández, concluyó su período de gobierno como Primer Designado y fue electo Presidente por el voto popular en 1886. Con Mauro Fernández, decretó la Ley de Instrucción Pública y fundó gran número de escuelas primarias y otros centros educativos. Después de Bernardo Soto (1890), asumió la Presidencia otro abogado, José Joaquín Rodríguez, jurista de gran prestigio que además había sido Presidente de la Corte Suprema de Justicia.

Hacia fines del siglo XIX, es necesario mencionar al doctor Antonio Zambrana, debido a la influencia de sus ideas en la educación de muchos dirigentes políticos costarricenses. Cubano por nacimiento, se graduó y obtuvo el doctorado en derecho en la Universidad de La Habana. Era un gran orador y desde los puestos públicos que ocupó en Costa Rica, difundió sus ideas y estableció las bases para el positivismo filosofico, que tanta importancia tuvo en el país. Al referirse a su obra, el ex-Presidente Teodoro Picado dijo una vez:

> *En una ocasión en que le pregunté (a Ricardo Jiménez) que quién era el hombre que más había influido en su formación intelectual y moral en sus años de Universidad, me contestó casi sin titubeo:* ***el doctor Zambrana.*** *Eso mismo habrían podido contestar muchos de los hombres de su generación.*[1]

En virtud de la enorme importancia concedida a la educación en Costa Rica, es fundamental citar a uno de los primeros organizadores del sistema educacional costarricense, Mauro Fernández, quien nació en San José en 1843, y se graduó de abogado en 1869 en la Universidad de Santo Tomás. Ejerció su profesión, fue Magistrado Fiscal de la Corte Suprema de Justicia, profesor de la Facultad de Derecho, Consejero de Estado, diputado y Presidente del Congreso.

Sintetizó sus ideas de esta manera:

> *Nuestros hombres públicos deben viajar, los liberales para aprender a diferenciar lo que pertenece al programa de lo que constituye fiebre anticlerical; los retrógrados para que se inspiren en el sentimiento de la tolerancia. De otro modo no es posible abordar*

---

1 *Ibid.*, pág. 199.

con fortuna los grandes problemas sociales. Yo paso la vida buscando adeptos a la escuela racional, mostrando la naturaleza, señalando al sol; pero mi respeto es profundo por los sacerdotes de mi tierra. Yo no voy, no iré nunca a su casa, pero no sería capaz de cerrar a la fuerza ningún templo. Bienaventurados los que allí encuentran refugio en las tribulaciones de la vida . . . Todos debemos creer en algo. Yo creo en el derecho . . . Creo en el futuro triunfo del derecho.[1]

Sin duda uno de los más grandes hombres en la historia costarricense fue el "patricio" Ricardo Jiménez, la figura política más destacada en el período que va desde las leyes liberales de 1884 hasta la creación de la Universidad de Costa Rica en 1941. Fue un intelectual profundo, jurista a la manera francesa, astuto político, administrador de rectitud total; en síntesis, era el Presidente liberal nato.[2]

Jiménez fue discípulo de Lorenzo Montúfar, Antonio Zambrana y Juan Fernández Ferraz. Fue ministro de Estado varias veces, diputado, Presidente de la Corte Suprema de Justicia y Presidente de la República en tres períodos. Ricardo Jiménez y José María Castro Madriz fueron los únicos costarricenses que llegaron a ser presidentes de las tres ramas del gobierno. Según el profesor Abelardo Bonilla: " . . . llevó a cabo una obra civilizadora, de carácter cívico y político, que impuso principios y pautas definitivas en el espíritu y en la estructura de la República."[3]

Junto con la figura de Ricardo Jiménez debe mencionarse la de Cleto González Víquez. El último de los presidentes patriarcales, González Víquez, se graduó de abogado en 1884, y un año después se le nombró para ocupar un puesto diplomático en Washington. Inicialmente desempeñó cargos de Subsecretario y Secretario de Estado en el gobierno de Bernardo Soto. Diputado en muchas oportunidades, Segundo Designado a la Presidencia de la República, y Presidente en dos ocasiones, fue además un historiador que contribuyó en forma muy significativa al desarrollo intelectual de Costa Rica.

---

1 *Ibid.*, pág. 96.
2 *Ibid.*, pág. 268.
3 Abelardo Bonilla, citado en Láscaris, *Desarrollo de las Ideas Filosóficas en Costa Rica* (San José: Editorial Costa Rica, 1965), pág. 270.

Finalmente, la presidencia de Alfredo González Flores, abogado herediano que gobernó desde 1914 hasta 1917, reviste gran importancia. González Flores fue un estadista que se adelantó a su tiempo. Costa Rica, todavía país muy conservador, no aceptaba una mayor intervención estatal, como la que estaba implícita en las reformas introducidas por el Presidente González Flores. La reacción no se hizo esperar y su gobierno fue derrocado por un golpe de Estado en 1917.

Desde 1917 hasta 1948, año en que comienza nuestro estudio, Costa Rica tuvo ocho gobiernos, de los cuales seis fueron presididos por abogados. La activa participación de éstos en nuestra vida política y su importancia en la formación de la realidad institucional costarricense, nos hace coincidir con de Tocqueville, cuando señaló que "el gobierno de la democracia favorece al poder político de los abogados".[1]

Aspectos cuantitativos de la participación de los abogados: La Junta Fundadora de la Segunda República (1948) fue integrada en especial con individuos del Estado Mayor del Ejército de Liberación Nacional, y pocos de ellos eran abogados, aun cuando para entonces cursaban estudios de derecho y posteriormente participarían en forma activa en la vida política del país. A ello se debe que, de los 13 miembros de la Junta, sólo 3 fuesen abogados, como se aprecia en el cuadro 51.

La Asamblea Constituyente de 1949, convocada a fin de que redactara una nueva Constitución para la Segunda República, estaba compuesta por 59 diputados, de los cuales 28 eran abogados, lo cual concuerda, evidentemente, con la función que debía cumplir.

La Asamblea Constituyente estaba integrada, en su mayoría, por militantes del Partido Unión Nacional. El Republicano Nacional, derrotado en la guerra civil de 1948, no participó de nuevo en gran escala sino hasta 1958 aproximadamente. Liberación Nacional aún no se había constituido como partido político. Los adherentes del Partido Social Demócrata, que luego participarían en el nacimiento de Liberación Nacional, lo representaron en esa Asamblea.

La época de 1949-1953, que significó la vuelta a los procesos democráticos, se caracterizó una vez más por una gran influencia de los abo-

---

1 Alexis de Tocqueville, *Democracy in America* (2 Vols., Nueva York: Vintage Books, 1956), Vol. I, pág. 285.

gados. Casi la tercera parte de los diputados a la Asamblea Legislativa eran profesionales en derecho, y en el Gabinete, compuesto por 18 miembros, la representación era similar. En la primera administración de José Figueres (1953-1958), un 34,8% de sus ministros eran abogados. En su segunda Administración (1970-1974), ese porcentaje no varió sustancialmente, mientras que en la Asamblea el número de abogados fue el más bajo de los 25 años que comprende este estudio.

Mario Echandi (1958-1962) es el único abogado que ejerció la presidencia después de 1948.[1] Durante su administración tuvo 18 ministros, 8 de los cuales eran abogados, lo que significa un 44,4%. Este porcentaje es importante, pues se trata del más alto en el período analizado, y posiblemente se explique por la confianza de Echandi en sus colegas profesionales. En la Asamblea Legislativa hubo un cambio respecto de las anteriores, pues, por el contrario, el porcentaje de abogados disminuyó.

El gobierno de Francisco Orlich (1962-1966) representa el momento, después de 1948, en que los abogados tuvieron la menor participación en la rama ejecutiva. Quizá su personalidad pragmática de empresario agrícola e industrial, contribuyó a que esa profesión estuviera escasamente representada en su gabinete.

En la formación de su gabinete, la escogencia hecha por el profesor José Joaquín Trejos, electo en 1966 por la coalición opositora a Liberación Nacional, resultó similar a la de Echandi. De los 16 ministros que lo acompañaron en su administración, 7 eran abogados.

Es difícil determinar con precisión si es por casualidad o por política especial de los partidos opuestos a Liberación Nacional, que la profesión del derecho tenga una mayor representación en el Poder Ejecutivo. Quizá el abogado costarricense, a quien se considera perteneciente a los grupos más conservadores del país, ha encontrado una mayor afinidad con dichos movimientos políticos. La Facultad de Derecho de la Universidad de Costa Rica es, por tradición, conservadora y sus profesores lo son también. Sin embargo, una nueva generación de profesores intenta en la actualidad cambiar su imagen.

A diferencia de la mayoría de las universidades latinoamericanas, verdaderos centros revolucionarios, la Universidad de Costa Rica, como la

---

1 Daniel Oduber, electo Presidente de la República para el período 1974-1978, también es abogado. No obstante, como hemos visto, este estudio no incluye el análisis de su administración.

propia sociedad costarricense, ha sido tranquila y moderada. Su interés se ha concentrado de modo primordial en la preparación de los profesionales que demanda la compleja maquinaria de una sociedad cada día más racionalizada.[1]

Nuestros estudiantes universitarios, al igual que en el resto del mundo, son fundamentalmente de la clase media y de la alta. De éstos, el número proveniente de familias de origen campesino y obrero es bastante reducido. Hasta hace pocos años, por lo general el estudiante heredaba la ideología de sus padres, situación que ha cambiado en la actualidad.

Antes, quienes tenían ideas de izquierda ingresaban en la Facultad de Derecho, pues ésta les permitía adquirir una cultura más amplia. Ahora, realizan estudios de preferencia en el campo de las Ciencias Sociales. Podría argumentarse que la participación de los abogados en el Poder Ejecutivo se debe, más que a una tendencia propia de los partidos políticos más antiguos, a las relaciones que el gobernante tenga con los círculos jurídicos del país.

En la Asamblea Legislativa de 1970-1974 sólo había 12 profesionales en derecho, lo cual significa una ligera reducción comparado con las anteriores. No es fácil establecer si la importancia del abogado-político está disminuyendo en la Asamblea Legislativa. Para ello, sería necesario analizar un período más amplio, a fin de juzgar si el fenómeno corresponde a una nueva orientación histórico-política, o si sólo se debe a la casualidad. Con respecto a la rama ejecutiva, lo que más llama la atención es la diferencia del número de abogados en los gobiernos de Liberación Nacional y en los gobiernos de los partidos opositores. Esto podría deberse a que el abogado costarricense tiene menos posibilidades políticas en Liberación Nacional que en el PRN y en el PUN.

La afirmación anterior se apoya en el hecho de que la participación de los abogados en el Poder Ejecutivo ascendió cuando estaba en el Gobierno la coalición del PRN y el PUN, en tanto que descendió cuando estuvo en el poder el PLN. Esto podría explicarse por los siguientes hechos históricos.

Hasta 1950 el abogado tuvo un papel preponderante en la administración de los asuntos públicos, pues se le consideraba la persona más

---

1 Oscar Arias Sánchez, *Significado del Movimiento Estudiantil en Costa Rica* (San José: Publicaciones de la Universidad de Costa Rica, No. 144, 1970), págs. 14-15.

idónea para realizar los deberes del Estado. Como se trataba de individuos de preparación profesional apta para la política, se les incorporó a partidos como el PRN y el PUN, que se destacaron antes de esa fecha, a diferencia del PLN que se fundó en la década de los cincuentas.

Por otra parte, desde el punto de vista social, los líderes del PRN y el PUN provenían de un grupo de familias (en especial estos últimos, que monopolizaron más puestos públicos en los años cincuentas) que estaban vinculadas al sector tradicional de exportadores de productos agrícolas, en el cual tenían mucho prestigio los abogados. Por el contrario, la dirigencia del PLN la constituían individuos de los nuevos sectores medios que habían estudiado en la recién fundada Universidad de Costa Rica (1941). Para entonces el abogado era sólo uno entre muchos otros profesionales, especialmente economistas, con quienes tenía que competir para ocupar los puestos políticos más altos.

CUADRO 51
ABOGADOS QUE PARTICIPAN EN LAS RAMAS EJECUTIVA Y LEGISLATIVA 1948 – 1974

		Total de miembros	Abogados	No Abogados	Porcentaje de Abogados
Junta Fundadora		13	3	10	23,0
Asamblea Constituyente		59	28	31	47,5
1949 – 1953	Legislativo	63	20	43	31,7
	Ejecutivo	18	5	13	27,8
1953 – 1958	Legislativo	58	17	41	29,3
	Ejecutivo	23	8	15	34,8
1958 – 1962	Legislativo	61	14	47	22,9
	Ejecutivo	18	8	10	44,4
1962 – 1966	Legislativo	58	15	43	25,9
	Ejecutivo	21	5	16	23,8
1966 – 1970	Legislativo	57	15	42	26,3
	Ejecutivo	16	7	9	43,8
1970 – 1974	Legislativo	57	12	45	21,0
	Ejecutivo	18	7	11	38,9

Edad en un puesto de alto nivel:[1] Hay muchos factores que determinan, en el caso de Costa Rica, la edad a la que una persona alcanza un puesto público de alto nivel. El origen rural o urbano, la influencia de la familia, la condición económica y la capacidad intelectual, determinan el éxito político, temprano o tardío, en la vida del individuo. Lo que nos interesaba aclarar en este aspecto era si una carrera en derecho implica la posibilidad de una participación más temprana en los puestos de liderazgo formal. Como ya hemos visto, parece que en Costa Rica no es necesario haber llegado a la madurez para ingresar a la dirigencia de alto nivel. En el campo legislativo, es importante subrayar que, a partir de 1948, de 359 individuos que participaron, 218 (esto es, el 61%) estaban entre los 25 y los 44 años de edad, y el resto lo formaban personas de 45 o más años.

Los profesionales del derecho tenían oportunidades incluso desde más temprana edad. Encontramos que en el grupo de edades comprendidas entre los 25 y los 44 años, el 83% de quienes ocuparon puestos en el Congreso eran abogados. Descubrimos también que los ministros eran de más edad que los diputados. Este fenómeno se explicaría en parte por el hecho de que quienes ocupan la Presidencia de la República son generalmente personas de edad madura, y lo normal es que escojan a sus colaboradores entre los individuos de su propia generación.

¿A qué se debe esta preponderancia de abogados jóvenes? La respuesta no es fácil. En gran medida obedece a la circunstancia, ya mencionada, de que por muchos años la abogacía fue una de las pocas carreras profesionales disponibles en el país. Existen además otras razones. El derecho es y ha sido una profesión de prestigio y su aceptación social deriva de que se le asocia con nombres de ilustres y antiguas personalidades. En la sociedad latnoamericana, altamente burocrática, el abogado encuentra empleo con facilidad. Por otra parte, no es difícil obtener un título en derecho, pues no hay límite en la matrícula ni se requiere una dedicación de tiempo completo a su estudio. En efecto, un apreciable número de los estudiantes de derecho estudian mientras trabajan, bien en oficinas judiciales o en bufetes privados. También existe la idea de que una formación en esa disciplina es casi indispensable para la política.

---

1 Para las cifras analizadas en esta sección y las demás de este capítulo, véase el Apéndice I.

Además de la situación especial en Costa Rica, favorable a la preponderancia del abogado-político, existen otras explicaciones comunes referentes a que el joven abogado-legislador busca y alcanza status por medio de su puesto público, el cual le facilita una serie de contactos y el desarrollo de su futura clientela.

El carácter flexible de la profesión le permite desempeñar puestos públicos sin perjuicio, en la mayoría de los casos, de la atención de su bufete, lo cual no ocurre a los políticos que no sean abogados, como los médicos o los empresarios, según lo afirma Max Weber.[1]

Lugar de nacimiento: En el capítulo IV se estableció, en cuanto al lugar de nacimiento, el predominio de San José sobre las demás provincias en las ramas ejecutiva y legislativa del Gobierno, y se explicaron muchas de las razones por las cuales sólo el Valle Central, y especialmente la ciudad de San José, ha producido un gran número de líderes políticos nacionales. El mismo estudio, referido a la provincia natal de los abogados que ocuparon puestos en los Poderes Ejecutivo y Legislativo, dio los resultados que se muestran en el cuadro 52.

No parece necesario un análisis detallado de las cifras, pues en el cuadro 52 notamos de inmediato, una vez más, el predominio de San José y las demás provincias de la Meseta Central (Alajuela, Cartago y Heredia), en lo concerniente a los abogados-políticos que llegan a ocupar puestos ejecutivos y legislativos. Esta notoria concentración de diputados y ministros en dichas provincias obedece a que el 84% de nuestros estudiantes universitarios procede del Valle Central, y sólo hay una Facultad de Derecho en el país, la cual se encuentra en la ciudad de San José.[2] Por otra parte, la actividad legal del país está concentrada fundamentalmente en San José. Esto se debe a que en Costa Rica, como en la mayoría de los países latinoamericanos, el desarrollo urbano se ha concentrado alrededor de una o dos grandes ciudades, una de las cuales es, invariablemente, la capital. Además, la colonización de Costa Rica no se desarrolló de la costa hacia el interior, pues los primeros colonos

---

1 Véase cita en la página 142.

2 Pierre Thomas, citado en Arias Sánchez, *Significado del Movimiento Estudiantil en Costa Rica*, pág. 26.

se establecieron en el centro del país y de ahí se extendieron hacia las otras regiones. Como resultado de este fenómeno, el Valle Central ha mantenido su importancia a lo largo del tiempo, y constituye la base de

CUADRO 52

LUGAR DE NACIMIENTO DE LOS ABOGADOS POR PROVINCIAS

(Ramas Ejecutiva y Legislativa)

(1948 – 1974)

(Cifras absolutas y relativas)

Provincias	Rama Ejecutiva	Rama Legislativa	Total
San José	22 55%	43 35,8%	65 40,6%
Alajuela	4 10,0%	25 20,8%	29 18,1%
Cartago	7 17,5%	23 19,2%	30 18,8%
Heredia	3 7,5%	16 13,3%	19 11,9%
Guanacaste	1 2,5%	3 2,5%	4 2,5%
Puntarenas	0 0%	1 0,8%	1 0,6%
Limón	0 0%	6 5%	6 3,7%
Nacidos en el Extranjero	2 5%	2 1,7%	4 2,5%
No respondieron	1 2,5%	1 0,8%	2 1,2%

la mayor parte de nuestra economía actual. Es lógico, pues, que el abogado se ubique de preferencia en esta región.

Sin embargo, los abogados de Alajuela, Cartago y Heredia tienen, proporcionalmente, una mayor posibilidad de participar en la política ejecutiva y legislativa que quienes han nacido en la ciudad capital y en ella ejercen su profesión. La abogacía ha proporcionado mayores posibilidades políticas a los individuos de estas provincias, en las cuales constituyen la clase profesional de más tradición. El hijo de un finquero de clase media, que regresa a su provincia para ejercer su profesión de abogado, se convierte en un candidato en potencia para el Congreso. Por el contrario, en la capital, por ser mayor el número de abogados, es probable que sea más intensa la pugna por puestos políticos, en especial en el campo legislativo.

Percepción de la propia clase social:[1] Si comparamos a los ministros que son abogados con los que no lo son, encontramos que no existen diferencias significativas en cuanto a la ubicación de ellos tanto en la clase media como en la alta. Lo mismo sucede en el caso de los diputados.

En cuanto a los abogados, como era de esperar, hallamos que, dentro de ese grupo, el porcentaje de ministros que se ubicó en la clase alta es mayor que el de los diputados. A su vez, son más los diputados que se consideraron de clase media, que los ministros. La explicación de este fenómeno, según se ha visto, reside en el hecho de que los diputados ocupan puestos de elección popular y, por lo tanto, su condición socioeconómica debe concordar lo más posible con la de su electorado, en tanto que los ministros, nombrados por el Presidente, son por lo general menos políticos y ocupan puestos no electivos.[2]

---

1 En esta sección empleamos el término "clase social" en lugar de "estrato social" porque nos referimos a la ubicación subjetiva del individuo en la jerarquía de estratos. Si hubiéramos empleado el término "estrato social", todos los abogados-políticos hubieran sido clasificados en el estrato superior, ya que la clasificación en estratos se basó en la ocupación del individuo. Por lo tanto, según esta clasificación, los abogados y otros profesionales pertenecen al estrato superior.

2 Joseph A. Schlesinger, *Ambitions and Politics: Political Careers in the United States* (Chicago: Rand McNally & Company, 1966), pág. 33.

Si bien la abogacía puede ser una ayuda para individuos de clase media y alta que quieren participar en la política, no constituye una garantía, pues la tradición política familiar, los contactos con la alta dirigencia del partido y su trabajo dentro de él, la afiliación a grupos organizados tales como cámaras, cooperativas y sindicatos, parecen reemplazar una formación en derecho.

La clase social del padre: Hemos empleado este factor para determinar cómo juzgan los líderes formales la clase social de sus familias, y en qué medida éstos han logrado un ascenso social. Según los datos del capítulo III, la gran mayoría de los miembros de los Poderes Ejecutivo y Legislativo clasificaron a sus familias como de nivel medio.

Respecto de los padres de los abogados-políticos, y si analizamos por separado los distintos partidos, encontramos los siguientes datos:

CUADRO 53
CLASE SOCIAL DE LOS PADRES DE LOS LIDERES: PODERES EJECUTIVO Y LEGISLATIVO
Partido Liberación Nacional
(1948 – 1974)

	Abogados		No Abogados	
Padres de los dirigentes	Número	Porcentaje	Número	Porcentaje
No cree en o no pertenece a ninguna clase	3	3,8	1	0,6
Clase obrera	5	6,3	15	9,3
Clase media	49	62,0	104	64,2
Clase alta	18	22,8	30	18,5
No respondieron	3	3,8	4	2,5
Fallecidos	1	1,3	8	5,0
TOTAL	79	100,0	162	100,0

Como puede verse en el cuadro anterior, en Liberación Nacional no hay diferencias significativas en la forma como los líderes, tanto los abogados como quienes no lo son, perciben el estrato social de sus padres.

CUADRO 54

CLASE SOCIAL DE LOS PADRES DE LOS LIDERES: PODERES EJECUTIVO Y LEGISLATIVO

Partido Republicano Nacional

(1948 – 1974)

	Abogados		No Abogados	
Padres de los dirigentes	**Número**	**Porcentaje**	**Número**	**Porcentaje**
No cree en o no pertenece a ninguna clase	2	6,7	0	0
Clase obrera	1	3,3	5	7,7
Clase media	17	56,7	29	44,6
Clase alta	8	26,7	25	38,5
No respondieron	2	6,7	2	3,0
Fallecidos	0	0	4	6,2
TOTAL	30	100,0	65	100,0

Dentro del Republicano Nacional, una proporción mayor de los abogados afirmaron provenir de familias de clase media.

Con respecto al Partido Unión Nacional, el caso es semejante, en cuanto al origen de los abogados y de quienes no lo son. Como vemos en los cuadros 53, 54 y 55, este es el partido con mayor número de abogados procedentes de familias de clase alta; luego sigue el Republicano Nacional y finalmente, Liberación Nacional. Además, Liberación Nacional cuenta con más abogados que provienen de familias de las clases obrera y media.

CUADRO 55
CLASE SOCIAL DE LOS PADRES DE LOS LIDERES: PODERES EJECUTIVO Y LEGISLATIVO
Partido Unión Nacional
(1948 – 1974)

	Abogados		No Abogados	
Padres de los dirigentes	Número	Porcentaje	Número	Porcentaje
No cree en o no pertenece a ninguna clase	4	7,8	2	2,1
Clase obrera	2	3,9	8	8,5
Clase media	21	41,2	51	54,3
Clase alta	17	33,3	32	34,0
No respondieron	7	13,7	1	1,1
Fallecidos	0	0	0	0
TOTAL	51	100,0	94	100,0

La condición económica de la familia: Este factor también fue estudiado en el capítulo III en lo concerniente a los líderes de los Poderes Ejecutivo y Legislativo, en general, con el fin de demostrar que la condición económica de la familia tiene influencia directa en la vocación y en las oportunidades socioeconómicas y políticas del hijo. Como se demostró, los padres de los ministros tienen una situación económica superior a la de los padres de los legisladores.

En cuanto a las posibles diferencias en la condición económica de las familias de los abogados que habían sido ministros y legisladores, en comparación con la de las familias de quienes, sin ser profesionales en derecho ocuparon puestos en esas ramas, se obtuvieron los resultados que se consignan en el cuadro 56. En ambos casos se trata de la forma como los propios líderes percibían esa condición económica.

CUADRO 56
CONDICION ECONOMICA DE LA FAMILIA DEL LIDER

Condición económica de la familia	Abogados		No Abogados	
	Número	Porcentaje	Número	Porcentaje
Estrecha	10	6,3	21	6,5
Media	70	43,8	146	45,5
Acomodada	74	46,3	133	41,4
No respondieron	6	3,8	21	6,5
TOTAL	160	100,0	321	100,0

Como puede apreciarse, las familias de los abogados y las de quienes no lo son tienen una condición económica semejante. No se puede demostrar que los abogados provengan de familias de ingresos más altos que aquellos que no pertenecen a esa profesión.

En este capítulo se nota cómo los abogados son el grupo profesional más importante de cuantos participan en las ramas ejecutiva y legislativa. Sin embargo, no se confirmaron los argumentos tradicionales en el sentido de que su representación numérica mayor se debe a los conocimientos técnico-legales, o a la capacidad política más generalizada, atribuidos a la carrera del derecho;[1] o a que en el aspecto económico el abogado es más libre, o incluso al formalismo legalista del sistema polí-

1 Para un comentario detallado de la relación entre la política y el derecho, véanse: David R. Derge, "The Lawyer in the Indiana General Assembly", *Midwest Journal of Political Science* (VI, febrero, 1962), pág. 19; y "The Lawyer as Decision-Maker in the American State Legislature", *The Journal of Politics* (Vol. 21, 1959), págs. 408-433; Donald R. Matthews, *The Social Background of Political Decision-Makers* (Garden City: Doubleday and Company, 1954), pág. 30; Joseph R. Schlesinger, "Lawyers and American Politics: A Clarified View", *Midwest Journal of Political Science* (I, mayo, 1957), pág. 28; Richard S. Wells, "The Legal Profession and Politics", *Midwest Journal of Political Science* (1957), págs. 167-171; Robert E. Agger, "Lawyer in Politics: The Starting Point for a New Research Program", *Temple Law Quarterly* (XXIX, verano, 1956), págs. 434-452.

tico costarricense. Más bien, hicimos énfasis en la particularidad de que la abogacía fue casi la única carrera profesional disponible en Costa Rica durante casi sesenta años. Esto llevó, naturalmente, a que un gran número de abogados-políticos fueran aceptados como individuos aptos para cumplir una función política.

Hemos hecho una relación histórica para demostrar que la existencia de abogados-políticos, de talento y de prestigio, tanto en el siglo pasado como en el actual, condujo, por una parte, a que se estimulara a individuos de clases media y superior para el estudio del derecho, con fines políticos; y por otra, a que se reforzara la aceptación nacional del abogado como el político por excelencia. El ciudadano costarricense promedio cree, como Max Weber, que la democracia moderna y las profesiones en derecho "van absolutamente juntas", que los abogados son los mejores políticos porque su oficio es "defender en forma eficaz la causa de clientes interesados" y ganar conflictos incluso cuando se apoyan en "argumentos lógicamente débiles".[1] Por estas razones, si uno pregunta a un abogado-político por qué escogió el derecho como carrera, probablemente su respuesta sea muy similar a la que una vez dio Woodrow Wilson: "La profesión que escogí fue la política; la profesión en la que entré fue el derecho. Entré en ésta porque pensé que conduciría a la otra."[2]

Desde 1948 hasta el presente, en las siete administraciones estudiadas, de un 20 a un 30 por ciento de los legisladores y de un 20 a un 45 por ciento de los ministros, han sido abogados. La mayor participación de los abogados en el Poder Ejecutivo, en contraste con el Congreso, se debe a que los partidos opuestos a Liberación Nacional les han concedido más oportunidades en el Gabinete. Esto se explica por el hecho de que un buen número de abogados, provenientes en su mayoría de familias de la clase alta, profesan una ideología conservadora, la cual los identifica con los partidos adversos al PLN.

Si los líderes formales costarricenses por lo general alcanzan puestos públicos cuando son jóvenes, parece ser que entre ellos los abogados tienen éxito en la política a más temprana edad. El 83% de los profesio-

---

1 Max Weber, *Politics as a Vocation*, pág. 94.

2 Citado en: Heinz Eulau y John S. Sprague, *Lawyers in Politics* (Indianapolis: Bobbs Merril, 1964), pág. 147.

nales en derecho que ocuparon puestos en la Asamblea Legislativa, lo hicieron entre las edades de 25 y 44 años. Un caso similar ocurre con respecto a los abogados en el Poder Ejecutivo.

Schlesinger comenta que el grupo de abogados analizado por él llegó a ocupar puestos políticos en edades más tempranas.

> *Su carrera política comienza a una edad más temprana y su participación es más regular que la de los gobernadores que no son abogados. Casi la mitad de los abogados llegó a ocupar algún puesto público antes de cumplir treinta años. Esto era cierto relativamente para pocos de quienes no eran abogados. A la vez, los abogados llegaron al puesto de gobernador a una edad más temprana que personas de otras ocupaciones; la mayoría de ellos incluso antes de tener cincuenta años... Así, la carrera del abogado contrasta con las del empresario o el periodista, quienes llegan a ser gobernadores a los cincuenta o sesenta años de edad. Para éstos, la carrera política es complementaria, pues se inicia después de haber tenido éxito fuera de la política.*[1]

Sin embargo, en el caso de Estados Unidos de América, Schlesinger afirma que la compatibilidad entre el derecho y la política constituye una ventaja para los abogados, fundamentalmente cuando son políticos de carrera.[2] En Costa Rica, como se vio en el capítulo V, concerniente al fenómeno de la experiencia política, podría no ser así. Como hemos comprobado, los políticos costarricenses, especialmente los del sector ejecutivo, no son de carrera, por lo menos en el sentido vertical. Lo característico es que entren en la política relativamente jóvenes; pero la mayoría de las veces lo hacen sin pasar por los puestos políticos locales y regionales, u otros menos importantes.

Aquí podría decirse, más bien, que la compatibilidad entre el derecho y la política se convierte en ventaja para los abogados cuando se trata de individuos de las clases media y alta. Los hogares de clase obrera no han producido un número significativo de políticos en los Pode-

---

1 Joseph A. Schlesinger, "Lawyers and American Politics: A Clarified View", *Midwest Journal of Political Science* (1957), pág. 30.
2 *Ibid.*, pág. 26.

res Ejecutivo y Legislativo, sean abogados o no lo sean. En consecuencia, el derecho puede servir como estímulo para personas que aspiran a una carrera política en escala nacional; puede ser una ayuda, pero no una garantía. Como hemos notado, un gran número de políticos definidos como individuos de clase alta, han llegado a ser ministros sin tener la base de una carrera en derecho.

El análisis de los antecedentes socioeconómicos no exhibe ninguna diferencia marcada entre los políticos que son abogados y los que no lo son. En general, pareciera que en la Asamblea Legislativa los abogados provienen de familias ligeramente más acomodadas que las de los otros diputados, mientras en el Gabinete, los profesionales en derecho proceden de los niveles superiores de la sociedad costarricense.

En conclusión, debemos afirmar que los abogados han tenido, hasta ahora, un papel muy importante en la consolidación de nuestra nacionalidad.

CAPITULO VII

EL PODER JUDICIAL: LOS MAGISTRADOS DE LA CORTE SUPREMA DE JUSTICIA

Costa Rica puede sentirse satisfecha de sus logros en el desarrollo económico, en el proceso de cambio social y en la estabilidad política. En el transcurso de un siglo y medio de vida independiente, los costarricenses han presenciado el nacimiento de nuevas instituciones políticas que garantizan de modo permanente la paz y una gran armonía social. Esto es todavía más evidente en contraste con el carácter perturbado del resto del subcontinente latinoamericano.

Dos de los más fuertes pilares de nuestra estructura institucional son el Tribunal Supremo de Elecciones y el Poder judicial. El primero es casi un cuarto poder dentro del marco constitucional; tiene como funciones principales conducir y supervisar todos los actos relativos al proceso electoral, y está compuesto por magistrados de nombramiento de la Corte Suprema de Justicia. La Corte Suprema es el tribunal más importante del Poder Judicial, y está integrada por 17 magistrados. El Poder Judicial no sólo tiene absoluta autonomía administrativa, sino que se le garantiza constitucionalmente la financiación necesaria para asegurar en la práctica su independencia. Los magistrados de la Corte son electos por la Asamblea Legislativa para un período de 8 años, y se consideran reelectos automáticamente por períodos semejantes, a menos que una votación de dos tercios de la Asamblea determine lo contrario.

La solvencia económica del Poder Judicial lo mantiene fuera del alcance de las presiones políticas, y garantiza el respeto a sus veredictos.

Con alguna frecuencia se critica a la Corte por su actitud conservadora, y por estar integrada por magistrados con una concepción mecánica acerca de su trabajo, inspirados en los criterios de la Escuela Exegética Francesa, la cual considera al juez como subordinado al legislador, sin ninguna capacidad creadora. Se dice a menudo, quizá sin base alguna, que nuestros jueces son, en palabras de Montesquieu, "la boca que pronuncia las palabras de la ley, seres inanimados que no pueden cambiar su validez o su efecto".[1] Si bien en nuestro país existe la carrera judicial, en años recientes la Asamblea Legislativa ha nombrado en los cargos de magistrados de la Corte Suprema de Justicia a profesionales en derecho sin experiencia como jueces.[2]

Es indudable que en Costa Rica existe un patrón de carrera bien desarrollado en la rama judicial, que generalmente le permite al funcionario ingresar joven y permanecer en ella hasta su retiro. El exdiputado y abogado Carlos José Gutiérrez publicó una investigación titulada "Los Jueces Costarricenses: Hipótesis y Sugerencias para su Estudio", en la cual comprobó que de los 16 jueces estudiados, 12 iniciaron su carrera judicial antes de haber concluido sus estudios en la Facultad de Derecho, en puestos de empleados y ayudantes en los tribunales, y 3 comenzaron inmediatamente después de graduarse. Sólo 2 abandonaron la rama judicial después de haber iniciado su carrera pública, y se dedicaron al ejercicio privado de su profesión. De los restantes, 6 habían trabajado en el Poder Judicial durante más de treinta años; y 3, entre diez y veinte años. Unicamente 2 de ellos tenían menos de diez años de experiencia. Esto es aún más revelador porque ocurre a pesar de que la Ley Orgánica

---

1 Charles Montesquieu, *The Spirit of Law*, traducción al inglés de Thomas Nugent, Enciclopedia Británica, "Great Books of the Western World" (Londres: William Benton, 1952), II parte, libro XI, capítulo VI, pág. 73.

2 Este mismo fenómeno se da en muchos países. Por ejemplo, en el caso de los Estados Unidos, nos dice Schlesinger: "Los republicanos han aceptado la vía más regular y legal para hacer nombramientos a la Corte Suprema. Los demócratas, con una visión más política de las funciones propias de la Corte, han acudido al Senado, a la Procuraduría General o a quienes desempeñan puestos públicos de menor jerarquía." *Op. cit.*, pág. 35. Muy semejante es el caso del Canadá, donde según afirma John Porter, "el poder judicial es el último eslabón en una carrera política" — *The Vertical Mosaic: An Analysis of Social Class and Power in Canada* (Toronto: University of Toronto Press, 1965), pág. 416.

de ese Poder estipula períodos de cuatro años para los jueces y alcaldes, y de ocho para los magistrados de la Corte Suprema de Justicia.[1] Los resultados obtenidos mediante nuestra propia investigación, confirman lo anterior. De los 36 magistrados de la Corte Suprema que ha habido en Costa Rica desde 1948 hasta 1974, el grupo estudiado se redujo a los 30 que contestaron el cuestionario. Como se afirmó en el capítulo VI, existe una concentración de abogados jóvenes en el Poder Legislativo, pues el 83% tenía entre 25 y 44 años de edad. En la rama ejecutiva, aunque en general sus representantes han sido de mayor edad, el 60% de los abogados-ministros era de menos de 44 años al entrar por primera vez en el Gabinete. En contraste, encontramos que los magistrados tenían una edad promedio mayor al ocupar puestos en la Corte. Ciertos requisitos formales regulan los límites de las edades en este caso. El artículo 31 de la Constitución Política establece que para ser Presidente de la República, es necesario tener más de treinta años, y para ser diputado una edad mayor de veintiún años. Para ser magistrado de la Corte Suprema de Justicia, en cambio, es indispenable tener treinta y cinco años y haber ejercido la profesión del derecho por un mínimo de diez. Por lo tanto, a diferencia de los requisitos formales, poco rigurosos y casi inexistentes para participar en los Poderes Ejecutivo y Legislativo, para el desempeño de una magistratura, las condiciones son más exigentes. Esto nos hace aceptar, en el caso de Costa Rica, lo que afirma John Merryman acerca del sistema judicial de Europa:

> *. . . en el mundo del sistema jurídico continental europeo, un juez es. . . un servidor público, un funcionario. Aunque existen variantes muy importantes, la pauta general es como sigue: la carrera de juez es una de las varias posibilidades que tiene un estudiante que se gradúa en la escuela de derecho de una universidad . . . El ingreso a la carrera judicial sin empezar desde abajo es raro. Aunque esté prevista en algunas jurisdicciones del sistema jurídico continental la designación de abogados distinguidos o profesores,*

1 Carlos José Gutiérrez, "Los Jueces Costarricenses: Hipótesis y Sugerencias para su estudio", *Revista de Ciencias Jurídicas*, Universidad de Costa Rica: San José, No. 22, setiembre 1973, págs. 71-113.

a los altos tribunales, la gran mayoría de los puestos judiciales, incluso los de más alto nivel, se llenan de entre las filas de los jueces profesionales.[1]

Lugar de nacimiento y clase social: De manera similar al caso de los abogados en los Poderes Legislativo y Ejecutivo, analizado en el capítulo VI, la gran mayoría de los jueces proviene, como puede verse en el cuadro 57, de las principales ciudades del Valle Central y especialmente de San José. En otros países, esto no es necesariamente así:[2] a menudo se encuentra que la carrera judicial no es popular entre los estudiantes de derecho de las grandes ciudades, pues en general éstos aspiran al ejercicio privado de su profesión. Por el contrario, el fenómeno costarricense se debe, como ya se explicó, a la existencia de una sola Facultad de Derecho en el país, a la cual asisten fundamentalmente estudiantes del Area Metropolitana.

Respecto de la percepción de la propia clase social,[3] en el cuadro 58 puede notarse que en la rama judicial, el porcentaje de miembros pertenecientes a la clase alta es mucho menor que en otros poderes del Estado. Los abogados de la clase media prefieren la seguridad de una carrera judicial a la incertidumbre de probar fortuna en el campo político, o de abrir una oficina para el ejercicio privado de su profesión.

En el derecho, como en muchas otras profesiones liberales, es indispensable tener contactos y amistades para asegurarse el éxito profesio-

---

1 John Henry Merryman, *The Civil Law Tradition* (Stanford: Stanford University Press, 1969), pág. 36, citado por Carlos José Gutiérrez en "Los Jueces Costarricenses: Hipótesis y Sugerencias para su Estudio", pág. 54.

2 Ronald Scheman, "El Origen Social y Económico de los Jueces Brasileños", *Revista Jurídica Interamericana*, 1962, Vol. 4, págs. 81-82; Robert Heiberg, "Social Background of the Minnesota Supreme Court", *Minnesota Law Review*, Vol. LIII, 1968-69, pág. 910; José Juan Toharia, "Cambio Social y Vida Jurídica en España, 1910-1970", tesis doctoral inédita (Madrid: 1971), págs. 178-179; Cortés A. M. Ewing, *The Judges of the Supreme Court, 1789-1937* (Minneapolis: University of Minnesota Press, 1938), pág. 156; John R. Schmidhauser, "The Justices of the Supreme Court: A Collective Portrait", *Midwest Journal of Political Science*, III, 1959, pág. 18; Sidney S. Ulmer, "Public Office in the Social Background of Supreme Court Justices", *American Journal of Economics and Sociology*, XXI, 1962, pág. 61.

3 Véase nota 1 al pie de página 157, capítulo VI.

CUADRO 57

ORIGEN RURAL O URBANO DE LOS MAGISTRADOS

	Número de Magistrados	Valores Relativos
Capital nacional	13	43,4%
Capitales de provincia	13	43,4%
Cabeceras de cantón o distritos rurales con características urbanas	2	6,6%
Distritos rurales	1	3,3%
Nacidos en el extranjero	1	3,3%
TOTAL	30	100,0 %

CUADRO 58(*)

CLASE SOCIAL DE LOS ABOGADOS

Rama		Clase Alta	Clase Media
Ejecutiva	Porcentaje	35%	53%
	Número	14	21
Legislativa	Porcentaje	27%	58%
	Número	32	69
Judicial	Porcentaje	13%	83%
	Número	4	25

(*) FUENTE: Ver el apéndice I.

nal. Por lo tanto, un joven graduado en derecho, con deseos de obtener un ingreso seguro, optará en la mayoría de los casos por ingresar inmediatamente en la carrera judicial, o en otro puesto público. Como lo afirma Kaufman:

> *En virtud de que la posición de juez apareja prestigio, sueldos sustanciosos, buenas condiciones de trabajo, la garantía de períodos largos en el ejercicio del cargo, oportunidades atractivas para el ascenso en la escala judicial, e influencias en círculos políticos y profesionales, es perseguida con sumo interés por los abogados.*[1]

Clase social del padre: En este aspecto, según los datos, definitivamente existen diferencias de clase social entre los padres de los magistrados y los de los abogados-políticos. En la rama ejecutiva, el porcentaje de abogados cuyos padres pertenecían a la clase obrera era de un 3%, y en la legislativa, de un 6%, mientras que los padres de los magistrados en esta categoría constituían un 17%. Fue mucho mayor el número de ministros que declaró pertenecer a familias de clase alta, que el de los diputados y el de los miembros de la rama judicial.[2] Estas cifras son reveladoras, pues demuestran que, a semejanza de otros países de América Latina, la rama judicial del gobierno es relativamente inferior, en cuanto a prestigio social, en comparación con la rama ejecutiva, porque ofrece oportunidades de ascenso a individuos de origen social más bajo. Dentro de este contexto:

> *. . . en una sociedad donde es innegable la existencia de jerarquías sociales que no por disimuladas son menos reales, la composición de los estratos superiores del Poder Judicial sea diferente a los del Poder Ejecutivo y Legislativo, pareciera indicar un menor prestigio social de la Magistratura frente a las posiciones de Diputado o Ministro, que vienen a constituir sus equivalentes dentro de los otros Poderes del Estado.*[3]

---

1 Herbert Kaufman, "Politics and Policies in State and Local Governments" (Englewood Cliffs, Nueva Jersey, E.E.U.U.: Prentice-Hall, Inc., 1963), págs. 58-59

2 Véase el apéndice I. También capítulo VI, pág. 157.

3 Carlos José Gutiérrez, *Los Jueces Costarricenses*, pág. 47.

En el estudio de Gutiérrez, para el cual entrevistó a un grupo representativo de jueces (no sólo de la Corte Suprema), se observan los siguientes resultados:

Clase alta	6%
Clase media	88%
Clase baja	6%

Las divergencias entre ambas investigaciones no son muy marcadas, pero respecto de los miembros de la rama judicial se presentan diferencias cuando se trata del estudio de los jueces de la Corte Suprema y de jueces de rango menor. Los magistrados constituyen una pequeña élite entre los jueces.

El principal criterio sobre estratos sociales aplicado en otros capítulos de este estudio fue la ocupación. Para los magistrados de la Corte Suprema de Justicia, así como para los abogados-políticos analizados en el capítulo VI, no empleamos este criterio, porque según la "Escala de Prestigio Nacional de Categorías Ocupacionales", de Fonseca, todos los profesionales independientes y los que son empleados pertenecen a estratos altos.[1] Así, para el grupo específico investigado, era imposible utilizar este procedimiento, pues no daría diferencias que se prestaran a la clasificación. Por ello, nos hemos basado en la percepción de la propia clase social, aunque este factor tiene limitaciones, ya mencionadas.[2]

Sin embargo, para los padres de los magistrados de la Corte Suprema de Justicia hemos utilizado la ocupación como criterio de estrato social. El cuadro 59 muestra la relación entre la clase social de los padres, según la declaración de sus hijos, y el estrato social asignado con base en la ocupación. Como puede verse, de los padres que los magistrados consideraron pertenecientes a la clase alta, sólo la mitad realmente pertenecía a ella. La concordancia entre la clase media declarada y el estrato medio asignado es mayor (56,3%) aunque es todavía superior en el caso del estrato bajo (60,1%).

---

1 Véase la Metodología.
2 Véase el capítulo II, págs. 49-50.

CUADRO 59
CLASE SOCIAL DEL PADRE SEGUN EL ESTRATO ASIGNADO
(Valores Relativos)

Clase social del padre (*)	Total	Estrato social asignado al padre		
		Alto	Medio	Bajo
Alta	100	50	50	---
Media	100	37,5	56,3	6,2
Baja	100	---	39,9	60,1
No cree en o no pertenece a ninguna	100	---	100	---
Difuntos	100	67	33	---

(*) Según declaración de los magistrados.

En síntesis, a pesar de que el grupo de los magistrados es sumamente reducido, se notan ciertas diferencias en comparación con los abogados-políticos de los Poderes Ejecutivo y Legislativo. El patrón de carrera, casi inexistente para la mayoría de los individuos de las ramas ejecutiva y legislativa, es una necesidad para los aspirantes a la Corte. La carrera vertical contribuye a que los jueces generalmente tengan una mayor edad al ocupar las magistraturas, aunque es interesante señalar que la mayoría de los jueces estudiados llegó a la Corte Suprema de Justicia entre los cuarenta y los cincuenta años de edad. Por ello, se puede afirmar que la estructura de la dirigencia formal costarricense en su totalidad es joven comparada con la de otros países.

Cuando no son originarios de la capital de la República, los magistrados costarricenses proceden, por lo general, de las capitales de provincia. Por otra parte, como hemos observado, los abogados de la clase media prefieren la seguridad de la carrera judicial, mientras los de clase alta se inclinan más fácilmente a la política o el ejercicio privado de su profesión.

La rama judicial, en términos generales, por integrar un cuerpo escasamente conocido, de poca actividad política, de más lentitud en sus cambios y, en consecuencia, de status menor en el gobierno de Costa Rica, parece absorber en sus filas a individuos de origen social relativamente inferior al de los ministros y legisladores.

CUARTA PARTE

ANALISIS DEL PAPEL DEL LEGISLADOR

INTRODUCCION

Durante muchos años se ha supuesto que el Poder Legislativo ejerce poca influencia en la adopción de decisiones del sistema político. Leon N. Lindberg señala que, en Europa, los parlamentos "ni hacen las leyes ni ejercen un control real sobre el Poder Ejecutivo",[1] y Carl J. Friedrich apunta que si bien los parlamentos ocuparon el centro del escenario hasta la primera guerra mundial, el Poder Ejecutivo está convirtiéndose ahora en el principal centro del gobierno moderno.[2] Robert Packenham ha sido todavía más categórico al declarar que "existe poca evidencia de que algo más de un puñado de cuerpos legislativos en el mundo tengan el poder de decisión como una de sus principales funciones."[3]

La idea predominante acerca de esta situación en América Latina no difiere mucho de las ya mencionadas. Alexander T. Edelman sostiene: "En la mayoría de las naciones (latinoamericanas) . . . la rama legislativa es un simple sello de goma . . ."[4] Jacques Lambert, por ejemplo, afirma que fuera de Chile y Uruguay, "las excepciones a la hegemonía presi-

---

1 Leon N. Lindberg, "The Role of the European Parliament in an Emerging European Community", en: Elke Frank, ed., *Lawmakers in a Changing World* (Englewood Cliffs, Nueva Jersey: Prentice-Hall, Inc., 1966), pág. 110.

2 Carl J. Friedrich, *Constitutional Government and Democracy* (ed. mod.; Boston: Gin & Company, 1950), pág. 296.

3 Robert A. Packenham, "Legislatures and Political Development", en: Allan Kornberg y Lloyd D. Musolf, eds., *Legislatures in Developmental Perspective* (Durham, Carolina del Norte: Duke University Press, 1970), pág. 546.

4 Alexander T. Edelman, *Latin American Government and Politics* (ed. mod.; Homewood, Illinois: Dorsey Press, 1969), pág. 443.

dencial son muy poco frecuentes",[1] mientras Hubert E. Scott expresa que la función legislativa está altamente desarrollada en Chile, Costa Rica y Uruguay, y es prácticamente inexistente en la República Dominicana y Paraguay, en tanto la mayoría de los Estados se encuentra en algún punto entre estos dos extremos.[2]

No obstante, la mayoría de estos estudios son de carácter normativo, a menudo superficiales y sin bases firmes.[3] Esta tendencia ha comenzado a cambiar recientemente. Una serie de investigaciones de carácter empírico realizadas en varios países latinoamericanos ha demostrado la necesidad de modificar ciertos conceptos firmemente establecidos en la literatura actual.[4] Uno de estos casos es el de Costa Rica.[5]

La Asamblea Legislativa de Costa Rica está compuesta por una sola cámara de 57 miembros, los cuales son electos por cada una de las siete provincias del país para un período de cuatro años. El número de curules que corresponde a cada provincia es proporcional a su población. Los candidatos se proponen mediante papeletas provinciales presentadas por sus correspondientes partidos, aunque la residencia en la provincia no es requisito indispensable. Los sufragantes emiten su voto por papeletas, en lugar de hacerlo por individuos. La integración de estas pape-

---

1 Jacques Lambert, *Latin America: Social Structures and Political Institutions* (Berkeley y Los Angeles: University of California Press, 1969), pág. 322. Actualmente (1974), el Congreso no actúa libremente en ninguno de los dos países.

2 Robert E. Scott, "Legislatures and Legislation", en Harold E. David, ed., *Government and Politics in Latin America* (Nueva York: Ronald Press, 1958), pág. 293.

3 Véase, entre otros: Robert J. Alexander, *Latin American Politics and Government* (Nueva York: Harper & Row, 1965); James L. Busey, *Latin America* (Nueva York: Random House, 1964); Harry Kantor, *Patterns of Politics and Political Systems in Latin America* (Chicago: Rand McNally, 1969); Martin Needler, *Latin American Politics in Perspective* (Princeton, Nueva Jersey: D. Van Nostrand Co., 1967); Karl M. Schmitt y David D. Burks, *Evolution or Chaos* (Nueva York: Frederick A. Praeger, 1963).

4 Weston H. Agor, ed., *Latin American Legislatures: Their Role and Influence, Analysis for Nine Countries* (Nueva York: Praeger Publishers, Inc., 1971).

5 Christopher Baker, "Costa Rican Legislative Behaviour in Perspective" (tesis doctoral, Universidad de Florida, 1973, inédita). La investigación de Baker sobre la Asamblea Legislativa en Costa Rica motivó un cambio en algunos conceptos tradicionales acerca del papel del legislador costarricense. Es el estudio más serio y mejor documentado que existe sobre nuestro Poder Legislativo.

letas se efectúa en convenciones de partido. Según el Código Electoral, los partidos políticos deben organizar asambleas distritales; cada una de éstas elige 5 delegados para las asambleas cantonales, que a su vez eligen 5 delegados por cada cantón para representarlos en las asambleas provinciales. Cada asamblea provincial elige 10 miembros a la asamblea nacional, en donde todos los delegados de las 7 provincias escogen a los candidatos.

Al menos en teoría, esto tiene varias implicaciones. Hay una cierta democratización en el proceso de nombramiento, que establece un poder de voto igual para todos, cualesquiera sean sus zonas geográficas. También concede oportunidades a individuos de diferentes estratos sociales que aspiren a una diputación.

Sin embargo, en la práctica existen limitaciones, y la suerte de un candidato depende de muchos otros factores. Uno de los más importantes es la influencia de los dirigentes nacionales del partido. Puesto que la elección de los diputados se hace mediante el sistema de papeleta única, los candidatos que obtienen la mejor ubicación en las papeletas provinciales, tienen mayores posibilidades de resultar electos. Un elemento importante tomado en cuenta por los dirigentes para determinar el lugar que ocupará cada candidato en la papeleta del partido, es la popularidad de éste en el ámbito local, así como su participación y experiencia política previas dentro de su agrupación.

La circunstancia de que en Costa Rica no haya distritos electorales sino diputaciones con la representación de toda una provincia, puede llevar a interpretaciones erróneas. Por ejemplo, ha inducido recientemente a un observador a afirmar que "los diputados no dan prioridad a los asuntos locales como lo hacen sus correspondientes en Estados Unidos, y aun cuando los intereses provinciales no son minimizados en modo alguno, la preocupación de la Asamblea generalmente se centra en legislar para beneficio del país en su conjunto".[1]

El comportamiento en la Asamblea está, de hecho, vinculado de manera estrecha a los distritos y a los intereses locales, y la atención de un gran número de diputados se concentra fundamentalmente en tales

---

1 Robert D. Tomasek, "Costa Rica", en Ben C. Burnett y Kenneth F. Johnson, eds., *Political Forces in Latin America* (Belmont, California: Wadsworth, 1968), pág. 111.

asuntos. Para comprender la razón de este fenómeno, debe considerarse un rasgo propio del sistema de representación costarricense. A pesar de que los diputados son electos por provincias, en su mayoría se consideran representantes cantonales y actúan en ese sentido. Esto se refleja en el hecho de que gran parte de ellos se identifican como delegados de cantones específicos, y sólo en forma secundaria como provinciales o nacionales. También se manifiesta en que casi todos los puestos en las papeletas provinciales de los partidos, se asignan según criterios cantonales.[1]

Las sesiones ordinarias de la Asamblea Legislativa duran 6 meses, y se dividen en dos períodos: del 1° de mayo al 31 de julio y del 1° de setiembre al 30 de noviembre. El Poder Ejecutivo tiene la facultad de convocarla a sesiones extraordinarias, las cuales pueden prolongarse por un período adicional de 5 meses. En virtud de la enorme acumulación de proyectos de ley, estas sesiones son inevitables casi de modo permanente.

La Asamblea Legislativa costarricense ejerce sus poderes de acuerdo con la Constitución de 1949. Estos poderes incluyen la iniciativa para dictar, reformar, derogar e interpretar las leyes; la ratificación de acuerdos y préstamos internacionales; el nombramiento de los magistrados de la Corte Suprema de Justicia, y del Contralor y Subcontralor Generales de la República; y la facultad de nombrar comisiones investigadoras. Aparte de estas prerrogativas constitucionales, la Asamblea Legislativa costarricense interviene en la coordinación e integración de diversos intereses sociales, económicos y políticos. Un análisis de la forma como los legisladores emplean estos poderes, nos dará una visión de su funcionamiento como grupo.

La iniciativa en la formación de las leyes corresponde tanto al Poder Ejecutivo, como a las instituciones autónomas y al Poder Legislativo. Los particulares también pueden presentar proyectos de ley que, para ser admitidos formalmente, requieren el apoyo de uno o más diputados. A fin de determinar cómo ha sido ejercida esta autoridad en el pasado por los legisladores, y la participación real del Poder Legislativo en el sistema político y en la vida económica, se preparó un cuadro con to-

---

1 **Christopher E. Baker, "The Costa Rican Legislative Assembly: A Preliminary Evaluation of the Decisional Function" en: Weston H. Agor, *Latin American Legislatures: Their Role and Influence* . . ., págs. 57-58.**

das las leyes promulgadas por cada Asamblea Legislativa desde 1949 hasta 1970.

Los datos consignados en el cuadro 60 son reveladores. En un período de 22 años, cerca de un 37% de las leyes fueron iniciativa del Poder Legislativo, en comparación con el 51,1% del Ejecutivo. Existe un cierto grado de equilibrio en el ejercicio de los poderes, más evidente si tomamos en cuenta que, durante los últimos años de la década de los cuarentas y en los años cincuentas, nuestro país vivió un período de transición, con una nueva carta constitucional que maduraba y se perfeccionaba con el paso de los años. La rama legislativa, que en 1949 recibió mucho más poder a expensas del Ejecutivo, apenas comenzaba a usar ampliamente las atribuciones que le otorgó la nueva Constitución.

Del análisis de los primeros 17 años (1949-1965) se deriva que el 55,1% de las leyes fueron presentadas por el Poder Ejecutivo, en comparación con un 30,8% del Legislativo. Sin embargo, los últimos 5 años (1966-1970) exhiben una tendencia inversa: los legisladores tomaron la iniciativa en el 52,2% de las leyes, en tanto que los ministros lo hicieron en un 41,3%. Esta tendencia también fue confirmada por Baker, durante los siete meses en que observó al Poder Legislativo costarricense, en 1968.[1]

Del mismo modo, Kenneth J. Mijeski, quien en su estudio del proceso de formulación de orientaciones políticas en Costa Rica, tabuló leyes correspondientes a un período de 12 años, halló que el 64% de éstas fueron presentadas por el sector legislativo, en comparación con un 36% del ejecutivo.[2]

Los datos presentados por Baker y Mijeski, al igual que los del cuadro 61, expresan muy claramente cómo la Asamblea Legislativa ha logrado, sobre todo en los últimos seis años, una mayor importancia en cuanto a la proposición de leyes. Por otra parte, vale la pena subrayar, con base en nuestros datos, cómo resulta evidente que en el curso de los últimos 22 años la iniciativa del público en general no ha variado de modo significativo. Si puede hacerse alguna suposición al respecto, muy

1 Christopher Baker, "Costa Rican Legislative Behaviour in Perspective . . .", pág. 18.

2 Kenneth J. Mijeski, "The Executive-Legislative Policy Process in Costa Rica" (tesis doctoral inédita, Universidad de Carolina del Norte, 1971), pág. 66.

CUADRO 60

NUMERO DE LEYES PROMULGADAS POR LA ASAMBLEA LEGISLATIVA 1949 – 1970

Año	Iniciativa del Ejecutivo	Iniciativa de los diputados	Iniciativa de las entidades estatales	Iniciativa de los particulares	Total
1949	2	6	1	1	10
1950	63	35	11	9	118
1951	93	32	14	13	152
1952	81	23	6	11	121
1953	118	34	8	19	179
1954	86	15	11	8	120
1955	97	32	5	9	143
1956	73	25	3	5	106
1957	59	16	3	6	84
1958	66	37	5	4	112
1959	99	51	19	6	175
1960	83	65	34	10	192
1961	93	99	33	23	248
1962	46	35	7	3	91
1963	100	72	8	1	181
1964	102	95	10	11	218
1965	76	76	13	13	178
1966	72	81	8	13	174
1967	62	116	--	7	185
1968	86	113	1	17	207
1969	76	126	5	10	217
1970	104	69	2	10	185
Total	1.737	1.253	207	199	3.396

VALORES RELATIVOS

Porcentaje en los 22 años	51,1	36,9	6,1	5,9	100,0
Porcentaje para 1949-1965	55,1	30,8	7,9	6,2	100,0
Porcentaje para 1966-1970	41,3	52,2	1,6	4,9	100,0

FUENTE: Archivos de la Asamblea Legislativa. Información suministrada por Carlos José Gutiérrez.

probablemente será que quienes hoy presentan leyes a la Asamblea Legislativa son las mismas personas, o representan a los mismos grupos de décadas anteriores.

Debe aclararse que la superioridad numérica no implica superioridad cualitativa. Es posible que las leyes presentadas por el Poder Ejecutivo, aun cuando menos en número, sean más importantes y de mayor peso. De hecho, muchas leyes propuestas por los legisladores se refieren a asuntos de carácter local: pequeñas iniciativas del diputado a favor de su comunidad y, por consiguiente, de importancia mínima desde el punto de vista nacional.

Es muy difícil llegar a una conclusión clara y precisa. El mayor o menor grado de poder o de influencia del sector ejecutivo, depende mucho del Presidente de la República y su Gabinete, y, por supuesto, del número de diputados con que su partido cuente en la Asamblea. Los últimos 25 años presentan muchos ejemplos, pero uno de ellos basta para ilustrar lo anterior. En su último Gobierno (1970-1974) José Figueres, quien fue un Presidente "fuerte", ideó y redactó personalmente un proyecto de ley[1] para mejorar la distribución de los ingresos entre los sectores más pobres de la población. Esta iniciativa encontró tenaz resistencia durante muchos meses, y a pesar de que su partido contaba con mayoría en la Asamblea Legislativa,[2] no fue aprobada. A menudo se han presentado casos similares en el curso de las últimas dos décadas.

En sus investigaciones sobre la Asamblea Legislativa costarricense, tanto Baker como Mijeski llegaron a la conclusión de que ésta no era un simple "sello de goma" del Poder Ejecutivo. Baker, por ejemplo, midió el tiempo que requiere la discusión de proyectos presentados tanto por el Ejecutivo como por los legisladores, y encontró que el trámite es ligeramente más expedito para las iniciativas de estos últimos. Por otra parte, al analizar las modificaciones hechas por las comisiones de la Asamblea a las leyes propuestas por el Ejecutivo, como puede verse en el cuadro 61, Mijeski encontró que un 27% de esas leyes sufrieron cambios moderados y cambios significativos.

---

1 Se trataba del proyecto de Ley de Asignaciones Familiares.
2 El PLN tenía 32 de las 57 diputaciones.

CUADRO 61

MODIFICACION DE LEYES CON DICTAMEN AFIRMATIVO POR PARTE DE LAS COMISIONES LEGISLATIVAS

	Grado de modificación[1]		
Ley propuesta por la rama	Ninguna o ligera	Moderada	Significativa o total
Legislativa	61,4% (51)	26,5% (22)	12,1% (10)
Ejecutiva	73,0% (46)	22,2% (14)	4,8% (3)

FUENTE: Kenneth J. Mijeski, *The Executive-Legislative Policy Process in Costa Rica* (tesis doctoral, Universidad de Carolina del Norte, 1971), pág. 81.

El análisis anterior demuestra que la Asamblea Legislativa ejerció, sobre todo en los últimos años, sus atribuciones en la elaboración de leyes. Como ya se ha visto, las leyes patrocinadas por el Ejecutivo no recibieron en general un trato preferente, ni estuvieron exentas de modificaciones durante su trámite en la Asamblea.

–oOo–

Hemos observado algunos aspectos estructurales y funcionales del Poder Legislativo costarricense, y hemos establecido su importancia en el proceso de gobierno. El propósito de este análisis detallado del Congreso, es servir de contexto para la siguiente investigación acerca de las actitudes de los líderes. Una vez estudiadas las características socioeconómicas de nuestros líderes formales, nos proponemos examinar en este capítulo su manera de pensar o ideología. Para esto se escogió a la Asamblea Legislativa de 1966-1970, por cuanto nos pareció representativa del período en estudio.

---

1 Las definiciones del grado de modificación que se emplearon, fueron las siguientes: (1) ningún cambio: la aceptación total del texto original; (2) ligeros cambios: principalmente cambios de forma, más que de contenido; (3) cambios moderados: reacomodo y modificación tanto de forma como de contenido, pero sin alterar la intención general de la ley; (4) cambios significativos: modificaciones importantes del contenido que afectan en parte la intención original de la ley; (5) cambio total: modificación completa de la intención original de la ley, sin ninguna semejanza con la propuesta inicial.

CAPITULO VIII

HACIA UN ESPECTRO IDEOLOGICO

Las entrevistas con legisladores del período 1966-1970, difieren de las que se llevaron a cabo con otros líderes formales, tanto por su finalidad como por su contenido. Los principales temas que se les pidió comentar en los cuestionarios fueron: el grado de intervención estatal aceptable; la medida en que el desarrollo económico del país debería depender de las inversiones extranjeras y en particular de las estadounidenses; la utilidad de establecer relaciones comerciales y diplomáticas con los países socialistas en general, y específicamente con Cuba; la influencia de la Iglesia Católica en Costa Rica, y en qué medida debería intervenir en política, o abstenerse de ella; la necesidad de impulsar una reforma agraria más profunda; y la conveniencia de promover, de manera preferente, el bienestar de los campesinos, el de los obreros o el de las clases medias.

También se les consultó a los legisladores si consideraban que las naciones latinomericanas debían o no debían aceptar la hegemonía política, económica y militar de los Estados Unidos de América. Se les preguntó si estaban a favor de una mayor intervención gubernamental en la organización de cooperativas y sindicatos; si apoyaban el establecimiento de universidades privadas además de las públicas; si se inclinaban hacia la abolición de las escuelas primarias y colegios privados en Costa Rica, si creían en la existencia de discriminaciones de clases, razas, o sexos en la obtención de empleos, en la participación política o en otras actividades; qué papel le atribuían a la clase media costarricense; y si defendían un sistema de banca nacionalizada o mixta.

Se les interrogó acerca de si consideraban necesario reformar el sistema impositivo directo e indirecto; qué soluciones proponían para resolver los problemas fiscales; y qué tipo de sistema político y económico estimaban adecuado para Costa Rica. Además, se les pidió definir su ideología, su grado de religiosidad e indicar su filiación religiosa. Por último, se les consultó si podía lograrse el cambio social en Costa Rica mediante las instituciones existentes, o si era necesario para ello recurrir a la violencia.

Lo anterior da una idea general de los principales temas del cuestionario. No teníamos la intención de tratar cada asunto en forma exhaustiva, sino determinar ciertas tendencias y generalizaciones acerca de la ideología de los entrevistados y, según esperábamos, el grado de su identificación con ella. En algunos casos las respuestas fueron ampliadas con notas al margen.

La mayoría de las entrevistas se efectuó en la Asamblea Legislativa. Unas pocas se llevaron a cabo en los hogares o en las oficinas de los diputados. De 57 legisladores, sólo 45 contestaron el cuestionario. Como promedio, cada entrevista se prolongó por dos horas y quince minutos.

Percepción de la propia clase social: Como se ve en el cuadro 62, los miembros de la Asamblea Legislativa del período 1966-1970, así como la mayoría de ellos en todo el período estudiado, se consideran de la clase media. Sin embargo, es importante hacer notar que cuando les preguntamos a qué clase pertenecían, realmente nos referíamos a los estratos sociales.[1] De hecho, aunque la mayor parte de los legisladores puede ubicarse en la clase media, esto no corresponde necesariamente a la realidad, sino a la forma como se ven a sí mismos los integrantes de este estrato, quienes como ya hemos visto, en verdad pertenecen en proporción más amplia a los estratos altos. No obstante, la mentalidad de clase media, como denominador común a pesar de las diferencias económicas existentes, ha constituido y aún constituye un factor cultural de integración muy importante.

---

1 **Véase la diferencia entre "clase" y "estrato social" en la Introducción a la Segunda Parte, pág. 43.**

CUADRO 62

CLASE SOCIAL A LA CUAL AFIRMAN PERTENECER LOS MIEMBROS DE LA ASAMBLEA LEGISLATIVA 1966–1970

(Valores Relativos)

Clase social a la cual se afirma pertenecer	Legisladores (N=57)
No cree en o no pertenece a ninguna clase	3,5 (2)
Clase obrera	5,3 (3)
Clase media	70,2 (40)
Clase alta	19,3 (11)
No respondieron	1,7 (1)
TOTAL	100,0

Esta falta de correlación entre la forma como se percibe la propia clase social, y el estrato asignado, no es inusitada en el campo de los estudios de estratificación social. La literatura sociológica está llena de ejemplos de contradicciones similares.[1] Aquí es pertinente comentar

1 Bernard Barber, Social Stratification, *A Comparative Analysis of Structure and Process* (Nueva York: Harcourt, Brace & Company, 1957), págs. 158-197; Joseph A. Kahl, *The American Class Structure* (Nueva York: Rinehart & Company, 1957), pág. 170; Richard Centers, *The Psychology of Social Classes* (Princeton, Nueva Jersey: Princeton University Press, 1949), pág. 27; Gerhard E. Lenski, "American Social Classes: Statistical Strata or Social Groups?",

acerca de la manera como los costarricenses ven su sociedad, y hasta qué punto esta imagen es idealizada.

Muchos costarricenses, quizá por ignorancia, creen que Costa Rica es un país sin clases sociales. Se han formado la visión de una sociedad en la cual, al menos comparada con otras sociedades latinoamericanas, no hay grandes diferencias de riqueza, y en la que existen oportunidades relativamente iguales para todos. La ausencia de una aristocracia tradicional ha reforzado la imagen de una sociedad en que los valores igualitarios predominan sobre todos los demás. Aun cuando en la actualidad se presenta el fenómeno de que, cada vez con mayor intensidad, los pequeños propietarios son absorbidos por los grandes, todavía persiste la idea de que Costa Rica vive la democracia rural característica de los siglos XVII y XVIII. Esta creencia se ha fortalecido como resultado de la movilidad social que produjo el rápido crecimiento económico de las últimas décadas.

La educación gratuita y obligatoria hasta la edad de 15 años, garantizada por la Constitución Política, así como una seguridad social que protege casi al 70% de la población, nos hace sentirnos orgullosos de nuestro sistema. Se cree que el crecimiento alcanzado en los últimos 25 años se debe sobre todo al dinamismo de nuestro empresario, a quien se atribuyen las características de la tradición calvinista –señaladas por Max Weber–, de gran laboriosidad, espíritu de lucro y ascetismo personal; que los grupos de ingresos reducidos están satisfechos porque hay empleo suficiente; que los sectores más ricos de la sociedad costarricense se caracterizan por su sencillez, moderación y humildad, y que la inexistencia de enormes diferencias socioeconómicas nos muestra como un país compuesto por una población de clase media. Los puntos de vista de quienes no comparten esta percepción rara vez son escuchados, puesto que, en general, la clase media que lee y escribe es tanto la

---

American Journal of Sociology, 58 (setiembre de 1952), págs. 139-144; C. C. North y P. K. Hatt, "Jobs and Occupations: A Popular Evaluation", *Public Opinion News* (9 de setiembre, 1947), págs. 3-13; Joseph A. Kahl & James A. Davis, "A Comparison of Indexes of Socio-Economic Status", *American Sociological Review*, 20 (junio de 1955), págs. 317-325; W. Lloyd Warner y otros, *Social Class in America*, Science Research Associates (Chicago: 1949), págs. 35-37; Alex Inkeles & Peter H. Rossi, "National Comparisons of Occupational Prestige", *American Journal of Sociology*, 61 (enero de 1956), págs. 329-339.

creadora como la receptora de esta imagen. Por lo tanto, para muchos costarricenses, esta es su sociedad, aunque la realidad es diferente.

El número de legisladores por partido y tendencia ideológica: Uno de los fenómenos más evidentes en América Latina es la disparidad entre lo que se dice y lo que en verdad se piensa y se hace. Muy a menudo, la conducta de un individuo es por completo diferente de su ideología. Este es el caso de un gran número de estudiantes y políticos. Quienes justifican esta manera de actuar, en especial los últimos, lo hacen a nombre del pragmatismo que debe, necesariamente, ir de la mano con la actividad política, pues el político ha de ser flexible y antidogmático, para poder, según las circunstancias, atacar hoy lo que defendió ardorosamente ayer.

A los legisladores del período 1966-1970 se les pidió definir sus posiciones ideológicas, desde las tendencias de izquierda hasta las tendencias de derecha.[1] Como puede observarse en el cuadro 63,[2] de los 45 diputados que respondieron al cuestionario, la mayoría se consideró moderadamente izquierdista, y ni uno solo de extrema izquierda. Esto se debe a que el Partido Comunista no estaba representado en la Asamblea Legislativa, pues no fue sino hasta 1970 cuando se le permitió su participación. Sin embargo, las cifras del cuadro 63 no habrían cambiado mucho, pues el Partido Comunista sólo llevó dos diputados a la Asamblea Legislativa en cada una de las últimas dos elecciones, las de 1970 y las de 1974.

El Partido Unión Cívico Revolucionaria (PUCR) es un grupo político sumamente reducido, de carácter personalista, que eligió dos representantes a la Asamblea Legislativa de 1966-1970. Sólo uno de ellos contestó el cuestionario. Hoy, el PUCR casi no existe, absorbido en su mayor parte por el Partido Unificación Nacional.

---

1 Por "ideología" entendemos lo que Philip R. Converse llama un "sistema de creencias", esto es, "... una configuración de ideas y actitudes en que los elementos están ligados por algún tipo de amarre o interdependencia funcional". Philip E. Converse, "The Nature of Belief Systems in Mass Publics", en: David Apter, ed., *Ideology and Discontent* (Nueva York: The Free Press, 1964), pág. 207.

2 En este capítulo, todos los cuadros se dan en cifras absolutas y no en porcentajes, debido a las bajas cifras involucradas en el análisis. Esto se consideró adecuado, pues a causa del reducido número de casos analizados, el empleo de porcentajes podría conducir a generalizaciones erróneas.

CUADRO 63
IDENTIFICACION IDEOLOGICA

Tendencia	Extrema derecha	Derecha moderada	Centro	Izquierda moderada	Extrema izquierda	Total
Total	1	12	4	28	–	45
PLN	–	1	1	21	–	23
PRN	–	7	3	5	–	15
PUN	–	4	–	2	–	6
PUCR	1	–	–	–	–	1

Como se ve en el cuadro 63, de los 28 diputados que se consideran de izquierda moderada, 21 (75%) pertenecen al Partido Liberación Nacional (PLN). En efecto, este partido tiene, por regla general, una ideología socialdemócrata, y es el responsable de los pocos cambios socioeconómicos e institucionales habidos en el país desde 1948.

La mayoría de los miembros del Partido Unión Nacional (PUN) se declara de tendencia derechista moderada. Se trata de un partido conservador, satisfecho con el statu quo.

Entre los miembros del Partido Republicano Nacional (PRN) la clasificación varía considerablemente. Este partido, identificado con una ideología social cristiana durante el Gobierno de Calderón Guardia (1940-1944), ha ido perdiendo su posición ideológica, sobre todo en el período 1966-1970, al haberse visto obligado a formar una coalición con el PUN.

Sistema económico preferido: Una vez que los legisladores se clasificaron de acuerdo con su orientación ideológica declarada, se les preguntó cual de los siguientes sistemas económicos consideraban mejor para Costa Rica:

1. El liberalismo (todos los medios de producción en manos privadas, sin ninguna intervención estatal en la actividad económica).
2. La intervención estatal (una gran mayoría de los medios de producción en manos privadas, con una intervención estatal mínima en la actividad económica).

3. La propiedad pública (la mayoría de los medios de producción propiedad del Estado).
4. El gobierno centralizado (todos los medios de producción propiedad del Estado).

Las anteriores definiciones sirvieron como simples puntos de referencia para las personas entrevistadas, pues con frecuencia los conceptos fueron ampliados durante las entrevistas. El elemento decisivo en las definiciones fue la propiedad de los medios de producción. Como puede observarse, nos abstuvimos de emplear términos tales como "capitalismo" y "socialismo" porque, en general, el costarricense no está muy familiarizado con ellos, y éstos tienen cierta fuerza emotiva que queríamos evitar.

En el cuadro 64 se evidencia una estrecha relación entre la ideología profesada por el legislador y el sistema económico que prefirió. Los representantes de la extrema derecha, así como la mitad de quienes se definieron como de derecha moderada, se inclinaron hacia el liberalismo. El resto de los legisladores de derecha moderada no apoyó el modelo tradicional de libre empresa, y se manifestó por el sistema que permite una intervención estatal mínima en la actividad económica.

CUADRO 64

TIPO DE SISTEMA ECONOMICO PREFERIDO POR TENDENCIA IDEOLOGICA

Régimen	Extrema derecha	Derecha moderada	Centro	Izquierda moderada	Total
Total	1	12	4	28	47
Liberalismo	1	6	1	3	11
Intervención estatal	–	5	3	22	31
Propiedad pública	–	1	–	3	5

Nota: La diferencia entre la suma de las tendencias ideológicas y el total, se debe a que dos de los diputados no respondieron a la pregunta sobre la clasificación ideológica, pero sí contestaron las otras preguntas.

Entre los miembros de la tendencia de centro, y especialmente los de izquierda moderada, una mayoría apoyó el sistema de intervención estatal. Esto nos muestra que el legislador costarricense parece decidirse por un sistema económico mixto, en el cual el Estado se limita a la intervención indirecta, o sea, regular la política monetaria y cambiaria, establecer impuestos, fijar salarios mínimos, regular precios de algunos artículos básicos, suministrar ciertos servicios y tener un número limitado de industrias estratégicas.

Estas cifras también demuestran que sólo una minoría (11 de 47) considera el "laisser faire" del liberalismo tradicional como lo mejor para el país. Es todavía más significativo el apoyo limitado que se da a un sistema económico en que el Estado es propietario de la mayoría de los medios de producción. El legislador costarricense no parece inclinarse ni por una irrestricta economía de mercado ni por un socialismo a ultranza. Durante los últimos 25 años ha habido cierto consenso en cuanto al papel que le corresponde al Estado en el desarrollo socioeconómico del país: hemos rechazado las posiciones extremas del individualismo y del estatismo.

La intervención estatal en la economía privada: En este campo se deseaba detectar el grado de divergencia o similitud entre las diversas tendencias, en asuntos concernientes a los aspectos políticos, económicos y sociales del país.

La economía en general: A este respecto, presentamos ejemplos concretos en el curso de las entrevistas, para determinar las ideas de los legisladores acerca de la participación del Estado. Se les preguntó qué tipo de intervención estatal debería existir en la economía, si aprobaban o no el sistema de banca nacionalizada, si en su opinión las instituciones financieras privadas debían abolirse y cuáles eran sus puntos de vista en cuanto al monopolio estatal de los seguros y del licor.

Sus opiniones sobre la intervención del Estado en la economía privada pueden clasificarse de la siguiente manera:

CUADRO 65
GRADO DE INTERVENCION ESTATAL EN LA ECONOMIA PRIVADA POR TENDENCIA IDEOLOGICA

Grado de intervención estatal	Extrema derecha	Derecha moderada	Centro	Izquierda moderada	Total
Total	1	12	4	28	45
Mucho mayor	–	–	–	4	4
Mayor	–	–	1	8	9
Igual	–	6	2	14	22
Menor	1	4	–	2	7
Mucho menor	–	1	–	–	1
Ninguna	–	1	1	–	2

Aun cuando resulta evidente cierta coincidencia entre la intervención estatal deseada y la ideología del legislador, en el sentido de que los diputados de izquierda defienden la necesidad de una mayor intervención, mientras los de derecha creen en lo contrario, es muy interesante observar que un 50% de los legisladores considera que el grado de intervención estatal debería mantenerse como en la actualidad. En otras palabras, independientemente de su ideología, la mitad de los diputados costarricenses opina que el Estado no debería aumentar ni disminuir su intervención en las actividades económicas.

Las respuestas acerca de la eliminación de la banca nacionalizada, las instituciones financieras privadas y los monopolios estatales sobre el licor y los seguros, fueron las siguientes:

CUADRO 66
OPINIONES ACERCA DE ALGUNOS MONOPOLIOS ESTATALES POR TENDENCIA IDEOLOGICA

"Sí o no mantenerlos"	Extrema derecha	Derecha moderada	Centro	Izquierda moderada	Total
Total	1	12	4	28	47
Eliminación del sistema de banca nacionalizada					
Sí	1	9	1	4	15
No	–	3	3	24	30
Eliminación de las instituciones financieras privadas					
Sí	–	4	1	14	19
No	1	8	3	14	26
Eliminación del monopolio estatal sobre el licor					
Sí	1	8	2	10	21
No	–	4	2	18	24
Eliminación del monopolio estatal sobre los seguros					
Sí	1	9	2	7	19
No	–	3	2	21	26

Como se demuestra en el cuadro 66, los legisladores de derecha apoyan la eliminación del sistema de banca nacionalizada, mientras un porcentaje muy alto de los legisladores de centro e izquierda, piensa que debería mantenerse.

El Presidente Figueres nacionalizó los bancos en 1948, durante los dieciocho meses de gobierno de la Junta Fundadora de la Segunda República. Desde entonces, sólo a los bancos estatales se les permite recibir depósitos del público. Dos razones fundamentales condujeron a la nacionalización de los bancos privados: en el aspecto económico, se pretendía convertir al sistema bancario en un instrumento más dinámico para el desarrollo, y desde el punto de vista sociopolítico, reducir el poder de los financistas privados en la sociedad costarricense.

Por su importancia en la economía, la banca es un fuerte instrumento de poder, y como los empresarios dependen, para sobrevivir y prosperar, de la voluntad del banquero, se pensó en que una organización de ese carácter debería estar en manos del Estado. Por medio de la nacionalización también se perseguía el fortalecimiento de la banca. Se deseaba crear un sistema bancario dinámico, orientado fundamentalmente hacia el desarrollo de los sectores productivos.

Quienes se oponen a que los bancos sean administrados por el Estado, consideran que la nacionalización no ha logrado sus objetivos: por una parte, no ha puesto fin a los financistas privados, aunque ha reducido su poder; y, por otra, no se ha convertido en el poderoso instrumento que se pretendió fuera, pues veinticinco años después, los bancos nacionalizados todavía funcionan por inercia, con poca planificación, y simplemente repiten, aunque con mayor amplitud, lo que hicieron en el pasado. Los descontentos con la banca nacionalizada se quejan de que la política crediticia del Sistema Bancario Nacional no ha hecho posible un desarrollo regional equilibrado ni ha servido como instrumento para alcanzar una mejor distribución de los recursos productivos o para favorecer a los sectores de la sociedad más urgidos de ayuda crediticia.

Los defensores del Sistema Bancario Nacional (fundamentalmente los liberacionistas), consideran que a él se debe que Costa Rica haya doblado en dos décadas el ingreso real por habitante, lo cual es muy significativo, si se toma en cuenta que la población también se duplicó durante ese período. La diversificación agrícola, la alta productividad de varias ramas de la agricultura, el fuerte apoyo para que el costarricense participe en el Mercado Común Centroamericano, y la formación de una nueva clase empresarial con características *schumpeterianas*, pueden atribuirse, según se argumenta, al fuerte apoyo del Sistema Bancario Nacional.

En 1967 fue presentado a la Asamblea Legislativa, para su estudio, un proyecto de ley tendiente a restablecer los bancos privados. Para defenderlo, se formó un "Comité pro Banca Privada", grupo de presión bien organizado y de sólida posición financiera. Sus intentos por influir decisivamente en la opinión pública, fueron muy intensos: durante varios meses trató de persuadir a los legisladores, por lo general mediante la prensa escrita y hablada, así como por cartas y telegramas enviados a la Asamblea Legislativa. Aun cuando el Comité se declaró apolítico, no hay duda de que era el vocero del Partido Unificación Nacional fuera de la Asamblea Legislativa.[1]

El proyecto, al cual se opusieron los diputados del Partido Liberación Nacional, finalmente fue rechazado. Desde entonces no se ha hecho ningún nuevo intento de poner fin al monopolio de los bancos estatales sobre los depósitos del público. No obstante, el número de compañías financieras privadas se ha multiplicado. Aun cuando la ley no les permite a esas compañías recibir depósitos, obtienen recursos financieros del público. Es importante destacar que los diputados de la derecha y del centro estaban a favor de las compañías financieras privadas, lo cual corresponde a su tendencia ideológica. Es todavía más notable, e incluso irónico, observar cómo gran parte de los diputados del Partido Liberación Nacional consideraron conveniente el mantenimiento de esas empresas.

Los 26 legisladores que se declararon a favor de las financieras privadas adujeron tres razones principales para defender la necesidad de su funcionamiento: en primer lugar, la competencia de esas empresas obliga a los bancos del Estado a dar servicios más eficientes; en segundo lugar, las compañías financieras extranjeras pueden aportar recursos económicos adicionales y de este modo fortalecer el débil sistema financiero nacional; y en tercer lugar, coadyuvan a que el crédito no se otorgue según consideraciones políticas, en lugar de las puramente económicas. Una cuarta razón, no mencionada por ninguno, podría ser que varios legisladores fueran accionistas de algunas de esas compañías.

En cuanto a los monopolios del licor y de los seguros, que datan en Costa Rica desde 1853 y 1924, respectivamente, la opinión de los legisladores coincide mucho con su ideología: los de derecha se declaran a favor de eliminarlos, y los de izquierda, por mantenerlos. Los del centro tienen opiniones divididas, tanto respecto del monopolio del licor como del de los seguros.

La solución de los problemas populares: Por medio de preguntas concretas, se investigó el grado de intervención estatal aceptable para

---

1 . Oscar Arias Sánchez, *Grupos de Presión en Costa Rica* (San José: Editorial Costa Rica, 1971), pág. 98.

solucionar los problemas populares. Se les preguntó a los legisladores en qué medida consideraban que el Estado debería promover el bienestar de las clases media y obrera, y la organización de sindicatos y cooperativas. También se les pidió su opinión en cuanto al proceso de reforma agraria, sobre la posibilidad de introducir cambios en la estructura impositiva, acerca de los niveles de salario mínimo, y con respecto al control de precios para los bienes de consumo básico.

En el cuadro siguiente se muestran las relaciones entre las tendencias ideológicas declaradas y las respuestas concernientes al mejoramiento de las clases media y obrera por parte del Estado, según lo estiman los legisladores.

CUADRO 67

GRADO DE ESTIMULO ESTATAL EN FAVOR DE LAS CLASES SOCIALES

Legisladores 1966 – 1970

Grado de estímulo	Extrema derecha	Derecha moderada	Centro	Izquierda moderada	Total
Clase media					
TOTAL	1	12	4	28	47
Mucho más	–	5	1	10	16
Más	1	4	2	6	13
Igual	–	2	1	11	14
Menos	–	–	–	–	–
Mucho menos	–	–	–	–	–
Igual que para las demás clases	–	1	–	1	2
Clase obrera					
TOTAL	1	12	4	28	47
Mucho más	–	7	2	25	34
Más	1	3	2	3	9
Igual	–	2	–	–	2

Deseamos señalar que no hubo un solo legislador cuya opinión fuese contraria a que las clases obrera y media reciban más ayuda de la obtenida en la actualidad. También es importante anotar que los diputados de derecha contestaron de modo muy similar, respecto al incremento del bienestar de ambas clases sociales. Por el contrario, encontramos en todos los legisladores de izquierda una coincidencia atinente a la necesidad de impulsar "más" o "mucho más" los intereses de la clase obrera.

Conviene analizar el siguiente hecho: de los 45 diputados que contestaron el cuestionario, 43 se declararon a favor de una ayuda estatal para la clase media, semejante o superior a la que ésta recibe actualmente. ¿Cómo es posible que incluso los diputados que se consideran de izquierda crean que el Estado debe impulsar aún más los intereses de la clase media? Esto se explica en parte porque la gran mayoría de los legisladores se considera partícipe de la clase media. Al pretender una mayor ayuda para los sectores medios, los diputados costarricenses también desean ayudarse a sí mismos. Como se ve, esta respuesta no es consecuente con la ideología que se profesa.

El diputado costarricense tiene conciencia de que, durante las últimas dos décadas, los sectores de ingresos medios de la sociedad se han fortalecido mucho, en parte por la acción del Estado. En efecto, las pocas cifras existentes muestran una marcada transferencia de ingreso de los grupos más adinerados hacia los grupos medios, en tanto que la situación de los grupos más pobres casi no ha cambiado.[1] A pesar de que nuestros legisladores conocen muy bien las limitaciones de los recursos estatales, y la necesidad de que se canalicen en especial para los sectores menos favorecidos, ello no parece haberse logrado.

Costa Rica está lejos de ser un país de clase media. Por el contrario, su población es eminentemente agrícola. Sin embargo, en las últimas dos décadas, el número de individuos de la clase media ha aumentado en forma considerable. Esto puede explicarse por la expansión del sector

---

1 Víctor Hugo Céspedes, *Costa Rica: La Distribución del Ingreso y el Consumo de Algunos Alimentos* (San José: IECES, Universidad de Costa Rica, 1973), pág. 58.

de servicios, en especial los correspondientes al Estado.[1] Ha habido un enorme incremento en el número de maestros, abogados, médicos, profesionales en Ciencias Sociales, ingenieros, gerentes de empresas y funcionarios administrativos. Como éstos son los sectores mejor organizados y, por lo tanto, quienes mejor expresan y presionan por sus necesidades, nuestros líderes, entre los cuales se cuentan los diputados, están convencidos, como hemos visto, de que el Estado debería ayudarles todavía "más" o "mucho más".

En cuanto al papel del Estado en la creación de sindicatos y cooperativas, obtuvimos los siguientes resultados: la gran mayoría de los legisladores –de derecha, centro e izquierda– coincide en la necesidad de estimular la formación de nuevas cooperativas, y los de la tendencia de izquierda se muestran a favor de que el Estado fomente la organización de sindicatos. Un gran porcentaje de los diputados de centro y de derecha considera, como se vio en el cuadro 67, que el Estado debería fortalecer bastante más a la clase obrera, aun cuando no está de acuerdo con el establecimiento de nuevos sindicatos. ¿A qué se debe esta aparente contradicción?

Una de las características más destacadas de la sociedad costarricense, durante las últimas dos décadas, ha sido la proliferación de los grupos de interés, a causa de un desarrollo acelerado y sostenido de nuestra economía, de la diversificación en la producción y del vertiginoso crecimiento de la actividad estatal. El país ha presenciado el nacimiento de una gran variedad de asociaciones profesionales y de empresarios, cooperativas y sindicatos. La gran mayoría de éstas está formada por representantes de grupos con ingresos altos y medios, pues en general se trata de organizaciones de empleados públicos, de profesionales, de

1 POBLACION POR SECTORES ECONOMICOS — 1963-1973

Años	Agri-cultura	Industria y minas	Cons-trucción	Servicios básicos	Comer-cio	Servicios	Total
1963	49,7	11,7	5,5	9,8	9,9	18,4	100,0
1967	46,3	13,7	4,0	4,9	10,8	20,3	100,0
1973	37,1	11,8	6,5	4,9	13,5	26,2	100,0

Fuente: Oficina de Planificación, Ministerio de Obras Públicas y Caja Costarricense de Seguro Social.

empresarios y gerentes de grandes compañías agrícolas, industriales o comerciales. Las excepciones están constituidas por las cooperativas y los sindicatos.

En las cooperativas y los sindicatos están representados los grupos de ingresos bajos. Los comerciantes detallistas, los artesanos y algunos pequeños agricultores, tales como una tercera parte de los caficultores, están organizados en cooperativas, las cuales de ordinario cuentan con la aprobación de los sectores conservadores y son apoyadas por el Estado y la banca nacionalizada. No puede decirse lo mismo de los sindicatos. Son muy fuertes entre los empleados públicos y los trabajadores bananeros, pero menos en el campo industrial y, a diferencia de las cooperativas, no cuentan con la aceptación general. El hecho de que ni el Gobierno ni los partidos políticos hayan realizado un esfuerzo significativo para fortalecer al movimiento sindical en Costa Rica, explica por qué los trabajadores todavía no tienen el poder político que merecen en concordancia con el desarrollo alcanzado por nuestra economía. Los partidos políticos, constituidos por muchas clases, han sido penetrados por ciertos grupos de presión, pero no por los sindicatos. La respuesta de los legisladores pone en evidencia esta situación.

Con respecto al ritmo a que se realiza la reforma agraria, las respuestas de los diputados coincidieron en general con sus ideologías: la mayor parte de los grupos de derecha y de centro opinaron que debía mantenerse al mismo ritmo (el cual ha sido y es excesivamente lento), en tanto el 70% de los miembros de la tendencia de izquierda consideraba necesarias no sólo una superior celeridad en el proceso, sino también un aumento en su intensidad.

Las actitudes de los legisladores hacia los impuestos se reflejan en el cuadro 68.

Con respecto a los impuestos directos, como se observa en el cuadro, existe una estrecha concordancia entre la ideología de los diputados y sus respuestas: en el grupo de izquierda, el porcentaje más alto correspondió a quienes consideraban apropiado aumentar los impuestos directos. Por el contrario, al referirse a los impuestos indirectos, sólo 11 de esos diputados creyeron conveniente reducirlos.

Esas respuestas revelan el descontento de los legisladores con el carácter regresivo del sistema tributario vigente. En efecto, de todos los

CUADRO 68
OPINIONES ACERCA DE LOS IMPUESTOS POR TENDENCIA IDEOLOGICA

Impuestos: elevar o disminuir	Extrema derecha	Derecha moderada	Centro	Izquierda moderada	Total
TOTAL	1	12	4	28	47
Directos					
Elevar mucho más	–	–	–	11	11
Elevar un poco	–	4	3	10	17
Mantener al nivel actual	1	6	1	7	15
Reducir un poco	–	2	–	–	2
Indirectos					
Elevar un poco	–	1	–	1	2
Mantener al nivel actual	1	9	3	16	29
Reducir un poco	–	2	1	5	8
Reducir mucho más	–	–	–	6	6

impuestos recaudados en 1969, año de la investigación, escasamente correspondía a los impuestos directos un 25%. Aunque sólo dos diputados se manifestaron a favor del aumento de los impuestos indirectos, a principios de 1970 se estableció un nuevo tributo de ventas y se elevaron en forma sustancial los de importación. Estos impuestos fueron discutidos por la Asamblea Legislativa pocos meses después de realizadas las entrevistas, y se aprobaron gracias a los votos del Partido Liberación Nacional, o sea, con el consentimiento de gran parte de los legisladores de izquierda moderada.

Independencia política y económica y soberanía nacional: Esta sección se ha dividido en dos partes. La primera trata de lo que hemos llamado desarrollo económico independiente, y la segunda incluye una serie de preguntas sobre la soberanía nacional. En muchos de los temas expuestos aquí, encontraremos grandes diferencias entre las opiniones expresadas por los legisladores y sus actuaciones.

Desarrollo económico independiente: Existen abundantes explicaciones en la literatura económica y sociológica acerca de las causas de nuestra pobreza. Desde los años cincuentas, la sociología latinoamericana ha tratado de explicar nuestro subdesarrollo mediante interpretaciones de carácter muy general, tales como el "dualismo" y la "dependencia". La primera de estas teorías atribuye el subdesarrollo de América Latina a la dualidad de las estructuras sociales y económicas predominantes en casi todos estos países. En forma sencilla, esto significa que en cada uno de ellos existen en realidad dos sociedades: una sociedad moderna que mira hacia afuera y ha asimilado por completo la estructura capitalista y los incentivos de mercado, y otra, tradicional, estática, caracterizada por su rigidez estructural y su carencia de espíritu innovador. La segunda teoría, la de la dependencia, afirma que las estructuras socioeconómicas latinoamericanas han sido moldeadas por el capitalismo internacional, que se ha apropiado de nuestra riqueza desde la época de la Colonia. Estas interpretaciones se han empleado como conceptos teóricos y recursos heurísticos para explicar en forma sobresimplificada la causa de nuestro subdesarrollo, sin analizar la complejidad de los innumerables problemas a que se enfrenta el Continente, y que son imposibles de interpretar con base en "camisas de fuerza conceptuales".[1]

Les preguntamos a nuestros legisladores qué pensaban de la dependencia de Costa Rica respecto de los Estados Unidos de América. Como ese concepto es tan ambiguo y falto de precisión, se especificó en el cuestionario que nos referíamos a la dependencia comercial, financiera y política. Intencionalmente evitamos la cultural.

---

1 Fernando H. Cardoso y Enzo Faletto, *Dependencia y Subdesarrollo en América Latina* (México: Editorial Siglo XXI, 1969); Helio Jaguaribe y otros, *La Dependencia Político-Económica de América Latina* (México: Editorial Siglo XXI, 1969); Theotonio Dos Santos y otros, *La Crisis del Desarrollismo y la Nueva Dependencia* (Lima; Instituto de Estudios Peruanos, Editorial Moncloa Campodónico, 1969); Octavio Lanni, *Imperialismo y Cultura de la Violencia en América Latina* (México: Editorial Siglo XXI, 1972); Celso Furtado y Otros, *La Dominación en América Latina* (Buenos Aires: Amorrortu Editores, 1960); André Gunder Frank, "Capitalism and Underdevelopment in Latin America", *New York Monthly Review Press*, 1967; Rodolfo Stavenhagen, "Seven Erroneous Thesis About Latin America", publicado en "Latin American Radicalism", informe documental sobre los movimientos nacionalistas y de izquierda, Irving Louis Horowitz y otros (Nueva York: Random House, 1969); Alfonso Aguilar Monteverde, "Teoría y Política del Desarrollo Latinoamericano", Instituto de Estudios Económicos, Universidad Nacional Autónoma (México, 1967); Helio Jaguaribe y otros, *La Dominación de América Latina* (Lima: Francisco Moncloa Editores, 1968).

CUADRO 69

OPINIONES ACERCA DE LA DEPENDENCIA DE COSTA RICA RESPECTO DE LOS ESTADOS UNIDOS, POR TENDENCIA IDEOLOGICA

La dependencia respecto de los Estados Unidos debe ser:	Extrema derecha	Derecha moderada	Centro	Izquierda moderada	Total
Total	**1**	**12**	**4**	**28**	**47**
Mayor	1	3	–	3	7
Igual	–	4	1	11	16
Menor	–	2	–	6	8
Mucho menor	–	1	–	5	6
Ninguna	–	1	3	3	7
No respondieron	–	1	–	–	1

El cuadro 69 expresa que no existe gran diferencia entre las opiniones de los legisladores de izquierda y de derecha, aunque un porcentaje mayor de éstos, en comparación con los primeros, apoyó un aumento de la dependencia. Los diputados de posición centrista, por el contrario, discrepan de ambos grupos, en el sentido de que Costa Rica debería llegar a ser comercial, financiera y políticamente independiente de los Estados Unidos. Infortunadamente, no dijeron cómo.

Soberanía nacional: Sobre este tema se hicieron seis preguntas: (1) ¿Cree usted que Costa Rica deba tener relaciones comerciales con los países comunistas? (2) ¿Cree usted que Costa Rica deba tener relaciones diplomáticas con los países comunistas? (3) ¿Estaría usted de acuerdo con que Costa Rica establezca relaciones diplomáticas con Cuba? (4) ¿Cree usted que el ejército de los Estados Unidos deba invadir Cuba para derrocar al gobierno de ese país? (5) ¿Cree usted que los exiliados cubanos deban recibir ayuda para que ellos mismos derroquen al régimen comunista de Castro? (6) ¿Considera usted que el Partido Comunista deba seguir siendo ilegal?[1]

1 Cuando se preparó el cuestionario, al Partido Comunista le estaba vedada su participación en la política electoral, en virtud del párrafo segundo del artículo 98 de la Constitución Política. Este párrafo fue derogado mediante Ley No. 5698 de 4 de junio de 1975.

CUADRO 70

RELACIONES CON PAISES COMUNISTAS POR TENDENCIA IDEOLOGICA

Tipo de relaciones	Extrema derecha	Derecha moderada	Centro	Izquierda moderada	Total
Total	**1**	**12**	**4**	**28**	**47**
Comerciales					
Sí	–	6	2	24	32
No	1	6	2	4	13
Diplomáticas					
Sí	–	1	–	14	15
No	1	11	4	14	30
Diplomáticas con Cuba					
Sí	–	–	–	3	3
No	1	12	4	25	42

En el cuadro 70 podemos ver los resultados de las tres primeras preguntas. Sólo los legisladores de la tendencia de izquierda se definieron abiertamente a favor del establecimiento de relaciones comerciales con los países comunistas, en tanto que los de centro y de derecha tenían opiniones divididas. Por el contrario, en cuanto a las relaciones diplomáticas con esas naciones, sólo los diputados de la tendencia de izquierda tenían criterios divididos, mientras el resto de la Asamblea estaba unido en contra de cualquier tipo de vínculos con el mundo socialista. En cuanto a la posibilidad de establecer relaciones diplomáticas con Cuba, casi todos los diputados se opusieron.

Podemos formular las siguientes conclusiones, según las respuestas registradas en el cuadro 70. En primer lugar, se evidencia que el legislador costarricense no teme al establecimiento de relaciones comerciales con países socialistas, pero sí a las relaciones diplomáticas. Se considera que a Costa Rica le interesa penetrar en los mercados de esos países, sobre todo con sus productos tradicionales de exportación, y para esto no se requiere una embajada en cada capital del mundo socialista.[1] En segundo lugar, se ha argumentado que las relaciones diplomáticas con los países comunistas serían una amenaza para nuestro régimen económico, social y político: las embajadas en nuestro país podrían prestarse para distribuir propaganda, financiar partidos políticos de extrema izquierda y estimular movimientos subversivos. También se debe tomar en cuenta nuestra ubicación geográfica: Costa Rica es una isla de paz en un istmo gobernado por militares. El establecimiento de relaciones diplomáticas con los países socialistas, podría ser utilizado como excusa por dirigentes anticomunistas de los países vecinos para invadirnos. Esto es posible si se toma en cuenta que somos el único país con un gobierno civil en la región y, además, sin ejército.

Lo anterior explica en parte las opiniones del legislador costarricense. No obstante, mucho ha cambiado desde que se realizaron las entrevistas (1969). La recién establecida *detente* entre el mundo oriental y el occidental, que apaciguó la guerra fría, sin duda ha influido fuertemente en los líderes costarricenses. Las dos últimas administraciones (Figueres, Oduber) han seguido una política exterior mucho más abierta y flexible, y en la actualidad el país tiene relaciones diplomáticas con la mayoría de los países socialistas.

La relativa independencia en el manejo de las relaciones exteriores no se ha logrado con facilidad. Fue necesario luchar contra las fuerzas más conservadoras del país y sobreponerse a fuertes presiones. El periódico más influyente declaró a nombre de la opinión pública que "la gran mayoría de los costarricenses" se oponía al establecimiento de relaciones diplomáticas con los países socialistas.

Casi la totalidad de los legisladores, independientemente de su ideología, se opuso a la sugerencia de que las fuerzas armadas de los Estados Unidos de América invadieran a Cuba a fin de derrocar su gobierno. Cuando se les preguntó si los exiliados cubanos deberían recibir ayuda para derrocar a su gobierno, las respuestas coincidieron bastante con la tendencia ideológica profesada por los diputados, y así la mayoría de los de izquierda no consideraban pertinente ese tipo de ayuda. De los 45 que contestaron, 25 estuvieron de acuerdo en ese apoyo a los exiliados.

---

1 Hubo una oposición especialmente fuerte al establecimiento de relaciones diplomáticas con la Unión Soviética y se formaron varios grupos para oponerse a ellas. La oposición se manifestó por medio de la prensa escrita y hablada; se organizaron marchas de protesta, y una procesión de mujeres enlutadas desfiló por la ciudad de San José.

CUADRO 71

OPINIONES ACERCA DE LA AYUDA A LOS EXILIADOS CUBANOS, POR TENDENCIA IDEOLOGICA

Posición acerca de la ayuda	Extrema derecha	Derecha moderada	Centro	Izquierda moderada	Total
Total	**1**	**12**	**4**	**28**	**47**
Sí	1	10	2	12	25
No	-	2	2	16	20

Si el Partido Comunista de Costa Rica se caracteriza por algo, es por sus altibajos. En 1969, año en que se realizaron las entrevistas, el Partido Comunista estaba proscrito. Sin embargo, poco después, cuando este partido se registró con otro nombre, la Asamblea Legislativa impidió, mediante maniobras parlamentarias, que se le declarara ilegal, lo que permitió a los comunistas participar en las elecciones bajo el nombre de Partido Acción Socialista.

Es evidente, por el cuadro 72, que la generalidad de los legisladores no estaba a favor de la ilegalidad del Partido Comunista. Una vez que

CUADRO 72

OPINIONES ACERCA DEL PARTIDO COMUNISTA POR TENDENCIA IDEOLOGICA

Si debería permanecer ilegalizado	Extrema derecha	Derecha moderada	Centro	Izquierda moderada	Total
Total	**1**	**12**	**4**	**28**	**47**
Sí	1	8	3	5	17
No	–	2	1	22	25
No respondieron	–	2	–	1	3

éste se legalizó, participó en las elecciones de 1970, y eligió dos diputados. Después, en las elecciones de 1974, sus militantes se dividieron en tres bandos, aunque la mayoría de los miembros de la extrema izquierda siguieron en el Partido Comunista ortodoxo. Una vez más, eligieron dos diputados.

Religión: A fin de determinar la condición religiosa de nuestros diputados, les hicimos varias preguntas. En primer lugar, les preguntamos cuál religión profesaban. Luego, cuando eran católicos, si asistían o no a misa y con qué frecuencia. En tercer lugar, si tomaban parte en actividades de la Iglesia y, finalmente, si pertenecían a alguna organización religiosa.

En un país en que predominan los católicos sucedió, como era de suponer, que casi todos los legisladores dijeron ser católicos. Unos pocos expresaron que no practicaban ninguna religión o que eran agnósticos. Ninguno se declaró ateo. Cerca de un 40% de los diputados afirmó que asistía a misa los domingos, independientemente de su tendencia ideológica. Sólo una quinta parte participaba en actividades de su culto y únicamente un 10% pertenecía a organizaciones religiosas. Por las respuestas anteriores puede concluirse que para la imagen pública de un diputado es importante ser católico de nombre pero no necesariamente un practicante fervoroso.

Cuando se les interrogó si consideraban que la Iglesia Católica tenía mucha, alguna o ninguna influencia en la política nacional, aproximadamente el 60% respondió que tenía alguna. Cierto número de diputados, en especial de la tendencia de izquierda, aceptó que la influencia de la Iglesia en la política era muy grande y debería reducirse. Es muy probable que esos diputados, en su mayoría del Partido Liberación Nacional, recordaran el grave perjuicio causado por varios sacerdotes al candidato presidencial del PLN en la campaña electoral de 1966, a quien acusaron —en un país anticomunista en extremo— de estar vinculado al comunismo.

La discriminación de clase y de raza: El cuestionario incluía varias preguntas acerca de la discriminación por motivos de clase, raza y sexo, y respecto a las oportunidades de empleo para las mujeres. Así como el costarricense promedio cree que vive en una "democracia perfecta", una sociedad de clase media y la tradición civilista mejor del mundo, puesto que somos un pueblo con "más maestros que soldados", "más escuelas que cañones", "más libros que armas" y "más bibliotecas que cuarteles", también considera que no hay discriminación en Costa Rica.[1] El diputado –que no es el mejor representante del costarricense promedio– sí cree en la existencia de cierto tipo de discriminación en este país.

Como se ve en el cuadro 73, la mayoría de los diputados juzga que existe discriminación entre las clases, pero no entre las razas, y que no

CUADRO 73
OPINIONES ACERCA DE LA DISCRIMINACION POR TENDENCIA IDEOLOGICA

Si existe o no discriminación y hostilidad	Extrema derecha	Derecha moderada	Centro	Izquierda moderada	Total
Total	1	12	4	28	47
Discriminación por motivos de clase:					
Sí	–	3	2	21	26
No	1	9	2	7	19
Discriminación por motivos de raza:					
Sí	–	–	1	19	20
No	1	12	3	9	25
Hostilidad hacia los grupos de ingresos altos:					
Sí	–	3	2	15	20
No	1	9	2	13	25

1 Mario Sancho, *Costa Rica, Suiza Centroamericana* (San José: Talleres Tipográficos La Tribuna, 1935); Yolanda Oreamuno, *A lo Largo del Corto Camino* San José: Editorial Costa Rica, 1961), págs. 15-25.

hay hostilidad hacia los grupos de ingresos altos. Es interesante notar la relación entre la ideología y las respuestas suministradas: la mayor parte de los legisladores de tendencia de izquierda opinan que existe discriminación, tanto por motivos de clase, como de raza. Lo mismo puede decirse acerca de la pregunta sobre la hostilidad hacia los grupos de ingresos altos, aunque en menor grado.

Discriminación hacia las mujeres: La sociedad costarricense, como la latinoamericana en general, se orienta alrededor de valores masculinos. Por tradición, el hombre costarricense ha creído que el lugar de la mujer está en la vida íntima del hogar, y todos los intentos por su mejoramiento intelectual y su emancipación, han sido reprimidos, o tolerados sólo de manera muy restringida. Por lo común se ha exaltado la superficialidad y el carácter frívolo de las mujeres; y especialmente en los estratos superiores se ha estimado que para ser una fiel esposa y buena madre, no es necesaria una educación superior.

La mujer costarricense, como la mujer latinoamericana, es lo que es según la voluntad de los hombres. Como dijo Unamuno, hemos hecho de la mujer un niño grande que lee puerilidades, aprende puerilidades, repite puerilidades y de puerilidades vive.[1] Hasta hace pocos años, el hombre costarricense creía conveniente mantener a las mujeres alejadas del campo del conocimiento y completamente apartadas de la vida intelectual. ¡La educación libera y eso es peligroso!

Aunque esta forma de pensar ha persistido más tiempo en América Latina, no es propia sólo entre los latinos, pues, como afirmó Simone de Beauvoir, "... por lejano que sea el tiempo histórico al cual nos remontamos, (las mujeres) han estado siempre subordinadas al hombre: su dependencia no es consecuencia de un acontecimiento, o de un devenir, no es algo que ha *llegado*."[2] Aun cuando esta situación está cambiando gradualmente, es muy posible que su evolución sea más lenta en Latinoamérica que en el resto del mundo. El costarricense, por ejemplo, ha comprendido que el "machismo" no es una ley absoluta, y se adapta cada vez más a las corrientes actuales. Veamos lo que piensan de esto nuestros legisladores.

---

1 Miguel de Unamuno, *Ensayos* (Madrid; Editorial Aguilar, 1962), pág. 183.
2 Simone de Beauvoir, *El Segundo Sexo*. Buenos Aires, Ediciones Siglo Veinte, Tomo I, 1970, pág. 15. Traducción de Pablo Palant.

CUADRO 74
OPINIONES ACERCA DE LAS OPORTUNIDADES DE LAS MUJERES, COMPARADAS CON LAS DE LOS HOMBRES POR TENDENCIA IDEOLOGICA

Oportunidades de trabajo mujeres vs. hombres	Extrema derecha	Derecha moderada	Centro	Izquierda moderada	Total
Total	**1**	**12**	**4**	**28**	**47**
Mayores	–	–	–	–	–
Iguales	1	9	3	7	20
Menores	–	3	1	21	25

Como se ve en el cuadro 74, las respuestas acerca de si las mujeres tienen mayores, iguales o menores oportunidades de trabajo, muestran una cierta relación con la ideología sustentada. De los diputados de derecha moderada, un 25% pensaba que las mujeres tenían menos oportunidades que los hombres. Se obtuvo el mismo porcentaje entre los legisladores de centro. Por el contrario, esta proporción se eleva al 75% entre los diputados de izquierda moderada.

Cuando se les preguntó a los legisladores si las mujeres deberían participar más, o menos, en las actividades políticas del país, las respuestas indicaron que los miembros de la tendencia de derecha prefieren la permanencia de las mujeres en sus hogares. Por el contrario, los diputados de izquierda se manifestaron en favor de una participación femenina "mayor" y "mucho mayor", mientras los de centro tenían opiniones divididas, como se ve en el cuadro 75. El cuestionario definía "participación política" como el trabajo realizado dentro de los partidos políticos, en especial durante los períodos electorales, así como la aceptación de candidaturas para puestos públicos. Por lo tanto, no se refería a la participación pasiva, limitada al hecho de votar el día de las elecciones.

CUADRO 75

OPINIONES ACERCA DE LA PARTICIPACION DE LAS MUJERES EN LA POLITICA POR TENDENCIA IDEOLOGICA

Grado de participación	Extrema derecha	Derecha moderada	Centro	Izquierda moderada	Total
Total	**1**	**12**	**4**	**28**	**47**
Mucho mayor	–	–	2	14	16
Mayor	–	2	–	12	14
Igual	1	8	1	2	12
Menor	–	1	–	–	1
Mucho menor	–	1	1	–	2

La educación: Las preguntas acerca de este tema se referían al establecimiento de universidades privadas, a la abolición de las escuelas primarias y secundarias privadas, y a la posibilidad de pagar matrícula en los colegios estatales, de acuerdo con el ingreso de la familia. Las respuestas se distribuyeron de la siguiente manera:

CUADRO 76

OPINIONES ACERCA DE LAS UNIVERSIDADES PRIVADAS, LA ABOLICION DE LA EDUCACION PRIVADA Y EL PAGO EN LOS COLEGIOS ESTATALES POR TENDENCIA IDEOLOGICA

Impulsar o abolir	Extrema derecha	Derecha moderada	Centro	Izquierda moderada	Total
Total	**1**	**12**	**4**	**28**	**47**
Establecer universidades privadas:					
Sí	1	11	3	11	26
No	–	1	1	17	19
Abolir la educación privada:					
Sí	–	1	–	3	4
No	1	11	4	25	41
Pagar por la educación secundaria estatal según ingreso					
Sí	1	7	–	14	22
No	–	5	4	14	23

Por los resultados del cuadro 76, podemos llegar a las siguientes conclusiones. En primer lugar, son notorias las diferencias de opinión entre los legisladores de derecha y de izquierda, en cuanto a la posibilidad de establecer universidades privadas en el país. Los de la derecha, por su liberalismo, se oponen al monopolio estatal de la educación superior y preferirían que las universidades estatales compitieran con los centros privados de educación superior. Los del centro también están de acuerdo con la fundación de universidades privadas. Por el contrario, sólo 11, o sea, un 39%, de los diputados de izquierda, piensan de la misma manera.

En segundo lugar, más del 90% de los legisladores se oponía a la abolición de los centros educativos privados de primera y de segunda enseñanza. En este caso no había diferencias de opinión entre los miembros de la derecha, el centro y la izquierda. Este fenómeno podría explicarse por el hecho de que los legisladores costarricenses, como representantes de las clases media y alta, aun cuando tienen conciencia de que el cobro de matrículas perpetúa las diferencias de clase, envían a sus hijos a escuelas y colegios privados, en virtud de las marcadas diferencias entre la calidad de la enseñanza de estos centros educativos y los del Estado. Es evidente que esta actitud refleja, en los diputados de izquierda, una contradicción entre la ideología que dicen profesar, y sus actuaciones.

Es probable que los diputados de izquierda no estuvieran a favor del establecimiento de universidades privadas, porque no era factible compararlas con las estatales, como sí se podía en el caso de los colegios y escuelas. Quizá las respuestas habrían sido diferentes, si existieran las universidades privadas y si los hijos de esos diputados asistieran a ellas.

Finalmente, se les preguntó si las familias deberían pagar, de acuerdo con sus ingresos, las matrículas en los colegios estatales, pues a menudo se dice que es necesario aliviar la carga de la educación sobre el presupuesto nacional. En efecto, una tercera parte del presupuesto del Gobierno se dedica al financiamiento de la educación pública, mientras que el gasto total en educación representa casi un 7% del producto interno bruto. Este elevado monto de recursos es la respuesta que la sociedad costarricense le ha dado a una alta demanda por educación media y universitaria, producto del acelerado crecimiento de la población hace apenas tres lustros. La pregunta se formuló por cuanto el aumento en los gastos de educación limita, y ha limitado, las posibilidades del Gobierno para dedicar recursos a otros renglones, como los de vivienda y nutrición.

Las respuestas de los legisladores a esta pregunta difieren bastante. Así, 7 diputados de la derecha moderada, o sea, el 58%, apoyaban el pago de matrícula según el ingreso de la familia. Entre los de la izquierda, el porcentaje era similar (50%). A diferencia de los anteriores, cómo se ve en el cuadro 76, los de centro apoyaban decididamente que se continuara la educación secundaria gratuita.

Hemos dejado para el final dos preguntas que probablemente sintetizan la forma de pensar de nuestros legisladores. Estas dos preguntas son:

1. ¿Cree usted que, para salir del estado de subdesarrollo, el único medio que les queda a varios países latinoamericanos sean los gobiernos militares?
2. ¿Cree usted que el cambio social puede lograrse en Costa Rica por medio de las instituciones dentro del sistema imperante, o es necesario acudir a la violencia?

Independientemente de la ideología declarada y del partido político al cual pertenecen, la respuesta unánime de los legisladores a la primera pregunta fue que esa no era la solución para Costa Rica, aun cuando convenía para otros países latinoamericanos; y en cuanto a la segunda pregunta, respondieron unánimemente que el cambio social en Costa Rica podría y debería lograrse por medio de las instituciones actuales.

De estas respuestas pueden derivarse dos conclusiones. En primer lugar, el legislador costarricense está convencido de que los cambios reclamados por nuestro pueblo pueden alcanzarse mediante procedimientos parlamentarios. Para nuestros líderes, la democracia es una especie de reto, pues están conscientes de que con pluralismo y libertad, en una economía fundamentalmente privada, es muy difícil realizar los cambios exigidos por la sociedad sin afectar el coeficiente de inversión y el ritmo de crecimiento económico. Por ello, nuestros legisladores han comprendido que, para lograr las reformas que un desarrollo menos injusto demanda, deben aprender a transigir.

Para su supervivencia, la democracia costarricense debe satisfacer todas o muchas de las exigencias que le hacen, día a día, los diversos grupos sociales. Nuestros diputados están convencidos de que la política de la transacción –esto es, el constante ceder y negociar, el hacer pactos, el incesante regateo, en fin, la búsqueda del consenso– puede no ser muy eficiente, pero es, sin duda, la mejor política que conocemos. Saben que el cambio es lento, pues toda reforma requiere discusión. También están conscientes de que nuestra estabilidad política, nuestro carácter civilista y nuestra forma de vivir y pensar, se deben a la irrestricta libertad de que disfrutamos.

En segundo lugar, el legislador comprende bien que esta libertad puede ser empleada para obstaculizar el desarrollo económico y social. El precio que se paga por tener un sistema democrático es, sin duda, alto, pero vale la pena. A fin de reformar las estructuras tradicionales, como lo exige el cambio, nuestros diputados escogerían cualquier método, antes de recurrir a la dictadura y sus supuestas ventajas de control de prensa, eliminación del pluralismo de partidos políticos, supresión del poder judicial y prisión para los críticos y disidentes. Para el costarricense, las desventajas de la democracia sólo se superan con mayor democracia.

El análisis de las respuestas puso de manifiesto que no hay diferencias ideológicas importantes entre los legisladores. Aun cuando en la mayoría de los casos las respuestas coincidían con la ideología declarada, en otros no concordaban. Veamos algunos ejemplos. Cuando se les preguntó qué grado de intervención estatal debería existir en la economía privada, la mitad de los diputados de todas las tendencias coincidió en que debería seguir igual.

En cuanto al mantenimiento del sistema de banca nacionalizada, casi todos los legisladores de la tendencia de izquierda respondieron en forma afirmativa. Puesto que la nacionalización de la banca fue uno de los principales logros del Partido Liberación Nacional, es probable que las respuestas de los diputados de izquierda, el 75% de los cuales era del PLN, estuvieran influidas por su lealtad al partido y no por razones ideológicas. Pensamos en esta posibilidad, porque cuando se les consultó si deberían eliminarse las compañías financieras privadas, la mitad de estos diputados contestó negativamente, lo cual debilita su adhesión a la idea de la banca nacionalizada exclusiva.

Una de las respuestas menos consecuentes con la ideología profesada fue la relativa a la abolición de las escuelas y colegios privados. Aquí, tanto los legisladores de la tendencia de izquierda como los de la derecha pensaron de manera similar, quizá porque tenían hijos que asistían a esos centros de enseñanza.

Los diputados de derecha, consecuentes con su ideología liberal, justifican la creación de las universidades privadas con el argumento de que deben existir diversas opciones para que el estudiante pueda escoger entre varios centros de enseñanza superior. En cambio, cuando se les preguntó si el Partido Comunista debería seguir ilegalizado, dos terceras partes respondieron en forma afirmativa. En otras palabras, cuando se trata de ofrecer al electorado la oportunidad de escoger entre distintos credos políticos, nuestros "liberales" no son tan liberales.

Los legisladores de centro en general concordaban con los representantes de la derecha. En algunas oportunidades, asumieron posiciones aún más recalcitrantes que éstos, como sucedió cuando emitieron opinión acerca del establecimiento de relaciones diplomáticas con los países socialistas, o sobre la necesidad de permitir la existencia de escuelas y colegios privados. En otras ocasiones, la posición asumida por los legisladores de centro estaba más cerca de la de los diputados de izquierda.

En definitiva, la mejor manera de medir exacta y fidedignamente la ideología de los legisladores, es analizar cómo votan en las sesiones plenarias de la Asamblea Legislativa. Sin embargo, esto no es posible en Costa Rica, pues las votaciones por lo general no son nominales.[1] No hay duda de que en no pocas oportunidades los diputados dicen una cosa y hacen otra. No obstante, sus respuestas nos permitieron formarnos una idea del espectro ideológico de los legisladores costarricenses.

---

1 Este tipo de votación no se utiliza con suficiente frecuencia, como para hacer posible el empleo de la técnica del análisis de la votación nominal.

QUINTA PARTE

UNA COMPARACION ENTRE PERIODOS LEGISLATIVOS

CAPITULO IX

UNA COMPARACION ENTRE PERIODOS LEGISLATIVOS

En este capítulo estudiamos cuatro períodos legislativos, entre 1920 y 1970, a fin de observar los cambios ocurridos a través de esos años en las características socioeconómicas de los legisladores, y cómo éstas reflejan las transformaciones políticas de ese lapso. Para esto analizamos la edad de los legisladores cuando fueron electos por primera vez, su lugar de nacimiento y su experiencia política, así como la educación y las ocupaciones de ellos y de sus padres.

Se seleccionaron los períodos legislativos de 1920-1922, 1942-1944, 1954-1958 y 1966-1970. Durante este lapso (1920-1970), el país sufrió profundas transformaciones. A principios de los años veintes, Costa Rica era una comunidad de menos de medio millón de habitantes.[1] Su economía era dependiente por completo de la agricultura, y los principales productos de exportación eran el café, el banano y el cacao. La crisis mundial de 1929 incidió hondamente en la economía nacional y provocó una baja notoria en los precios de nuestros productos de exportación. En el período de 1932 a 1936, las exportaciones del país sólo produjeron un ingreso anual promedio de 9 millones de dólares.[2] La delicada situación europea que culminó con la Segunda Guerra Mundial, vino a crear un clima de incertidumbre en el comercio. La débil economía nacional se deterioró aún más debido a las malas cosechas de café y cacao, y por el hecho de que la United Fruit Company abandonó el

1 Para datos sobre la población, véase el cuadro 77.

2 Estos y los siguientes datos acerca de los ingresos por concepto de exportaciones proceden del Banco Central de Costa Rica.

CUADRO 77
POBLACION DE LA REPUBLICA DE COSTA RICA

Hasta el 31 de diciembre del año mencionado	Población total
1920	469.133
1930	516.031
1940	656.129
1950	812.056
1960	1.199.116
1970	1.762.462

FUENTE: Anuarios Estadísticos de la Dirección General de Estadística y Censos.

cultivo del banano en la costa atlántica. En 1939 el ingreso por productos exportables era de apenas poco más de 9 millones de dólares. La guerra tuvo un profundo efecto sobre el comercio del país: Europa dejó de importar nuestro café y, en consecuencia, nuestra moneda se devaluó una vez más.

Después de la Segunda Guerra Mundial, se inicia una nueva fase de nuestro desarrollo. En 1950 la población había aumentado a 812.000 habitantes y el ingreso por concepto de exportaciones alcanzaba los 33 millones de dólares. Es a fines de esta década cuando se inicia la industrialización del país. El ingreso de Costa Rica en el Mercado Común Centroamericano (1963), no sólo le permitió incrementar rápidamente su comercio con los demás países del área centroamericana, sino también la diversificación de éste con el resto del mundo.

Durante los años sesentas se aceleró en forma vertiginosa el proceso de sustitución de importaciones, especialmente en el campo de los alimentos y de los textiles. El empleo industrial aumentó, entre 1963 y 1973, de 23.000 a 45.000 obreros, quienes ganaban salarios superiores a los pagados en las actividades tradicionales. En 1974 los ingresos del país por concepto de ventas al exterior sumaban 433 millones de dólares. El ingreso per cápita anual aumentó de $300 en 1950, a cerca de

$820 en 1974,[1] a pesar de que la población se había duplicado con creces.

Escogimos el período legislativo de 1920, porque era anormal en el sentido de que representaba el regreso a un régimen estable después de un golpe de Estado, a diferencia del período de 1942, que siguió a un lapso de 20 años de estabilidad política. De manera similar, el período legislativo de 1953 cumplió hasta cierto punto el papel de una vuelta a la normalidad política, después de la guerra civil de 1948. Finalmente, escogimos el período legislativo de 1966 por cuanto siguió a dieciocho años de gobierno constitucional ininterrumpido.

Los datos acerca de los legisladores de los dos períodos más recientes (1954-1958 y 1966-1970), ya se habían obtenido de los cuestionarios. Para obtener la información necesaria sobre los demás, fue preciso entrevistar, en muchos casos, a los descendientes de los diputados fallecidos. Esto presentaba dos problemas: era difícil localizar a estos descendientes, pero más aún obtener respuestas veraces. Como resultado, sólo se obtuvieron 32 cuestionarios completos de un total de 60 representantes a la Asamblea Legislativa de 1920, y 46, de un total de 63 en la de 1942. Basamos los datos sobre determinados aspectos (como la edad al ser electos por primera vez y el número total de años que estuvieron en el Congreso) en otras fuentes que hacían referencia al Poder Legislativo costarricense.[2]

Edad y experiencia de los diputados: Como puede verse por el cuadro 78, en todos los períodos legislativos hay una gran representación de diputados relativamente jóvenes. Más del 62% de los legisladores de 1920 había llegado al Congreso antes de los cuarenta años de edad; en 1942, cerca del 72%; en 1953, el 57% y en 1966, el 50%. Desde 1942, la edad promedio de los diputados al ser electos por primera vez, se ha elevado ligeramente: de 36 años en 1942 a 38 en 1953 y a 40 en 1966. En

---

1 En dólares corrientes de los Estados Unidos de América.

2 Entre éstas están: Rafael Obregón Loría, *El Poder Legislativo en Costa Rica* (San José: Universidad de Costa Rica, 1966) y Samuel Stone Zemurray, "Algunos Aspectos de la Distribución del Poder en Costa Rica", en *Suplemento de la Revista de Ciencias Jurídicas* (San José: Universidad de Costa Rica, No. 17, junio de 1971).

CUADRO 78

DISTRIBUCION POR EDADES DE LOS DIPUTADOS AL SER ELECTOS POR PRIMERA VEZ A LA ASAMBLEA LEGISLATIVA

(Valores Absolutos)

EDAD	1920—1922	1942—1944	1953—1958	1966—1970
20 - 29 años	9	7	8	3
30 - 39 años	11	26	23	22
40 - 49 años	6	13	17	18
50 - 59 años	2	—	2	6
60 - 69 años	—	—	3	1
No respondieron	4	—	1	—
Total	32	46	54	50
Promedio	36,4	36,2	38,3	40

DISTRIBUCION POR EDAD DE LOS DIPUTADOS AL SER ELECTOS POR PRIMERA VEZ A LA ASAMBLEA LEGISLATIVA

(Valores Relativos)

EDAD	1920—1922	1942—1944	1953—1958	1966—1970
20 - 29 años	28,1	15,2	14,8	6,0
30 - 39 años	34,4	56,5	42,6	44,0
40 - 49 años	18,8	28,3	31,5	36,0
50 - 59 años	6,3	—	3,7	12,0
60 - 69 años	—	—	5,6	2,0
No respondieron	12,5	—	1,9	—
Total	100,0	100,0	100,0	100,0

1920 esa edad promedio (36 años) era menor que la de períodos legislativos más recientes. Es interesante señalar que en los cuatro períodos estudiados, la categoría más amplia es la de los miembros de 30 a 39 años de edad.

En lugar de encontrar que la edad promedio de los legisladores electos por primera vez declinaba con el tiempo, hallamos que sucedió lo contrario. Así, por ejemplo, en los dos primeros períodos no había ningún diputado mayor de 60 años. Podemos concluir que, en general, han sido mínimas las variaciones de la edad de los diputados al ser electos por primera vez. Al parecer, las reformas a los requisitos para llegar a la Asamblea Legislativa no han aumentado las oportunidades para los jóvenes.

¿Cuál es, entonces, en cada período legislativo, la estructura de edades de los diputados, incluidos los que han estado varias veces en la Asamblea y no sólo los que fueron electos por primera vez? En el cuadro 79 obervamos de nuevo que de 1920 a 1922 se les dio a los jóvenes una mayor oportunidad que en los demás períodos.

En cuanto a la edad de los diputados electos por primera vez en cada uno de los cuatro períodos analizados, puede verse en el cuadro 80 que la situación era similar, en el sentido de que en el bienio 1920-1922 la edad promedio de los legisladores era la más baja.

En general, se observa que en todos los períodos estudiados ha estado representada la juventud. Por el contrario, parece ser que el inicio de una carrera legislativa ha sido mucho más difícil para las personas de 50 ó más años. No obstante, el hecho de que haya habido una mayoría de jóvenes en la Asamblea Legislativa, no significa necesariamente que hayan tenido la mayor influencia, o que hayan sido los más importantes en la formulación de la política, o los más respetados. Como en otras democracias, en Costa Rica son los hombres de mayor edad, o sea, nuestros viejos patriarcas, los que por lo general orientan la función parlamentaria.

A fin de examinar en forma más eficaz las carreras de los diputados, utilizamos cuatro períodos más (los de 1910-1912, 1916-1917, 1930-1932 y 1946-1948), aparte de los analizados en todo el capítulo. De esta manera se quería tener imagen clara de los períodos legislativos de los años veintes, a fin de compararlos con los escogidos para este estudio.

CUADRO 79

DISTRIBUCION POR EDADES DE LOS DIPUTADOS EN EL PERIODO LEGISLATIVO

(Valores Absolutos)

EDAD	1920—1922	1942—1944	1953—1958	1966—1970
20 - 29 años	7	3	6	1
30 - 39 años	12	17	19	15
40 - 49 años	7	17	21	22
50 - 59 años	3	8	3	11
60 - 69 años	--	1	4	1
70 - 79 años	--	--	1	--
No respondieron	3	--	--	--
Total	32	46	54	50
Promedio	37,5	41,8	40,1	44,1

DISTRIBUCION POR EDAD DE LOS DIPUTADOS EN EL PERIODO LEGISLATIVO

(Valores Relativos)

EDAD	1920—1922	1942—1944	1953—1958	1966—1970
20 - 29 años	21,9	6,5	11,1	2,0
30 - 39 años	37,5	37,0	35,2	30,0
40 - 49 años	21,9	37,0	38,9	44,0
50 - 59 años	9,4	17,4	5,6	22,0
60 - 69 años	--	2,2	7,4	2,0
70 - 79 años	--	--	1,9	--
No respondieron	9,4	--	--	--
Total	100,0	100,0	100,0	100,0

CUADRO 80

DISTRIBUCION POR EDADES DE LOS NUEVOS DIPUTADOS EN CADA ASAMBLEA LEGISLATIVA

(Valores Absolutos)

EDAD	1920—1922	1942—1944	1953—1958	1966—1970
20 - 29 años	4	1	6	1
30 - 39 años	8	6	18	13
40 - 49 años	6	8	16	15
50 - 59 años	2	––	2	6
60 - 69 años	––	––	3	1
Total	20	15	45	36
Promedio	37,5	40,6	39,2	42,7

DISTRIBUCION POR EDADES DE LOS NUEVOS DIPUTADOS EN CADA ASAMBLEA LEGISLATIVA

(Valores Relativos)

EDAD	1920—1922	1942—1944	1953—1958	1966—1970
20 - 29 años	20,0	6,7	13,3	2,8
30 - 39 años	40,0	40,0	40,0	36,1
40 - 49 años	30,0	53,3	35,6	41,7
50 - 59 años	10,0	––	4,4	16,7
60 - 69 años	––	––	6,7	2,8
Total	100,0	100,0	100,0	100,0

En el período de 1910 sólo había 17 miembros sin experiencia anterior en el Congreso, de un total de 57 legisladores; 14 tenían experiencia de dos años, 9 de cuatro años, 7 de seis años y, finalmente, había individuos con trece, dieciocho y hasta veintidós años de ejercicio previo de esa función (cuadro 81). El orden constitucional no se había alterado desde 1894. El Congreso de 1910 seguía a dieciséis años de estabilidad política, de modo que los legisladores habían tenido la oportunidad de consolidar su carrera en una época en que esto podía hacerse sin mucha dificultad.

En el período de 1916-1917 había 21 recién llegados de un total de 59 legisladores. De los 56 diputados que contestaron el cuestionario, 35 tenían alguna experiencia legislativa. Aun cuando hay diferencias entre esta Asamblea Legislativa y la de 1910, ambas se asemejan en que la gran mayoría de sus miembros había participado antes en el Congreso.

El período legislativo de 1920 siguió a un cambio abrupto. El orden constitucional se había interrumpido en 1917 y de nuevo en 1919. Los hermanos Tinoco dieron un golpe de Estado y Alfredo González Flores hubo de abandonar la Presidencia de la República. Para 1919 el país se encontraba en plena contrarrevolución, hasta que los rebeldes eliminaron a los Tinoco y fue electo Presidente Julio Acosta. En 1920 retornó la normalidad política, y el período comenzó con un grupo totalmente nuevo en el Congreso. De los 60 individuos electos, 46 no habían tenido ninguna experiencia anterior, y de los 14 que sí habían participado antes, ninguno lo había hecho por más de siete años. Aquí se observa un verdadero cambio: parecía que una nueva generación iniciaba su actividad política.

Diez años después, en el Congreso de 1930, sólo 20 de los 60 diputados eran electos por primera vez. Una tercera parte de ellos tenía apenas dos años de experiencia, y el resto de tres a diecinueve años. En 1942 el número de legisladores sin ninguna experiencia anterior bajó todavía más: 18 eran electos por primera vez, en tanto que 44 de los 62 diputados, disponían de dos a diecisiete años de experiencia previa.

Al año siguiente de la guerra civil de 1948 entró en vigencia una nueva Constitución Política, que, entre otras cosas, prohibía la reelección sucesiva en el Congreso. El primer período legislativo bajo el nuevo orden fue el de 1949-1953. Para este estudio fue seleccionado el segundo período, 1953-1958, en el cual se evidencia de inmediato un

CUADRO 81

EXPERIENCIA LEGISLATIVA PREVIA: NUMERO TOTAL DE AÑOS COMO DIPUTADOS

Período	Años																							No	
Legislativo	0	1	2	3	4	5	6	7	8	9	10	11	12	13	14	15	16	17	18	19	20	21	22	respondieron	Total
1910-1912	17	1	14	–	9	–	7	–	3	1	2	—	—	1	—	—	—	—	1	—	—	—	1	–	57
1916-1917	21	1	17	–	5	1	5	–	2	–	3	—	1	—	—	—	—	—	—	—	—	—	—	3	59
1920-1922	46	1	7	–	4	–	–	2	–	–	—	—	—	—	—	—	—	—	—	—	—	—	—	–	60
1930-1932	20	1	18	1	7	3	1	1	1	1	—	—	1	—	1	1	—	—	—	1	—	—	—	2	60
1942-1944	18	–	17	1	8	1	6	–	2	1	4	—	1	1	1	—	—	1	—	—	—	—	—	–	62
1946-1948	17	–	24	–	7	–	4	1	3	–	—	—	3	—	1	—	1	1	1	—	—	—	—	1	64
1953-1958	48	–	—	1	—	1	2	–	2	–	1	—	1	—	—	—	—	—	—	—	—	—	—	2	58
1966-1970	43	–	—	–	10	1	1	–	1	–	—	—	—	—	1	—	—	—	—	—	—	—	—	–	57

marcado contraste con otros: de los 58 diputados que formaban la Asamblea Legislativa, 48 no tenían experiencia previa. Sólo 8 legisladores habían participado en períodos anteriores, y de éstos, 1 tenía diez años de experiencia y otro, doce. Este resultado obedece a la reciente guerra civil y la creación del Partido Liberación Nacional, fundado por los líderes revolucionarios.

Si no fuera porque la reelección sucesiva se prohibió, cabría esperar un sensible descenso en el número de nuevos representantes en la Asamblea Legislativa de 1966. Sin embargo, de los 57 diputados de esta Asamblea, 43 cumplían su primer período y sólo 14 contaban con cuatro o más años de experiencia. Al prohibirse la reelección sucesiva disminuyó la posibilidad de permanencia en el Congreso, con lo cual se producirían en adelante cambios más frecuentes de legisladores cada cuatro años.

En conclusión, podemos decir que si bien el tiempo y las transformaciones políticas han permitido un mayor cambio de diputados, no se ha producido necesariamente un aumento en el porcentaje de miembros jóvenes, como sería de esperar cuando un sistema político patriarcal termina por convertirse en uno más moderno. La participación de la juventud parece haber sido la característica permanente de la Asamblea Legislativa. Observamos que a lo largo de los años se han presentado grandes variaciones en el número de diputados nuevos, y que la propensión a postular representantes con alguna experiencia previa se ha dado sobre todo en períodos de estabilidad política. La Asamblea Legislativa no ha sido una entidad hermética, sin cambios ni dinamismo.

Origen social de los legisladores: El lugar de nacimiento de los diputados se comparó de acuerdo con los criterios consignados en el cuadro 82, a fin de determinar si ha habido cambios durante los períodos legislativos más recientes. Como se observa en ese cuadro, existen pocas variaciones. Algo menos de dos tercios de los diputados han provenido siempre del cantón central, aunque no necesariamente de zonas urbanas, pues el cantón central también contiene distritos rurales.

Los diputados procedentes de estos cantones, indefectiblemente han tenido una mayor posibilidad de participar en la política, en comparación con los nacidos en las zonas más alejadas de las provincias.

CUADRO 82
LUGAR DE NACIMIENTO
CENTRO PROVINCIAL EN COMPARACION CON EL RESTO DE LA PROVINCIA
(Valores Absolutos)

Lugar de Nacimiento	1920—1922	1942—1944	1953—1958	1966—1970
Cantón Central	18	29	34	30
Resto de la provincia	12	16	18	16
Nacidos en el extranjero	1	1	–	2
No respondieron	1	–	2	2
Total	32	46	54	50

LUGAR DE NACIMIENTO
CENTRO PROVINCIAL EN COMPARACION CON EL RESTO DE LA PROVINCIA
(Valores Relativos)

Lugar de Nacimiento	1920—1922	1942—1944	1953—1958	1966—1970
Cantón Central	56,3	63,0	63,0	60,0
Resto de la provincia	37,5	34,8	33,3	32,0
Nacidos en el extranjero	3,1	2,2	--	4,0
No respondieron	3,1	--	3,7	4,0
Total	100,0	100,0	100,0	100,0

El cuadro 83 demuestra la existencia de una gran homogeneidad en el tipo de educación de los padres de los líderes. Observamos que únicamente en los dos primeros períodos legislativos aparecen algunos padres de los legisladores en la categoría "Sin educación escolar". La constante ha sido, sin embargo, que los progenitores de los diputados posean algún tipo de educación.

En el primer período estudiado, pocos padres de los legisladores tenían una educación universitaria, pues, como ya se dijo, existía una carencia casi total de oportunidades para la educación superior en el país. En 1942 un número mayor de padres contaba con alguna educación universitaria, y en 1953, los graduados y quienes contaban al menos con alguna educación de ese tipo, representaban más del 30%, porcentaje que en 1966 disminuyó a un 26%. Un detalle interesante es el hecho de que la proporción de padres graduados en la universidad no aumenta de manera sistemática: de un 3% en 1920 se elevó a un 15% en 1942, luego casi a un 26% en 1953, y por último descendió a un 12% en 1966.

No obstante haberse producido un cambio más amplio de los diputados, desde que se prohibió la reelección sucesiva, y aun cuando el sistema educacional ha experimentado avances notables, los padres de los diputados de los dos primeros períodos en estudio tienen una preparación similar a los de los legisladores de las Asambleas Legislativas más recientes.

¿De qué manera se relaciona la educación de los padres con sus ocupaciones?[1] El cuadro 84 muestra las categorías de ocupación. Los profesionales nunca han predominado entre los progenitores de los diputados, lo cual concuerda con sus bajos niveles educacionales.

En este aspecto, quizá el hecho más importante sea que los padres con ocupaciones agrícolas (categoría en la cual se incluye no sólo al agricultor sino también al ganadero) han disminuido lentamente. Esta ha sido la tendencia general en el país: en 1927 el 63% de la población económicamente activa estaba dedicada a la agricultura; en 1950 esta

1 Para esta comparación entre los legisladores utilizamos el criterio de ocupación. Puesto que el período estudiado se remonta a 1920, cuando no existía en el país la educación superior, es posible que la estructura de ocupaciones típica de cada estrato social, haya cambiado con el tiempo.

CUADRO 83

DISTRIBUCION DE LOS PADRES DE LOS DIPUTADOS SEGUN TIPO DE EDUCACION

(Valores Absolutos)

Nivel Educativo	1920—1922	1942—1944	1953—1958	1966—1970
Sin educación escolar	1	2	--	--
Educación primaria	15	16	19	17
Educación secundaria (*)	11	19	17	20
Alguna educación universit.	2	1	3	7
Graduado universitario	1	7	14	6
No respondieron	2	1	1	--
Total	32	46	54	50

DISTRIBUCION DE LOS PADRES DE DIPUTADOS SEGUN TIPO DE EDUCACION

(Valores Relativos)

Nivel Educativo	1920—1922	1942—1944	1953—1958	1966—1970
Sin educación escolar	3,1	4,3	--	--
Educación primaria	46,9	34,8	35,2	34,0
Educación secundaria (*)	34,3	41,3	31,5	40,0
Alguna educación universit.	6,3	2,2	5,6	14,0
Graduado universitario	3,1	15,2	25,9	12,0
No respondieron	6,3	2,2	1,8	--
Total	100,0	100,0	100,0	100,0

(*) En esta categoría se incluyen Escuelas de Comercio, Escuelas Normales, etc.

CUADRO 84
DISTRIBUCION DE LOS PADRES DE LOS DIPUTADOS SEGUN SUS OCUPACIONES
(Valores Relativos)

OCUPACION	1920—1922 (N=32)	1942—1944 (N=45)	1953—1958 (N=54)	1966—1970 (N=50)
Sólo profesional	3,1	13,0	25,9	12,0
Empresario agrícola	56,0	37,0	29,6	18,0
Empresario industrial	--	--	--	4,0
Empresario comercial	18,8	26,1	11,1	30,0
Empleado público	6,3	13,0	18,5	20,0
Empleado de empresa privada	3,1	8,7	9,3	6,0
Obrero	3,1	--	3,7	8,0
Trabajador agrícola	6,3	--	--	2,0
No respondieron	3,1	2,2	1,9	--
Total	100,0	100,0	100,0	100,0

cifra bajó al 55%; en 1963, a un 49% y en 1973, a un 37%. [1] El creciente número de padres dedicados a actividades de comercio –excepción hecha del período 1953-1958– refleja el fenómeno costarricense, también característico del resto de América Latina, de un desarrollo urbano con antelación al desarrollo industrial. En efecto, nuestra historia de las últimas décadas muestra un acelerado crecimiento del sector de servicios, especialmente los ofrecidos por el Estado, y de ahí el creciente número de empleados públicos entre los padres de los diputados.

El otro hecho concierne a la participación de los padres y los hermanos de los legisladores en la política local, regional o nacional. ¿Provenían los diputados de familias eminentemente políticas? Si esto era así, ¿cuándo se ha dado con más frecuencia este fenómeno? En el cuadro 85

1 Dirección General de Estadística y Censos. Censos de 1927, 1950, 1963 y 1973.

CUADRO 85

PARTICIPACION DE LOS PADRES Y LOS HERMANOS EN POLITICA

(Valores Absolutos)

Período Legislativo	Padres				Hermanos			
	Total	Sí	No	No respondieron	Total	Sí	No	No respondieron
1920–1922	32	9	23	0	32*	16	13	3
1942–1944	46	11	33	2	46	18	27	1
1953–1958	54	20	32	2	54	26	28	0
1966–1970	50	22	25	3	50	22	26	2

* Número de respuestas

PARTICIPACION DE LOS PADRES Y LOS HERMANOS EN POLITICA

(Valores Relativos)

Período Legislativo	Padres				Hermanos			
	Total	Sí	No	No respondieron	Total	Sí	No	No respondieron
1920–1922	100	28,1	71,9	––	100	53,1	40,6	6,3
1942–1944	100	34,8	60,8	4,4	100	39,1	58,7	2,2
1953–1958	100	37,0	59,3	3,7	100	48,1	51,9	––
1966–1970	100	44,0	50,0	6,0	100	48,0	52,0	––

se advierte que en cada Asamblea Legislativa la proporción de hermanos participantes en política fue mayor que la de los padres, aunque la participación de estos últimos muestra una tendencia ascendente, fenómeno que podría explicarse por las cada vez mayores posibilidades de participación política ofrecidas por nuestro sistema.

Parece, entonces, que el ingreso en el Poder Legislativo no se debió al hecho de que los legisladores pertenecieran a una familia política, a juzgar por el elevado número de ascendientes y hermanos que no participaron en política. Sin embargo, en muchos casos la participación de la familia amplió la posibilidad de una carrera legislativa. El sistema político casi patriarcal de principios de siglo era propicio para nombrar y elegir a miembros de la familia.[1] Esta característica, si bien se ha atenuado en nuestros días, aún no ha desaparecido del todo.

Los diputados y sus actividades: La formación educacional de los legisladores oscila entre los estudios secundarios y los universitarios (cuadro 86), mientras que sus padres sólo habían recibido una educación primaria o secundaria. Es interesante señalar que la movilidad social ascendente entre las generaciones se ha dado en todos los períodos legislativos. El porcentaje de diputados con educación universitaria alcanza o supera al 58% en todos los períodos, excepto el de 1920, cuando sólo alcanzó el 53%. En ningún caso el número de diputados con sólo educación primaria asciende al 10%. Conviene destacar en este aspecto la escasa variación experimentada por el nivel educacional de nuestros legisladores durante los últimos cincuenta años.

Lo expresado en el párrafo anterior no debe conducirnos, sin embargo, a la conclusión de que en el transcurso del último medio siglo no ha habido cambios importantes en el origen socioeconómico de nuestros

1 Por ejemplo, en 1920 Jorge Volio Jiménez aún no había optado por lanzar su candidatura a la Presidencia de la República como jefe del Partido Reformista; pero su hermano Arturo era Presidente de la Asamblea Legislativa y lo sería por varios períodos más. Otro de sus hermanos, Claudio María, también sería diputado. El Presidente Alfredo González Flores fue derrocado en 1917 por los Tinoco; pero su hermano Ernesto fue electo diputado en 1920. Rafael Angel Calderón Guardia no sería candidato presidencial sino hasta 1940, pero su padre, Rafael Calderón Muñoz, resultó electo diputado por primera vez en 1930. León Cortés resultó electo Presidente en 1936; su hijo Otto obtuvo la diputación en 1938 y fue Presidente del Congreso en 1940.

CUADRO 86

DISTRIBUCION POR NIVEL DE EDUCACION DE LOS DIPUTADOS

(Valores Absolutos)

Nivel de educación	1920—1922	1942—1944	1953—1958	1966—1970
Sin educación escolar	--	--	1	--
Educación primaria	2	4	5	4
Educación secundaria (*)	13	15	15	14
Alguna educación universitaria	1	2	2	7
Graduado universitario	16	25	31	25
No respondieron	--	--	--	--
Total	32	46	54	50

DISTRIBUCION POR NIVEL DE EDUCACION DE LOS DIPUTADOS

(Valores Relativos)

Nivel de educación	1920—1922	1942—1944	1953—1958	1966—1970
Sin educación escolar	--	--	1,8	--
Educación primaria	6,3	8,7	9,3	8,0
Educación secundaria (*)	40,6	32,6	27,8	28,0
Alguna educación universitaria	3,1	4,3	3,7	14,0
Graduado universitario	50,0	54,4	57,4	50,0
Total	100,0	100,0	100,0	100,0

(*) En esta categoría se incluyen Escuelas de Comercio, Escuelas Normales, etc.

diputados. En realidad, lo sucedido es que las posibilidades de educación se han ampliado paulatinamente, hasta el punto de que en los últimos años la población universitaria se duplica cada lustro, en parte como respuesta al acelerado crecimiento demográfico, en parte debido a las mayores aspiraciones de nuestra juventud y a la mayor participación de la mujer en la vida nacional. Así, por ejemplo, cuando observamos, en el cuadro 86, que la mitad de los legisladores de los períodos 1920-1922 y 1966-1970 eran graduados universitarios, no debemos olvidar que muy posiblemente su origen socioeconómico era bastante distinto: en los años veintes el acceso a la enseñanza superior era un privilegio de minorías, en contraste con la década de 1960.

El cuadro 87 se refiere a las ocupaciones de los legisladores. En general, no se presentan mayores diferencias en las ocupaciones de los diputados, como sí existen entre las de éstos y las de sus padres. A diferencia de sus progenitores, que se dedicaron fundamentalmente a actividades agrícolas y comerciales y en alguna medida al desempeño de cargos públicos, los diputados eran en una alta proporción profesionales dedicados al ejercicio de su profesión. Conviene señalar, por otra parte, que algunos legisladores han combinado su labor profesional con la agricultura, lo cual podría explicarse por dos razones: una, que la agricultura sigue siendo la principal actividad económica del país; otra, que la relación con el agro les resulta conveniente desde el punto de vista político, en especial a los legisladores de zonas rurales, pues se supone que por dedicarse a actividades agrícolas conocen más de cerca los problemas de los campesinos y están en mejor disposición de ayudar a resolverlos.

Con respecto a las demás ocupaciones los cambios no son muy marcados. Sin embargo, el reducido número de legisladores dedicados a actividades industriales contrasta con los que se ocupan de la agricultura y el comercio.

El desarrollo industrial, relativamente nuevo en nuestro país, ha recibido durante los últimos tres lustros un enorme impulso gracias a la alta y poco selectiva protección que se le ha otorgado con motivo de la creación del Mercado Común Centroamericano. Ahora bien, del hecho de que existan pocos diputados que se dedican a la industria no puede colegirse que el sector industrial carezca de representación en el seno de la

CUADRO 87
DISTRIBUCION SEGUN OCUPACION DE LOS DIPUTADOS
(Valores Relativos)

Ocupación	1920—1922	1942—1944	1953—1958	1966—1970
Sólo profesional	25,0	43,5	33,4	42,0
Profesional más agricultura	12,5	8,7	11,1	4,0
Profesional más industria	--	--	5,6	2,0
Profesional más comercio	3,1	2,2	1,8	--
	(40,6)*	(54,4)*	(51,9)*	(48,0)*
Empresario agrícola	12,5	23,9	20,4	10,0
Empresario industrial	3,1	2,2	1,8	6,0
Empresario comercial	12,5	13,0	13,0	12,0
Funcionario de alto nivel	3,1	--	3,7	2,0
Empleado público	18,8	4,3	7,4	12,0
Empleado de empresa privada	9,4	2,2	1,8	10,0
Obrero	--	--	--	--
Trabajador agrícola	--	--	--	--
No respondieron	--	--	--	--
Total	100,0	100,0	100,0	100,0

(*) Porcentaje total de profesionales

Asamblea Legislativa. Es posible que los intereses de ese sector sean defendidos en la Asamblea por abogados-legisladores, o bien que muchos de los agricultores y comerciantes representados en el Poder Legislativo hayan diversificado sus actividades y sean simultáneamente dueños, si no en su totalidad al menos en parte, de empresas industriales. En efecto, el reciente auge industrial es, en parte, obra de los productores de artículos tradicionales –café, banano, caña de azúcar y carne–, quienes decidieron diversificar sus inversiones, así como de los comerciantes importadores que acogieron con beneplácito las recomendaciones de la Comisión Económica para la América Latina (CEPAL) en el sentido de sustituir importaciones a cualquier costo.

Así como no es válido afirmar que el sector industrial carece de representación en la Asamblea Legislativa, por el hecho de que sólo una minoría de los legisladores se dedican a actividades en ese campo, tampoco lo es en el caso de otros grupos sociales, como los obreros y los trabajadores agrícolas.

Por último, los datos del cuadro 88 confirman que, aun cuando nuestros legisladores han pertenecido fundamentalmente a los estratos

CUADRO 88

ESTRATOS SOCIALES DE LOS DIPUTADOS EN LOS PERIODOS LEGISLATIVOS DE 1920–1922, 1942–1944, 1953–1958, 1966–1970

(Valores Absolutos y Relativos)

	PERIODOS LEGISLATIVOS							
	1920–1922		1942–1944		1953–1958		1966–1970	
Estrato social	Abs.	%	Abs.	%	Abs.	%	Abs.	%
TOTAL	32	100,0	46	100,0	54	100,0	50	100,0
Alto	23	71,9	38	82,6	46	85,2	34	68,0
Medio	9	28,1	8	17,4	8	14,8	16	32,0

altos, el sistema político costarricense es cada vez mas accesible a los diversos grupos sociales. La concesión del voto femenino, la reducción de la edad mínima para votar, de 21 a 18 años, el financiamiento estatal de las campañas electorales y la presión ejercida sobre los partidos políticos para democratizar la selección de los candidatos a la Presidencia de la República, a la Asamblea Legislativa y a las municipalidades, sin duda alguna han ampliado las oportunidades de participación política.

CAPITULO X

CONCLUSIONES

No tenemos hoy un gobierno democrático. Nunca lo hemos tenido y me atrevo a vaticinar a los honorables miembros de la oposición que nunca lo tendremos. Los progresos que hemos hecho en materia de reforma y evolución consisten en ampliar la base de la oligarquía.[1]

Uno de los principales objetivos de esta investigación era probar la verdad o la falsedad de la opinión, sostenida por muchos, de que la estructura de la dirigencia formal en Costa Rica se ha democratizado desde los hechos políticos de 1948, o como resultado de ellos. Si por democratización de la estructura de poder formal entendemos una participación mayor de individuos de estratos medios y bajos en los niveles superiores del sistema político, entonces, según nuestros datos, esa afirmación es falsa. En su mayoría, los líderes formales pertenecían, desde 1948, al estrato social alto cuando entraron en las ramas ejecutiva o legislativa del Gobierno por primera vez. En el análisis comparativo de cuatro períodos, los de 1920-1922, 1942-1944, 1953-1958 y 1966-1970, observamos que los porcentajes de diputados de estratos sociales altos y medios casi no han cambiado en el tiempo.[2]

---

1 Antho. , F len, 1928. Citado por W. L. Guttsman, *The British Political Elite...*, pág. 368.

2 Esto es así por cuanto, según nuestra definición, en el estrato social alto no sólo se incluyen los propietarios grandes y medianos de los sectores agrícola, industrial y comercial, y los gerentes de empresas grandes y medianas, sino también todos los profesionales. Dada la población objeto de este estudio

El Poder Ejecutivo ha sido vedado a individuos de los estratos bajos, y ha ofrecido un acceso muy limitado a los de estratos medios. El Poder Legislativo es más abierto a los sectores medios de la sociedad, pero difícilmente a los bajos. Esta apertura al poder para los sectores medios y el rechazo para los bajos, se deben en parte al fortalecimiento de la clase media en los últimos años. La evidencia empírica disponible nos permite afirmar que el desarrollo económico y social experimentado por el país ha beneficiado principalmente a los estratos medios. Si comparamos la distribución del ingreso nacional en 1961 con la de 1971 (cuadro 89), comprobamos que los sectores medios aumentaron de un 34% a un 44% su participación en el total, a costa de los grupos de ingresos más altos, en tanto que los sectores de ingresos más bajos casi no experimentaron ningún cambio.

CUADRO 89

COSTA RICA: DISTRIBUCION DEL INGRESO FAMILIAR[1]

Porcentaje de las familias	Porcentaje del Ingreso 1961	1971
20% más bajo	6,0	5,4
60% siguiente	34,0	44,0
20% más alto	60,0	50,6
5% más alto	35,0	22,8
1% más alto	16,0	8,5

Fuente: Víctor Hugo Céspedes, *Costa Rica: La Distribución del Ingreso y el Consumo de Algunos Alimentos*. San José: IECES, Universidad de Costa Rica, 1973, pág. 58.

(diputados, ministros y magistrados), el número de profesionales entre ella tenía que ser necesariamente muy elevado, pues es difícil concebir un parlamento sin una significativa cantidad de abogados, o un ministerio de transportes, de salud o de planificación bajo el mando de alguien que no sea profesional. De igual manera, como por ley los magistrados deben ser profesionales en derecho, todos ellos pertenecían al estrato social alto. (Véase la nota 1 en la página 157).

1 Ingreso bruto por familia.

Este mejoramiento relativo en la distribución del ingreso ha sido posible en parte debido a una elevada tasa de crecimiento de la producción; en efecto, el ingreso per cápita en términos reales pasó de $300 en 1950 a $820 en 1974, alcanzando así uno de los ritmos de aumento más alto de América Latina.[1] Pero también obedeció a una transformación de la estructura productiva en favor de los sectores industrial y de servicios, en donde la productividad y por ende los salarios son mayores.

Si bien el cuadro 89 muestra un ligero deterioro de la situación relativa de las clases de más bajos recursos, en él no se toman en cuenta los beneficios derivados de la prestación de servicios públicos en educación y salud, que pueden constituir un componente importante del ingreso no pecuniario de los grupos de menores ingresos. Asimismo, esta pequeña mengua en la participación relativa del grupo más pobre de las familias dentro del ingreso, no significa que se hayan empobrecido en términos absolutos, sino que su situación ha mejorado a un ritmo más lento que el de las demás. No obstante, sí es evidente que han sido los grupos emergentes de los sectores medios, mejor organizados, los que han obtenido los mayores beneficios en el proceso de desarrollo del país en las últimas décadas.

Por otra parte, Costa Rica experimentó un notorio cambio en la distribución de la renta, en favor de los salarios, como consecuencia de la política de salarios crecientes seguida durante el período en cuestión: así, mientras la participación de los salarios en el ingreso total generado en el país aumentó del 49,3% en 1961 al 54,3% en 1971, la participación de las utilidades y dividendos se redujo de un 37,3% a un 32,9%.[2] De nuevo es necesario señalar que el aumento mencionado no implica necesariamente una trasferencia hacia los sectores más pobres de la población. Como puede advertirse en el cuadro 90, el 97% de los trabajadores todavía gana salarios inferiores a los ₡ 3.000 mensuales, lo cual se debe a que, al aumentar, en términos absolutos y relativos, el número de trabajadores asalariados, creció la participación de los salarios en

---

1 El esfuerzo realizado por el país se aprecia mejor si tomamos en cuenta que la población creció de 812.056 habitantes en 1950 a 1.968.438 en 1975. Costa Rica: Dirección General de Estadística y Censos, Censo de 1950 y datos al 30 de junio de 1975.

2 Eduardo Lizano Fait, "Don Oscar Arias Sánchez, los Grupos de Presión y el Desarrollo Nacional", en *Cambio Social en Costa Rica.* San José: Editorial Costa Rica, 1975, pág. 22.

el ingreso nacional, sin que mejoraran los salarios reales promedio. Es decir, la distribución misma de los salarios no ha sido equitativa, debido a que, en general, desde 1948 la política de salarios se ha basado en aumentos porcentuales que han ensanchado aún más la brecha entre los ingresos.

CUADRO 90

ESCALA DE SALARIOS EN 1973[1] PARA TRABAJADORES CUBIERTOS POR EL SISTEMA DE SEGURIDAD SOCIAL

	Trabajadores asegurados	
Escala de salarios (en colones)	**Valores Absolutos**	**Valores Relativos**
Menos de 400	83.804	31,37
400 – 1.000	114.749	42,96
1.000 – 2.000	48.705	18,23
2.000 – 3.000	11.121	4,17
Más de 3.000	8.732	3,27
TOTAL	267.111	100,00

Fuente: Estadística Trimestral de Salarios, San José, CCSS, 1973.

La economía costarricense es mixta y en ella el papel del Estado se ha vuelto más importante. Como puede verse en el cuadro 91, la relación entre el Gasto Público y el Producto Interno Bruto aumentó de un 33% al 67% en dos décadas. El número de empleados públicos creció a un ritmo de 7,9% anual, o sea, que aumentó de 32.000 en 1960 a 100.000 en 1975. Durante ese mismo período, la población económicamente activa sólo aumentó a un ritmo de 3,5%[2] Si bien es cierto que no

1 Para 1973 este total constituye el 50,2% de la población económicamente activa.
2 Eduardo Lizano Fait, "Don Oscar Arias Sánchez, Los Grupos de Presión y el Desarrollo Nacional" (Op. cit. pág. 23).

todos los empleados públicos pueden clasificarse dentro del estrato medio, un alto porcentaje de los educadores, técnicos y empleados de cuello blanco de las instituciones autónomas, definitivamente pertenece a los grupos de ingresos medios.

CUADRO 91

RELACION ENTRE EL GASTO PUBLICO Y EL PRODUCTO INTERNO BRUTO

(Millones de colones)

	1950	1960	1970
1. Producto interno bruto[1]	1.334,1	2.766,7	6.269,4
2. Gasto público	443,9	1.538,1	4.226,5
3. (2 / 1)	33,3	55,6	67,4

Fuente: Oficina de Planificación Nacional y Política Económica. San José, 1974.

Existen, sin embargo, otros sectores medios cuya situación quizá haya empeorado, al menos en términos relativos: los pequeños agricultores afectados por los crecientes costos de producción, que no han logrado aumentos significativos en la productividad, así como los pequeños industriales cuya condición se ha deteriorado por la competencia de compañías manufactureras más grandes. En síntesis, Costa Rica ha pagado por su desarrollo el mismo ingrato precio que han debido pagar todos los países industrializados: la inevitable proletarización de los pequeños empresarios.

¿Quiénes son entonces los representantes de esta nueva clase media dependiente y burocrática, orientada al consumo, y sólo interesada en la seguridad de su empleo y en sus aumentos de salarios? La respuesta para Costa Rica no es difícil. Nuestros líderes, que pertenecen principalmente al estrato social alto, representan no sólo los intereses de ese estrato, sino también los de los sectores medios, que como hemos visto, consciente o inconscientemente, se identifican con ellos. La simbiosis

1 PIB: A precios de mercado.

entre los estratos medio y alto es comprensible: los sectores medios están interesados en mantener el statu quo, pues cualquier cambio puede poner en peligro su estabilidad. Así, tienen conciencia de que su progreso depende de la situación de quienes ostentan el poder. Por otra parte, la seguridad de los estratos gobernantes superiores depende de los privilegios que se otorguen a los sectores medios, pues cualquier reducción en el nivel de vida de éstos podría radicalizarlos y originar, a su vez, que se cuestione el derecho de los estratos superiores para conservar el poder político.

Es un hecho que la mayoría de nuestros líderes formales pertenece al estrato social alto. Sin embargo, sería una candidez suponer que representan sólo a los miembros de su propio estrato, como lo sería pensar en que los legisladores sólo encarnan los intereses de su electorado, y los ministros los intereses del partido político que eligió al Presidente. El origen socioeconómico de un político no condiciona necesariamente su ideología. Es posible, y la historia nos muestra muchos ejemplos, que individuos del estrato social alto representen a los más necesitados, mientras que líderes de origen humilde encarnen los intereses de la más rancia aristocracia. Para personificar y defender los privilegios de un cierto estrato social, no es condición indispensable pertenecer a ese estrato. En Costa Rica, como se evidenció en nuestro análisis del período legislativo de 1966, aun cuando no encontramos diferencias ideológicas significativas entre los diputados, las pocas divergencias descubiertas no tenían ninguna relación con su origen socioeconómico. Como lo afirma C. Wright Mills:

Pero no sólo son importantes las similitudes de origen social, filiación religiosa, cuna y educación, al estudiar las afinidades psicológicas y sociales de los miembros de la minoría. Aunque su procedencia fuere más heterogénea, estos hombres seguirán presentando un tipo social de bastante homogeneidad. Pues la serie de datos más importante respecto a un círculo de hombres son las normas de admisión, estimación, honor o promoción que prevalecen entre ellos; si éstas son análogas dentro del mismo círculo, sus miembros tenderán como personas, a parecerse. Los círculos que integran la élite del poder se inclinan a tener en común dichos códigos y dichas normas. La co-optación de los tipos sociales hacia los cuales conducen estos valores comunes es con frecuencia de mayor importancia que cualquier estadística referente a orígenes y carreras, que podamos utilizar.[1]

La democratización, entendida como una mayor participación de los individuos de estratos medios y bajos en los puestos políticos superiores, en realidad no se ha dado, aunque las posibilidades de acceso al estrato alto son hoy mayores en virtud de la más amplia oportunidad que ofrece nuestro sistema de educación, el cual permite a un mayor número de individuos coronar sus carreras profesionales.

Como ya dijimos, la rama ejecutiva ha estado vedada a miembros de los estratos bajos, y su acceso es muy limitado para los de estratos medios. Por otra parte, el Poder Legislativo ha sido más asequible, especialmente para los sectores medios. Sin embargo, no dudamos de que la élite política costarricense es más abierta y permeable que la de muchos otros países,[2] y que en este campo las perspectivas son prometedoras. Esto parece ser así en virtud de que el sistema político de hoy es más representativo que en los años veintes y cuarentas, a causa de una mayor democratización de los procesos mediante los cuales se selecciona a los legisladores, procesos en los que el origen social es cada vez menos importante.

Otros factores han favorecido la apertura del sistema político en los últimos años. Entre ellos sobresale la financiación estatal de las campañas políticas: el hecho de que el Estado sufrague los gastos de campaña de cada partido, según su fuerza electoral, significa que los candidatos, para ocupar puestos electorales, no tienen que provenir, por fuerza, de grupos de ingresos elevados.

El contraste entre la clase social a la cual afirma pertenecer el líder y su verdadero estrato social, nos permite afirmar que la forma de perci-

---

1 C. Wright Mills, *La Elite del Poder* (México: Fondo de Cultura Económica, 1973), pág. 263.

2 José de Imaz, *Los que Mandan* (Buenos Aires: Eudeba, 1964); W. L. Guttsman, *The British Political Elite* (Londres: MacGibbon & Kee, 1965); Frederick Frey, *The Turkish Political Elite* (Cambridge, Mass.: The MIT Press, 1965); Donal Matthews, *U.S. Senators and Their World* (Nueva York: Random House, 1960); Julio Fernández, *The Political Elite in Argentina* (New York University Press, 1970).

bir su propia clase social no refleja la ubicación del dirigente en la jerarquía de estratos. Hemos visto su tendencia a considerarse de la clase media, actitud que es comprensible y explicable desde el punto de vista cultural. Innumerables estudios demuestran que personas de todos los niveles sociales tienden a definirse como de clase media, aunque en realidad no lo son.

En cuanto a la movilidad social entre los líderes y sus progenitores, advertimos la movilidad inter-generacional, en el sentido de un cambio positivo de estrato entre padres e hijos, generalmente del medio al alto. Sin embargo, la mayor parte de los dirigentes ya había ascendido socialmente cuando ocuparon su primer puesto político formal. De ese modo, los hijos de padres con ocupaciones de estrato medio se convirtieron en profesionales con posibilidades políticas. Existe poca avidencia de esa movilidad entre individuos provenientes del estrato bajo.

Respecto a la movilidad intra-generacional, encontramos que el hecho de ocupar un puesto público superior tenía un efecto socioeconómico sobre el individuo. Un considerable número de los líderes pertenecientes al estrato medio ascendió al alto después de ocupar un destacado puesto político. Este fenómeno se debe, en parte, a que estos individuos establecen, durante su permanencia en el cargo político, una serie de contactos personales favorables para su ascenso en la jerarquía de ocupaciones.

También nos interesaba estudiar los posibles cambios en la edad del grupo de líderes antes y después de 1948. Como esperábamos, desde esa fecha la estructura de poder se ha caracterizado por dirigentes jóvenes. Alrededor de dos tercios de los ministros y un número todavía más elevado de los legisladores, llegaron a sus puestos entre las edades de 30 y 49 años; después de los cincuenta existen pocas posibilidades de ocupar un puesto político de importancia. Así, encontramos una élite política más joven que la observada generalmente en estudios de esta naturaleza, al menos en países más desarrollados.

Sin embargo, la composición de edades en los períodos legislativos anteriores era aún más sorprendente. En épocas que datan desde 1910 había un gran número de jóvenes diputados de menos de 40 años al ser electos por primera vez. Así, la categoría más numerosa en los primeros períodos legislativos analizados, es la que va de los 30 a los 39 años.

Al parecer se consideraba, en el período de 1920 a 1940, que los jóvenes abogados de las clases media y alta eran candidatos aptos para el Congreso tan pronto terminaban su formación profesional.

Es difícil afirmar que la guerra civil de 1948 condujo a una representación directa de los sectores campesinos del país en los Poderes Ejecutivo y Legislativo. De los líderes que han ocupado puestos públicos desde esa fecha, un porcentaje muy reducido de los ministros y legisladores nació en zonas rurales. El sistema político ha girado, desde 1948 hasta el presente, alrededor de los individuos de origen urbano del país. En efecto, las zonas rurales han sido representadas por personas oriundas de circunscripciones urbanas y educadas en éstas. El campo no ha tenido suficiente capacidad para la formación de líderes de alto nivel.[1]

La residencia del líder al ser electo o nombrado también se relacionó con los centros urbanos del país. La comparación entre los períodos legislativos más recientes demostró que alrededor de dos tercios de los diputados provienen siempre del cantón central, aunque no necesariamente de zonas urbanas, pues el cantón central también contiene distritos rurales. La representación de los sectores rurales en el Congreso fue menor en los primeros períodos legislativos, a pesar de que la población rural del país era más elevada. No obstante el origen urbano de sus representantes, las áreas rurales no han carecido de representación en la Asamblea, pues esos legisladores actúan como verdaderos "diputados rurales", en defensa de los intereses de las comunidades campesinas.

Los líderes formales costarricenses no parecen ser políticos de carrera. Más de la mitad de los ministros y de los legisladores no había participado de previo en ningún puesto político. Los ministros con alguna experiencia habían ocupado sobre todo puestos altos; el número de los que los ocuparon bajos es insignificante. Los diputados, en general de origen ligeramente inferior en cuanto a estrato, parecen más obligados a labrarse el camino desde los puestos bajos o medios.

---

1 En lo que se refiere a la educación, por ejemplo, Víctor Hugo Céspedes realizó en 1971 un estudio sobre 3.100 familias (aproximadamente un 1% de las familias del país), y descubrió que un 18% de los jefes de familia de zonas rurales no tenía ninguna educación, en tanto que este porcentaje era de sólo 4% en las zonas urbanas. En lo referente a la educación secundaria, un 5% de los jefes de familia de zonas rurales realizó algunos estudios, mientras que en las zonas urbanas este porcentaje alcanza un 20%.

Comparados con los ministros, más diputados del estrato alto han servido puestos medios, y rara vez de bajo nivel. En lugar de encontrar la existencia de una carrera política vertical, en la que los líderes ascienden de los puestos bajos a los medios y luego a los altos, descubrimos que los ministros circulan casi en forma exclusiva en los puestos más elevados del sistema político, en concordancia con su carácter de miembros de la élite del poder formal, en tanto que una proporción mayor de legisladores ha ocupado puestos de segundo orden, independientemente de su estrato social.

Los puestos políticos locales, aunque decisivos e importantes en el ámbito comunal, en el sentido de que las demandas de los gobiernos municipales reciben mucha atención tanto en la Asamblea Legislativa como en los ministerios, no son un requisito indispensable para la élite en su camino al poder. Este fenómeno se comprende si se toma en cuenta que los líderes locales tienen niveles educacionales y de ocupación inferiores a los de la élite nacional. Aunque pueden ser individuos de prestigio en sus propias comunidades, por lo común no tienen influencia ni poder más allá del ámbito local. Generalmente adquieren su puesto y su prestigio por medio del contacto personal con los miembros de sus respectivas comunidades. En síntesis, aun cuando nuestras municipalidades son entidades democráticas y actúan como importantes grupos de presión sobre el sistema político nacional, no constituyen un paso imprescindible en la ruta de la élite hacia el poder.

Como se ha observado a lo largo de este estudio, el Partido Liberación Nacional es un tanto distinto a los otros dos partidos políticos, aun cuando no se encontraron diferencias significativas entre los miembros de este grupo y los de las otras dos tendencias. El PLN no fue creado por miembros de la aristocracia más conservadora, pero tampoco por revolucionarios o idealistas de los estratos más bajos, sino por profesionales y empresarios de los sectores medio y alto, quienes pretendían construir un partido permanente y moderno, capaz de funcionar con éxito en el marco de la democracia liberal costarricense. Los ministros y diputados que surgieron de este partido parecían reflejar esos orígenes y esas metas.

Aun cuando la mayoría de los líderes formales pertenecían al estrato social alto cuando ingresaron por primera vez a los Poderes Legislativo,

Ejecutivo y Judicial, los diputados del Partido Liberación Nacional provenían de estratos sociales inferiores a los del Unión Nacional, quienes a su vez procedían de estratos ligeramente más bajos que los del Republicano Nacional. A pesar de que los clubes sociales han sido los más importantes centros de reunión del político costarricense, los legisladores del PLN no los han frecuentado, lo cual puede atribuirse al origen social un poco más bajo de éstos.

Como se desprende de este estudio, los sectores populares –obreros y campesinos–, que constituyen la base mayoritaria del electorado de los tres partidos políticos, no forman parte de la élite del poder formal. Ello se debe a su débil o incipiente organización, y al hecho de que los sindicatos existentes no han luchado por penetrar las estructuras de dichos partidos.

En lo que se refiere al lugar de nacimiento, encontramos que es el Partido Liberación Nacional el que tiene menos líderes de origen urbano. Un menor porcentaje de sus miembros ha provenido de las capitales nacional y provinciales, tanto en la rama ejecutiva como en la legislativa, y una proporción mayor, de ciudades secundarias y zonas rurales. Aunque la experiencia dentro del partido no resultó indispensable para llegar a cargos políticos altos, comparado con las otras tendencias, el PLN tiene más legisladores de clase media que han ocupado dos, tres o cuatro puestos. Cuando examinamos las diferencias de origen socioeconómico entre los políticos que son abogados y los que no lo son, notamos que también el PLN es la tendencia en la cual un mayor número de abogados declaró pertenecer a las clases obrera y media. En general, la mayoría de las diferencias halladas entre los tres partidos se da en la rama legislativa del gobierno. En ésta el PLN ha dado mayores oportunidades a personas de origen social más bajo. Estas desigualdades son mínimas cuando se trata del Poder Ejecutivo.

Independientemente de su partido, los ministros están ligados a la élite socioeconómica. Tienen una mejor educación que los diputados, como también la tienen sus padres con respecto a los de los legisladores. De igual manera, han tenido más experiencia académica fuera del país que los miembros de la Asamblea Legislativa. Los ministros pertenecen a clubes más exclusivos que los frecuentados por los legisladores. Mientras, en general, más diputados declaran tener padres de la clase obrera, los ministros afirman descender de familias de las clases altas.

Los miembros de la rama ejecutiva se consideran a sí mismos de una clase más alta que aquella a la cual afirman pertenecer los legisladores. El porcentaje de éstos que ha nacido en provincias distintas de San José también es más alto que el de los ministros, quienes son originarios casi exclusivamente de los cantones centrales de las provincias más desarrolladas del país, y han nacido en su mayoría en la provincia de San José.

Como vimos antes, cuando nos referimos a la experiencia política de los líderes, una notoria mayoría de los ministros ha ocupado uno o varios cargos altos. Los diputados, en cambio, deben forjarse su carrera desde puestos bajos o medios. Mientras los ministros tienen poco que ver con el trabajo en el partido, e ingresan en la rama ejecutiva fundamentalmente por su capacidad, su prestigio profesional o su amistad con el Presidente de la República, los legisladores dependen más de los mecanismos de su agrupación política para llegar a la Asamblea Legislativa.

Los resultados de este estudio nos mueven a hacer algunas reflexiones en torno a la eficacia y la vigencia del régimen democrático.

Aun cuando la democracia clásica pueda aparecer ante nuestros ojos como un concepto romántico, como una utopía, no hay duda de que sigue siendo el ideal de ayer y de hoy. Cuando los clásicos la formularon, no tomaron en consideración la experiencia. Simplemente, en busca de algo mejor, volvieron sus ojos a los viejos conceptos de la democracia griega. La meta era un gobierno del pueblo. Nunca se preguntaron cómo funcionaría el sistema, aunque supusieron que la voluntad de este pueblo cobraría forma en la acción gubernamental. Vino luego el sistema representativo. Se creyó entonces que el elector tendría control sobre sus elegidos por el simple hecho de haber votado. Se olvidaron los clásicos de un infinito número de problemas y circunstancias que quizá en ese tiempo era imposible prever: la indiferencia de la población, su poco sentido de responsabilidad, el poder de la propaganda, y especialmente la proliferación y creciente influencia de los grupos de presión.[1]

---

1 Oscar Arias Sánchez, *Grupos de Presión en Costa Rica* (San José: Editorial Costa Rica, 1974), pág. 112.

Con el tiempo, el concepto de la representación se confundió con el derecho de participar en la elección de los representantes: la preocupación primordial de la democracia se concentró en la tarea de perfeccionar el sufragio y ampliar el número de sufragantes. Ahora bien, el sistema de representación, así definido, resulta hoy insuficiente para el fortalecimiento de la democracia. La democracia representativa no tiene sentido en nuestros días sin una democracia participativa.

La necesidad de una mayor participación deriva del hecho de que toda persona tiene siempre algo que aportar, que ofrecer, que dar. En el campo de las ideas nadie posee toda la verdad. No hay *una verdad* sino *muchas verdades*. La pluralidad de ideas es, por ello, esencial en el régimen democrático: cada cual está en capacidad de aportar algo en la construcción del destino común de los pueblos. Si deseamos fortalecer nuestra democracia, es indispensable auspiciar la participación efectiva de todos en la toma de decisiones, tanto en el ámbito político como en el económico, social, cultural y, en fin, en todo cuanto afecte nuestra conducta y nuestros intereses.

No existe un patrón único para canalizar la participación de los grupos sociales en el juego democrático. Las organizaciones que se establezcan habrán de ser todas aquellas que los miembros de la sociedad consideren convenientes para lograr los fines de participación deseados. Lo principal de dichas organizaciones ha de ser su autonomía, de manera que no sean manipuladas ni manipulables, a fin de que puedan llegar a convertirse en auténticos entes de participación, es decir, en instituciones sujetas únicamente a las decisiones de sus propios integrantes.

La democracia se opone a toda forma de poder absoluto, incluso el de la mayoría. La democracia es diálogo, transacción, lucha permanente en pos del consenso. No es lícito, ni para la mayoría ni para la minoría, monopolizar el poder, pues ello implica la negación del derecho a disentir. La democracia supone una oposición: el verdadero demócrata no sólo auspicia sino que protege la existencia del adversario.

La democracia es tolerancia: garantiza el pleno ejercicio de la libertad de pensamiento, de expresión, de culto. El precio político de la impaciencia es la autocracia, cuyos rasgos característicos son la imposición de una voluntad y el cercenamiento de las libertades. Lo esencial del sistema democrático es, entonces, el principio de que nadie –no importa si es un hombre o un grupo de hombres– debe imponer en forma arbitraria su criterio a los demás. Quien gobierna debe actuar pensando siempre que el día de mañana puede no estar en el poder.

En algunos rincones de la tierra ha irrumpido la violencia. La desesperación de grandes masas de la humanidad por lograr un cambio social más acelerado y una mayor justicia en el reparto de los beneficios del desarrollo económico, es cada vez más crítica. Los regímenes democráticos no han escapado a la crisis. Pero, ¿podemos atribuir a la democracia este mal? Con frecuencia nos preguntamos si dentro del marco de la democracia es posible alcanzar una mayor justicia social y un satisfactorio desarrollo económico. No pocos afirman que la democracia es un sistema caduco, incapaz de satisfacer las demandas del mundo actual. Me parece que quienes así opinan incurren en una ligereza, pues la crisis que hoy vivimos no es exclusiva de los gobiernos democráticos. Por el contrario, en muchos de ellos se han previsto soluciones mucho más juiciosas y eficaces que en otros regímenes políticos.

Nadie desconoce que el sistema democrático adolece de deficiencias y que está expuesto a las amenazas del totalitarismo, de derecha o de izquierda. Pero no hay duda de que los países democráticos hacen frente, con buen éxito, a los problemas que presenta la cambiante realidad del mundo. Su flexibilidad permite encontrar nuevas salidas y soluciones a las dificultades que surgen a cada paso, y esto se hace dentro del contexto de respeto a las libertades individuales. Es indiscutible que las ventajas del sistema democrático, con todo y sus defectos –inherentes, por otra parte, a toda creación humana– son sensiblemente mayores que las ofrecidas por los regímenes totalitarios.

Perfeccionar nuestro sistema de modo que permita una efectiva participación de los diversos sectores sociales en el proceso de toma de decisiones, mejorar los patrones universales de escogencia de nuestros gobernantes, y mantener al mismo tiempo la eficacia técnica, podría ser, entonces, la solución a las amenazas a que hoy se enfrenta la democracia. Creo que nuestro compromiso, como demócratas, es perfeccionar el sistema, luchar por su consolidación y preservar de ese modo la paz y la libertad que por tantos años hemos disfrutado.

Este estudio ha señalado quiénes son nuestros gobernantes. Si bien la composición de la élite es importante, pues al hombre común no le es indiferente estar gobernado por un grupo de empresarios, de profesionales o de obreros, también es importante el tamaño y la fuerza del liderazgo informal. El reto de nuestro tiempo consiste en lograr una más equilibrada representación de todos los grupos sociales dentro de los diversos órganos decisorios, tanto del Estado como privados. La democracia sólo sobrevivirá si logramos distribuir de una manera más equitativa el poder y si somos capaces de ejercer con eficacia el derecho de participar en las decisiones que nos afectan.

El que se desee distribuir el poder no significa, dentro del régimen democrático, la supresión de la autoridad, sin la cual caeríamos fácilmente en la anarquía. La alternativa es, entonces, alcanzar un sistema conforme al cual la autoridad sea compatible con la libertad. La libertad no implica irresponsabilidad ni ausencia de todo freno moral. En la medida en que no podamos remozar, bajo estos principios, nuestra democracia, estaremos imposibilitados para crear una nueva sociedad.

Perfeccionar nuestra democracia no es una tarea fácil. Pero tampoco es imposible. Habrá serios tropiezos. Habremos de incurrir más de una vez en errores y tendremos que cambiar varias veces de rumbo. Sin embargo, lo importante es que comencemos cuanto antes. Después de todo, como lo dijo una vez Max Weber, "el hombre no hubiera logrado lo posible si no hubiera intentado una y otra vez alcanzar lo imposible".[1]

---

1 H. H. Gerth y C. Wright Mills, *From Max Weber . . .*, pág. 128.

METODOLOGIA

METODOLOGIA

I. EL OBJETIVO DE LA INVESTIGACION Y LA POBLACION ESTUDIADA

El objetivo de este estudio fue investigar los antecedentes socioeconómicos de los líderes formales costarricenses desde 1948, a fin de determinar cuánto ha cambiado este aspecto en los últimos 26 años. El liderazgo formal a que se refiere el estudio comprende a los individuos de las ramas legislativa, ejecutiva y judicial del gobierno, así como de la Asamblea Nacional Constituyente. Por lo tanto, no nos ocupamos del fenómeno del liderazgo informal en la sociedad. Una vez definida la población, fue necesario decidir si se incluía como líderes formales a los diputados suplentes, viceministros, procuradores de la República y directores de la Oficina de Planificación Nacional. Optamos por incluir a los diputados suplentes[1] porque fueron electos por el mismo procedimiento que los legisladores propietarios. Se excluyó a los viceministros, porque oficialmente no forman parte del Gabinete. Los procuradores y los directores de la Oficina de Planificación Nacional se consideraron únicamente cuando se les dio rango ministerial. En la rama judicial, el análisis sólo abarcó a los magistrados de la Corte Suprema electos después de 1948, y no se incluyó a los magistrados suplentes.

Los veintiséis años estudiados[2] se dividieron en las siguientes administraciones: la Junta Fundadora de la Segunda República, encabezada

1 Los diputados suplentes existieron hasta 1961, cuando se modificó la Constitución para limitar el número de miembros de la Asamblea Legislativa.
2 El período estudiado se remonta a 1908. Cuando esto ha ocurrido, se ha indicado en el texto.

por José Figueres Ferrer (1948-1949); la Asamblea Constituyente de 1949; y las administraciones presidenciales de Otilio Ulate Blanco (1949-1953), José Figueres Ferrer (1953-1958), Mario Echandi Jiménez (1958-1962), Francisco Orlich Bolmarcich (1962-1966), José Joaquín Trejos Fernández (1966-1970), y José Figueres Ferrer (1970-1974).

La población estudiada incluía 461 líderes. Como algunos de ellos ocuparon diferentes puestos en diversos gobiernos, el estudio abarcó 575 puestos formales. De los dirigentes, el 1,2% ejerció la Presidencia de la República; el 20,7% ocupó puestos en el Gabinete; el 71,8%, curules legislativas, y el 6,3%, magistraturas de la Corte Suprema. Las mujeres constituyeron sólo el 1% de la rama ejecutiva y el 3,1% de la legislativa.

La distribución de los líderes según la rama de gobierno, y por administraciones es la siguiente:

CUADRO 92

DISTRIBUCION DE LOS LIDERES POR RAMA DE GOBIERNO Y POR ADMINISTRACIONES

	Número de miembros en la rama		
Año o período	**Ejecutiva**	**Legislativa**	**Judicial**
Junta Fundadora – 1948	13	––	
Asamblea Constituyente – 1949	––	59	
1949 – 1953	17	63	
1953 – 1958	23	58	
1958 – 1962	18	61	
1962 – 1966	21	58	
1966 – 1970	16	57	
1970 – 1974	18	57	
TOTAL	126	413	36

II. LA RECOPILACION DE DATOS

Los pasos generales seguidos para la recopilación de datos fueron: a) la elaboración de una lista con los nombres y direcciones de los líderes, b) la elaboración del cuestionario, c) las entrevistas, d) la codificación y tabulación de los datos, e) el análisis de los datos.

La elaboración de las listas: La lista básica contenía los nombres y las direcciones de los líderes. A fin de preparar esta lista, visitamos la Asamblea Legislativa, las oficinas de la Presidencia de la República y la Corte Suprema de Justicia, en un esfuerzo por recoger todo el material histórico disponible. Sin embargo, no existen archivos especiales, y en la Corte Suprema sólo hay una lista general. Una entrevista con el historiador Rafael Obregón Loría resultó muy valiosa para completar la información a este respecto. En su libro *El Poder Legislativo en Costa Rica*[1] encontramos los nombres de todos los diputados hasta el período de 1966-1970. También nos facilitó algún material que había recogido, con los nombres y biografías breves de los miembros de la rama ejecutiva del gobierno. Para complementar los datos así obtenidos recurrimos a otras fuentes, en especial obituarios y referencias en los periódicos. Asimismo, entrevistamos a varios magistrados de la Corte Suprema, a fin de completar la información necesaria sobre esta rama.

Una vez terminada la lista básica, hicimos tres listas auxiliares:

1. Una lista de los líderes, por orden alfabético, en que se especificaban el puesto que habían ocupado y las fechas en que lo hicieron.
2. Una lista en orden numérico, con el fin de asegurar el carácter confidencial de la información. A cada líder se le asignó un número que identificaría su cuestionario.
3. Una lista conforme a los períodos gubernamentales en que se dividió a la población estudiada, tanto en orden alfabético como en orden numérico.

---

1 Rafael Obregón Loría, *El Poder Legislativo en Costa Rica* (San José: Universidad de Costa Rica, 1966).

Entrevistas: Los datos fundamentales de esta investigación se obtuvieron del cuestionario principal: "Estudio del liderazgo formal en Costa Rica", constituido de 15 páginas con 25 preguntas. Los temas más importantes fueron: el origen socioeconómico de los líderes y sus familias; sus ocupaciones, educación, clases sociales y experiencia política; la fecha en que iniciaron su actividad política; los puestos públicos ocupados y el trabajo realizado dentro de los partidos; su participación en actividades sociales y económicas, y alguna información acerca de características demográficas tales como edad, lugar de nacimiento, estado civil, etc.

En un principio, el cuestionario fue enviado por correo a todas las personas escogidas para el estudio, junto con una carta en la cual se insistía en que toda la información suministrada sería confidencial. Por la falta de instrucciones precisas para responder al cuestionario, así como por la dificultad de obtener direcciones postales exactas de la mayoría de las personas mencionadas, el porcentaje inicial de respuestas fue sumamente bajo: 6,5%. Decidimos, entonces, recurrir a las entrevistas personales y a conversaciones telefónicas. Varios estudiantes de tercer año de la Escuela de Ciencias Políticas de la Universidad de Costa Rica efectuaron 225 entrevistas personales; el autor realizó 78 entrevistas y 65 conversaciones telefónicas. También se hicieron entrevistas directas o se sostuvieron conversaciones telefónicas con parientes cercanos de los líderes fallecidos o residentes fuera del país.

El grado de respuesta de los 413 legisladores fue de 88,8%, el de los 126 miembros de la rama ejecutiva fue de 97,2% y el de los 36 magistrados, el 83,3%. En conjunto se obtuvo una respuesta de 90,4%. Cuando separamos estos porcentajes en las tres principales tendencias políticas estudiadas, encontramos que en la rama ejecutiva el 98,5% de los 67 liberacionistas, el 92,9% de los 15 miembros del Republicano y el 97,7% de los 43 del Unión Nacional, respondieron al cuestionario. En la rama legislativa, el 89,3% de los 196 liberacionistas, el 91% de los 89 republicanos, y el 87,3% de los 118 miembros del Unión Nacional, contestaron. En el cuadro 93 se aprecia cuántas personas en los Poderes Ejecutivo, Legislativo y Judicial contestaron y el cuadro 94 muestra el grado de respuesta en cada rama de gobierno, por tendencia política.

CUADRO 93
RESPUESTA Y FALTA DE RESPUESTA, POR ADMINISTRACIONES RAMAS LEGISLATIVA, EJECUTIVA Y JUDICIAL
(Valores Absolutos y Valores Relativos)

Ramas por Administración	Total	Respuesta	Falta de respuesta	Porcentajes		
				Total	Respuesta	Falta de respuesta
Rama Legislativa						
Asamblea Constituyente	59	54	5	100%	91,5	8,5
1949–1953	63	52	11	100%	82,5	17,5
1953–1958	58	54	4	100%	93,0	7,0
1958–1962	61	52	9	100%	85,2	14,8
1962–1966	58	52	6	100%	89,6	10,4
1966–1970	57	50	7	100%	87,7	12,3
1970–1974	57	53	4	100%	93,0	7,0
Subtotal	413	367	46	100%	88,8	11,2
Rama Ejecutiva						
Junta Fundadora	13	13	––	100%	100,0	––
1949–1953	17	17	––	100%	100,0	––
1953–1958	23	22	1	100%	95,6	4,4
1958–1962	18	17	1	100%	94,4	5,6
1962–1966	21	21	––	100%	100,0	––
1966–1970	16	15	1	100%	93,7	6,3
1970–1974	18	18	–	100%	100,0	–
Subtotal	126	123	3	100%	97,2	2,8
Rama Judicial						
Magistrados	36	30	6	100%	83,3	16,7
Total	575	520	55	100%	90,4	9,6

Nuestro estudio se redujo a 409 dirigentes y 520 puestos políticos formales. Por varias razones no se logró una respuesta del 100%. Mencionaremos únicamente aquellas dificultades cuya solución pueda contribuir a obtener resultados más exactos en futuras investigaciones de este tipo.

La limitación más importante fue la falta de registros y listas con los nombres y las direcciones de antiguos servidores de las ramas ejecutiva y legislativa, lo cual hizo lento y difícil el proceso de recolección de referencias. Si hubiera existido esta información básica, el tiempo gastado en encontrar los datos necesarios se habría reducido por lo menos a la mitad. En segundo lugar, una vez que fueron localizados los líderes, a menudo se negaban a facilitar datos o, cuando estaban dispuestos a hacerlo, demoraban extremadamente la devolución del cuestionario o la concresión de una entrevista.

El carácter de algunas de las preguntas condujo a otro obstáculo serio: el error consciente o la exageración en la respuesta. Probablemente las contestaciones acerca de la posición social y el ingreso (que posteriormente fueron descartadas) reflejan estos errores o malas interpretaciones.

La información acerca de los puestos políticos ocupados, por orden cronológico, tuvo que completarse, debido a la incongruencia de datos y a la omisión de puestos, con las referencias de una serie de fuentes adicionales, en especial libros y artículos de historiadores y escritores políticos locales.[1]

Aparte del cuestionario principal, a los legisladores del período 1966-1970 se les entrevistó con base en un cuestionario auxiliar cuyas preguntas nos permitían clasificarlos según su ideología. Las respuestas a este cuestionario fueron la base para el capítulo VIII.

Codificación y tabulación de los datos: El cuestionario principal contenía preguntas relativamente fáciles de tabular, como las referidas a la

1 Las fuentes más importantes fueron: Rafael Obregón Loría, *El Poder Legislativo en Costa Rica* (San José: Universidad de Costa Rica, 1966); y Samuel Stone, "Algunos Aspectos de la Distribución del Poder en Costa Rica", en *Suplemento de la Revista de Ciencias Jurídicas* (San José: Universidad de Costa Rica. No. 17, junio de 1971).

CUADRO 94
RESPUESTA Y FALTA DE RESPUESTA, SEGUN LA RAMA DE GOBIERNO Y LA TENDENCIA POLITICA

Rama de Gobierno:	TENDENCIAS POLITICAS																			
	Total				P.L.N.				P.R.N.				P.U.N.				Otros			
Ejecutiva y Legislativa	Total	R	No R	% No R	Total	R	No R	% No R	Total	R	No R	% No R	Total	R	No R	% No R	Total	R	No R	% No R
Rama Ejecutiva																				
Junta Fundadora	13	13	—	—	9	9	—	—	—	—	—	—	4	—	—	—	—	—	—	—
1949—1953	17	17	—	—	—	—	—	—	—	—	—	—	17	17	—	—	—	—	—	—
1953—1958	23	22	1	4,4	21	20	1	4,8	—	—	—	—	2	2	—	—	—	—	—	—
1958—1962	18	17	1	5,6	—	—	—	—	4	4	—	—	14	13	1	7,2	—	—	—	—
1962—1966	21	21	—	—	20	20	—	—	—	—	—	—	—	—	—	—	1	1	—	—
1966—1970	16	15	1	6,3	—	—	—	—	11	10	1	9,1	5	5	—	—	—	—	—	—
1970—1974	18	18	—	—	17	17	—	—	—	—	—	—	1	1	—	—	—	—	—	—
Subtotal	126	123	3	2,4	67	66	1	1,5	15	14	1	7,1	43	42	1	2,3	1	1	—	—
Rama Legislativa																				
Asamblea Constituyente	59	54	5	8,5	17	16	1	5,9	4	4	—	—	38	34	4	10,5	—	—	—	—
1949—1953	63	52	11	17,5	19	15	4	21,1	6	5	1	16,7	37	31	6	16,2	1	1	—	—
1953—1958	58	54	4	6,9	39	36	3	7,7	13	12	1	7,7	6	6	—	—	—	—	—	—
1958—1962	61	52	9	14,8	31	26	5	16,1	16	16	—	—	12	9	3	25,0	2	1	1	50,0
1962—1966	58	52	6	10,3	29	26	3	10,3	19	16	3	15,8	9	9	—	—	1	1	—	—
1966—1970	57	50	7	12,3	29	26	3	10,3	18	15	3	16,7	8	7	1	12,5	2	2	—	—
1970—1974	57	53	4	7,0	32	30	2	6.3	13	13	—	—	8	7	1	12,5	4	3	1	25,0
Subtotal	413	367	46	11,1	196	175	21	10,7	89	81	8	9,0	118	103	15	12,7	10	8	2	20,0
Total	539	490	49	9,1	263	241	22	8,4	104	95	9	8.7	161	145	16	9,9	11	9	2	18,2

edad, el sexo, el nivel educacional, etc. Sin embargo, para otros tipos de datos, en especial sobre la ocupación y la participación sociopolítica, fue necesario tabular cuidadosamente los informes, y unir las referencias de varias preguntas. Con esta finalidad se elaboró un código, y los datos de cada cuestionario se tabularon en una hoja intermedia individual y luego en hojas de codificación manual. Inicialmente pensábamos obtener las tabulaciones mediante una computadora, pero debido a la poca cantidad de nuestros informes, decidimos tabular manualmente los datos.

Análisis de los datos: El análisis estadístico fue fundamentalmente de tipo porcentual, como se desprende del texto. Centramos nuestro interés en la forma como se emplearon los datos acerca de la ocupación. Para los fines del presente estudio necesitábamos colocar a los líderes en una jerarquía de clases, a fin de describir la composición de la élite y determinar si había habido movilidad social.

En el cuestionario se preguntaba al dirigente acerca de su propia ubicación en la jerarquía de clases; pero en virtud de la poca confiabilidad de esta variable,[1] no se empleó como criterio básico de estratificación social. Después de evaluar el resto de los datos disponibles (ingreso, educación y ocupación), decidimos utilizar la ocupación como criterio guía para discernir los estratos sociales de los líderes.[2]

En vista de que necesitábamos clasificar a los dirigentes en tres estratos sociales –alto, medio y bajo–, esto implicaba catalogar también a las ocupaciones en estas tres categorías. Para ello, empleamos la "Escala de Prestigio Nacional de Categorías Ocupacionales", elaborada por el Dr. Eugenio Fonseca Tortós. Sin embargo, había dos dificultades: 1) la necesidad de establecer las categorías de ocupación típicas para cada estrato, y 2) que la "Escala" de Fonseca no incluía a los puestos políticos. El primer problema se resolvió mediante los resultados de un estudio de Fonseca y otros,[3] en el cual se establecieron barrios típicos en la

1 Véanse las páginas 49-50 para una explicación más completa acerca de las limitaciones en cuanto a la percepción de la propia clase social, como criterio básico para clasificar los estratos sociales.

2 Véase la página 50 para una explicación más completa.

3 Como referencia a este estudio, véase: Eugenio Fonseca Tortós, "Social Stratification, Some Aspects of Social Mobility and Family Planning in the context of Modernization" (tesis doctoral inédita, Michigan State University, 1970).

ciudad de San José, para las tres categorías socioeconómicas: alta, media y baja.[1] Aplicamos la "Escala" de Fonseca a los datos sobre ocupación recogidos en el mencionado estudio sobre los barrios. En los cuadros 95, 96 y 97 se puede ver la frecuencia de las categorías de ocupación encontradas en los diferentes estratos. La estructura de ocupaciones resultante para cada estrato se consigna en la página 269.

CUADRO 95

FRECUENCIA DE LAS CATEGORIAS DE OCUPACION EN EL ESTRATO ALTO

(Cifras Absolutas y Relativas)

	Estrato Alto (*)	
Categoría de Ocupación	**Absolutas**	**Relativas**
29	34	43,6
28	1	1,3
27	3	3,8
25	19	24,4
24	9	11,5
23	1	1,3
22	5	6,4
20	3	3,8
15	2	2,6
14	1	1,3
		100,0

(*) Incluye las zonas definidas por el Dr. Fonseca.

---

1 La clasificación de los barrios incluía cuatro pasos:

I. Delimitación cartográfica de los barrios.

II. Clasificación de los barrios.

III. Selección de los barrios típicamente representativos de diferentes categorías socioeconómicas.

IV. Muestra representativa de las personas entrevistadas, correspondientes a cada uno de los barrios seleccionados.

CUADRO 96

FRECUENCIA DE LAS CATEGORIAS DE OCUPACION EN EL ESTRATO MEDIO

(Valores Absolutos y Relativos)

Categoría de Ocupación	Estrato Medio (*)	
	Absolutas	Relativas
29	2	1,5
25	17	12,9
24	1	0,8
23	1	0,8
27	12	9,1
20	17	12,9
19	1	0,8
16	18	13,6
15	11	8,3
14	12	9,1
13	2	1,5
12	2	1,5
11	1	0,8
9	2	1,5
8	6	4,6
7	10	7,6
6	1	0,8
5	12	9,1
3	4	3,0
		100,2

(*) Incluye las zonas definidas por el Dr. Fonseca.

CUADRO 97

FRECUENCIA DE LAS CATEGORIAS DE OCUPACION EN EL ESTRATO BAJO
(Valores Absolutos y Relativos)

	Estrato Bajo (*)	
Categoría de Ocupación	Absolutas	Relativas
25	1	0,7
22	6	3,9
20	4	2,6
19	1	0,7
18	1	0,7
17	1	0,7
16	8	5,3
15	6	3,9
14	8	5,3
13	34	22,4
12	5	3,3
11	1	0,7
9	7	4,6
8	20	13,2
7	15	9,9
6	12	7,9
5	16	10,5
3	3	1,9
2	3	1,9
		100,1

(*) Incluye las zonas definidas por el Dr. Fonseca.

Estrato alto

29 Profesional libre; propietario grande; gerente de gran empresa.
28 Educador universitario; administrador de gran empresa.
27 Intelectual (artista); gerente de empresa mediana.
26 Profesional mixto (el que es al mismo tiempo un profesional independiente y asalariado, o que alterna entre ambas categorías).
25 Profesional empleado.
24 Propietario medio; administrador de empresa mediana.

Estrato medio

23 Gerente de empresa pequeña.
22 Propietario pequeño; administrador de empresa pequeña; educador de secundaria.
21 Educador misceláneo.
20 Técnico.
19 Educador de primaria.
18 Entretenedor.
17 Estudiante.
16 Trabajador especializado.
15 Oficinista.
14 Vendedor agente viajero.

Estrato bajo

13 Artesano.
12 Capataz.
11 Distribuidor ambulante.
10 Ama de casa.
9 Vendedor ambulante.
8 Trabajador operario.
7 Vendedor dependiente.
6 Policía.
5 Trabajador manual.
4 Sirviente de establecimiento.
3 Trabajador misceláneo.
2 Trabajador peón.
1 Sirviente doméstico.

Estos resultados muestran que las ocupaciones encontradas con mayor frecuencia en el estrato más alto corresponden a profesionales, administradores de nivel alto y medio y propietarios grandes y medianos. En los estratos medios, las ocupaciones predominantes son: propietarios o administradores de pequeñas empresas, profesores de segunda enseñanza y maestros, obreros altamente especializados y empleados de cuello blanco. El estrato bajo incluye a la mayoría de los trabajadores manuales y no especializados. Estas diferencias parecen basarse en el grado de capacidad profesional o técnica y en el grado de responsabilidad administrativa, y presentan similitudes notables con la clasificación NORC.[1]

Una vez obtenida una estructura ocupacional típica para cada estrato, utilizamos la "Escala" de Fonseca para evaluar el nivel de prestigio de las ocupaciones de los dirigentes cuando fueron electos o nombrados por primera vez en un puesto político formal y también para evaluar el de sus padres.[2] Luego, se les asignó a estratos conforme a la jerarquía general de categorías ocupacionales, establecida para todos los estratos. El análisis de la ocupación se hizo en forma individual, a diferencia de otras secciones de este trabajo, en que se consideró como un todo a la población estudiada en cada administración, con independencia de las repeticiones debidas a líderes que sirvieron diversos puestos formales en distintas administraciones.

De los 409 dirigentes, un 44,5% correspondía al Partido Liberación Nacional, un 25,7% al Unión Nacional y un 21,3% al Republicano Nacional. El 7,1% eran miembros de la rama judicial y, por lo tanto, no podían ser clasificados. Puesto que la Constitución Política prohíbe su afiliación a partidos políticos, los magistrados no respondieron a cuál pertenecían o habían pertenecido. El 1,4% no eran simpatizantes de

---

1 Para hacer la comparación véase: National Opinion Research Center, "Jobs and Occupations: A Popular Evaluation", *Opinion News*, IX (1 Set., 1947), págs. 3-13, reproducido en Rineharo Bendix y Seymour M. Lipset, *Class, Status and Power* (Glencoe, Illinois, E.E.U.U.: The Free Press, 1953), págs. 412-414.

2 Como la escala no incluía todas las ocupaciones que se presentaban en el estudio, el Dr. Fonseca colaboró personalmente en la asignación de ocupaciones no clasificadas en la categoría correspondiente.

ninguna de las tres principales tendencias estudiadas, y por lo tanto, fueron eliminados del análisis.

Aunque esta investigación abarca el lapso desde 1948 hasta 1974, este período hubo de ampliarse debido a que la ocupación de los líderes al ser electos o nombrados por primera vez era en varios casos anterior a 1948. De los 182 miembros del PLN, un 4,9% ocupó su primer puesto antes, y el 95,1% después de 1948; de los 87 miembros del PRN, un 16,1% lo ocupó antes y el 83,9% después de esa fecha; de los 105 miembros del PUN, un 16,1% antes y el 83,9% después; y de los 29 magistrados, un 13,9% ejerció su primer puesto político formal antes de 1948, y el 86,1% después.

A fin de resolver el problema de los puestos políticos no clasificados en la "Escala" de Fonseca, nos basamos en un estudio realizado por Payne en Colombia.[1] Se dio a 50 estudiantes de sociología una lista de ocupaciones con todos los puestos políticos hallados en nuestro estudio. Los estudiantes dieron opinión acerca de cuáles ocupaciones tenían un status alto, medio o bajo en la sociedad costarricense. Los resultados demuestran que en ambas sociedades los puestos políticos altos tienen un status social sobresaliente, más alto que el atribuido normalmente a las profesiones liberales.

OCUPACIONES POR STATUS

Alto

00	Ministro, diputado	(pública)
01	Abogado	(privada)
03	Médico	(privada)
04	Ingeniero Civil	(privada)
05	Otras profesiones	(pública o privada)
06	Industrial	(privada)
07	Finquero (propietario)	(privada)
08	Comerciante	(privada)
11	Decano o Rector de universidad	(pública)

1 James L. Payne, "Patterns of Conflict in Colombia" (tesis doctoral inédita, Universidad de California en Berkeley, 1967).

Medio

02	Abogado (asalariado)	(pública o privada)
09	Funcionario ministerial de alto nivel	(pública)
11	Profesor universitario	(pública)
13	Empleado judicial de alto nivel	(pública)
14	Empleado de alto nivel de una empresa	(privada)
23	Estudiante universitario	(privada)

Bajo

10	Funcionario público de nivel medio o bajo	(pública)
12	Empleado de nivel medio o bajo de una empresa	(privada)
15	Profesor, maestro	(pública o privada)
16	Funcionario de partido político	(pública)
17	Periodista	(privada)
18	Contabilista	(privada)
19	Técnico de nivel medio	(privada)
20	Obrero especializado	(privada)
21	Obrero no especializado	(privada)

Casos especiales

22	Pensionado
25	Ama de casa

III. LIMITACIONES DEL ESTUDIO

Las conclusiones de este tipo de investigación están sujetas a limitaciones que deben tenerse en cuenta. Es importante mencionar dos de ellas en especial: a) las definiciones que aparecen a lo largo del estudio no son las únicas que pueden emplearse; de haberse utilizado otras, las conclusiones podrían haber sido distintas. Esto es particularmente importante en lo que se refiere a la definición de "estrato social"; b) es evidente que la investigación no es exhaustiva, de manera que si se hubieran escogido otros períodos para un análisis comparativo, como se hizo en el capítulo IX para los períodos de 1920-1922, 1942-1944, 1953-1958 y 1966-1970, probablemente las conclusiones no hubieran sido las mismas. Además, se debe reparar en que este es el primer estudio realizado en Centroamérica sobre un tema tan complejo, técnica y conceptualmente.

Esto nos lleva a dos puntos de carácter más general. Por una parte, a la hora de hacer pronósticos y proyecciones respecto de la evolución del sistema político, se debe actuar con cautela en el empleo de los resultados de este tipo de investigación. Por otra parte, a fin de desarrollar nuevas metodologías y determinar la exactitud de los resultados obtenidos en este estudio, es importante y necesario efectuar investigaciones adicionales.

APENDICE I

LISTA DE CUADROS NO INCLUIDOS EN EL CAPITULO VI

Cuadro 1: Edad de los dirigentes en puestos altos, por rama del gobierno.

Cuadro 2: Lugar de nacimiento de los dirigentes, por rama del gobierno.

Cuadro 3: Clase social a la cual afirman pertenecer los dirigentes, por rama del gobierno.

Cuadro 4: Educación de los dirigentes, por rama del gobierno.

Cuadro 5: Educación de los padres de los dirigentes, por rama del gobierno.

Cuadro 6: Clase social de los padres de los dirigentes, por rama del gobierno.

Cuadro 7: Condición económica de los padres de los dirigentes, por rama del gobierno.

Cuadro 8: Edad en puestos altos de los miembros de la rama ejecutiva, por partidos políticos.

Cuadro 9: Lugar de nacimiento de los representantes de la rama ejecutiva, por partidos políticos.

Cuadro 10: Clase social a la cual afirman pertenecer los miembros de la rama ejecutiva, por partidos políticos.

Cuadro 11: Educación de los individuos de la rama ejecutiva, por partidos políticos.

Cuadro 12: Educación de los padres de los miembros de la rama ejecutiva, por partidos políticos.

Cuadro 13: Clase social de los padres de los miembros de la rama ejecutiva, por partidos políticos.

Cuadro 14: Condición económica de los padres de los miembros de la rama ejecutiva, por partidos políticos.

CUADRO 1

Edad en puestos altos	Rama de gobierno								
	TOTAL				Abogados			No abogados	
	Total	Ejec.	Leg.	Jud.	Ejec.	Leg.	Jud.	Ejec.	Leg.
25–29 años	31	8	23	–	2	14	–	6	9
	6,1%	6,5%	6,4%	–	5,0%	11,7%	–	7,3%	3,8%
30–34 años	74	19	52	3	4	24	3	15	28
	14,5%	15,6%	14,5%	10,0%	10,0%	20%	10,0%	18,3%	11,7%
35–39 años	99	18	76	5	10	35	5	8	41
	19,4%	14,7%	21,2%	16,7%	25,0%	29,2%	16,7%	9,8%	17,2%
40–44 años	98	19	67	12	8	27	12	11	40
	19,2%	15,6%	18,7%	40,0%	20,0%	22,5%	40%	13,4%	16,7%
45–50 años	78	22	52	4	5	11	4	17	41
	15,3%	18,0%	14,5%	13,3%	12,5%	9,2%	13,3%	20,7%	17,2%
50–54 años	42	13	26	3	6	3	3	7	23
	8,2%	10,6%	7,2%	10,0%	15,0%	2,5%	10,0%	8,5%	9,6%
55–59 años	39	6	30	3	2	2	3	4	28
	7,6%	4,9%	8,3%	10,0%	5,0%	1,7%	10,0%	4,9%	11,7%
60–64 años	23	6	17	–	–	1	–	6	16
	4,5%	4,9%	4,7%	–	–	0,8%	–	7,3%	6,7%
65 o más	24	8	16	–	1	3	–	7	13
	4,7%	6,5%	4,4%	–	2,5%	2,5%	–	8,5%	5,4%
No respondieron	3	3	–	–	2	–	–	1	–
	0,6%	2,6%	–	–	5,0%	–	–	1,2%	–
TOTAL	511	122	359	30	40	120	30	82	239
	100%	100%	100%	100%	100%	100%	100%	100%	100%

CUADRO 2

Lugar de nacimiento (provincia)	Rama de gobierno								
	TOTAL				Abogados			No abogados	
	Total	Ejec.	Leg.	Jud.	Ejec.	Leg.	Jud.	Ejec.	Leg.
San José	196	66	117	13	22	43	13	44	74
	38,4%	54,1%	32,6%	43,3%	55%	35.8%	43,3%	53,7%	31%
Alajuela	126	23	96	7	4	25	7	19	71
	24,7%	18,8%	26,7%	23,3%	10%	20,8%	23,3%	23,2%	29,7%
Cartago	70	19	47	4	7	23	4	12	24
	13,7%	15,6%	13,1%	13,3%	17,5%	19,2%	13,3%	14,6%	10%
Heredia	46	3	39	4	3	16	4	–	23
	9,0%	2,5%	10,9%	13,3%	7,5%	13,3%	13,3%	–	9,6%
Guanacaste	23	3	20	–	1	3	–	2	17
	4,5%	2,5%	5,6%	–	2,5%	2,5%	–	2,4%	7,1%
Puntarenas	20	3	16	1	–	1	1	3	15
	3,9%	2,5%	4,5%	3,4%	–	0,8%	3,4%	3,7%	6,3%
Limón	12	–	12	–	–	6	–	–	6
	2,3%	–	3,3%	–	–	5%	–	–	2,5%
Nacidos en el extranjero	10	4	5	1	2	2	1	2	3
	1,9%	3,3%	1,4%	3,4%	5%	1,7%	3,4%	2,4%	1,3%
No respondieron	8	1	7	–	1	1	–	–	6
	1,6%	0,8%	1,9%	–	2,5%	0,8%	–	–	2,5%
TOTAL	511	122	359	30	40	120	30	82	239
	100%	100%	100%	100%	100%	100%	100%	100%	100%

CUADRO 3

Clase social a la cual afirman pertenecer	Rama de gobierno								
	TOTAL				Abogados			No Abogados	
	Total	Ejec.	Leg.	Jud.	Ejec.	Leg.	Jud.	Ejec.	Leg.
No cree en / No pertenece a ninguna clase	13	1	11	1	–	8	1	1	3
	2,5%	0,8%	3,1%	3,3%	–	6,7%	3,3%	1,2%	1,3%
Clase obrera	17	2	15	–	–	–	–	2	15
	3,3%	1,6%	4,2%	–	–	–	–	2,4%	6,3%
Clase media	318	62	231	25	21	69	25	41	162
	62,2%	50,8%	64,3%	83,3%	52,5%	57,5%	83,3%	50%	67,8%
Clase alta	132	45	83	4	14	32	4	31	51
	25,8%	36,9%	23,1%	13,3%	35%	26,7%	13,3%	37,8%	21,3%
Difuntos	2	2	–	–	–	–	–	2	–
	0,4%	1,6%	–	–	–	–	–	2,4%	–
No respondieron	29	10	19	–	5	11	–	5	8
	5,7%	8,2%	5,3%	–	12,5%	9,2%	–	6,1%	3,3%
TOTAL	511	122	359	30	40	120	30	82	239
	100%	100%	100%	100%	100%	100%	100%	100%	100%

CUADRO 4

Tipo de educación del dirigente	Rama de gobierno								
	TOTAL				Abogados			No abogados	
	Total	Ejec.	Leg.	Jud.	Ejec.	Leg.	Jud.	Ejec.	Leg.
Sin educación	1	–	1	–	–	–	–	–	1
	0,2%	–	0,3%	–	–	–	–	–	0,4%
Escuela primaria	25	2	23	–	–	–	–	2	23
	4,9%	1,6%	6,4%	–	–	–	–	2,4%	9,6%
1–4 años secundaria	45	4	41	–	–	–	–	4	41
	8,8%	3,3%	11,4%	–	–	–	–	4,9%	17,2%
Graduado secundaria	45	10	35	–	–	–	–	10	35
	8,8%	8,2%	9,7%	–	–	–	–	12,2%	14,6%
Alguna educación universitaria	48	17	31	–	–	–	–	17	31
	9,4%	13,9%	8,6%		–	–	–	20,7%	13%
Profesional (graduado universitario)	312	86	196	30	40	120	30	46	76
	61,1%	70,5%	54,6%	100%	100%	100%	100%	56,1%	31,8%
Vocacional	26	1	25	–	–	–	–	1	25
	5,1%	0,8%	7%	–	–	–	–	1,2%	10,5%
Escuela Normal	4	–	4	–	–	–	–	–	4
	0,8%	–	1,1%	–	–	–	–	–	1,7%
No respondieron	5	2	3	–	–	–	–	2	3
	1%	1,6%	0,8%	–	–	–	–	2,4%	1,3%
TOTAL	511	122	359	30	40	120	30	82	239
	100%	100%	100%	100%	100%	100%	100%	100%	100%

CUADRO 5

Tipo de educación del padre	Rama de gobierno								
	TOTAL				Abogados			No Abogados	
	Total	Ejec.	Leg.	Jud.	Ejec.	Leg.	Jud.	Ejec.	Leg.
Sin educación	–	–	–	–	–	–	–	–	–
Escuela primaria	163	20	132	11	6	28	11	14	104
	31,9%	16,4%	36,8%	36,7%	15%	23,3%	36,7%	17,1%	43,5%
1–4 años secundaria	132	33	93	6	14	36	6	19	57
	25,8%	27%	25,9%	20%	35%	20%	20%	23,2%	23,3%
Graduado secundaria	32	9	21	2	3	8	2	6	13
	6,3%	7,4%	5,8%	6,7%	7,5%	6,7%	6,7%	7,3%	5,4%
Alguna educación universitaria	32	8	23	1	2	7	1	6	16
	6,3%	6,5 %	6,4%	3,3%	5%	5,8%	3,3%	7,3%	3,7%
Profesional (graduado universitario)	127	44	73	10	15	35	10	29	38
	24,9%	36,1%	20,3%	33,3%	37,5%	29,2%	33,3%	35,3%	15,9%
Vocacional	10	4	6	–	–	2	–	4	4
	2%	3,3%	1,7%	–	–	1,7%	–	4,9%	1,7%
Escuela Normal	3	2	1	–	–	–	–	2	1
	0,6%	1,6%	0,2%	–	–	–	–	2,4%	0,4%
No respondieron	12	2	10	–	–	4	–	2	6
	2,3%	1,6%	2,8%	–	–	3,3%	–	2,4%	2,5%
TOTAL	511	122	359	30	40	120	30	82	239
	100%	100%	100%	100%	100%	100%	100%	100%	100%

CUADRO 6

Clase social del padre	Rama de gobierno								
	TOTAL				Abogados			No abogados	
	Total	Ejec.	Leg.	Jud.	Ejec.	Leg.	Jud.	Ejec.	Leg.
No cree en / No pertenece a ninguna clase	13	1	11	1	–	9	1	1	2
	2,5%	0,8%	3,1%	3,3%	–	7,5%	3,3%	1,2%	0,3%
Clase obrera	41	3	33	5	1	7	5	2	26
	8%	2,4%	9,2%	16,7%	2,5%	5,8%	16,7%	2,4%	10,9%
Clase media	298	68	203	17	23	64	17	45	139
	56,4%	55,7%	56,5%	56,7%	57,5%	53,3%	56,7%	54,9%	58,2%
Clase alta	134	40	90	4	13	30	4	27	60
	26,2%	32,8%	25,1%	13,3%	32,5%	25,0%	13,3%	32,9%	25,1%
Difuntos	16	4	9	3	3	1	3	1	8
	3,1%	3,3%	2,5%	10%	7,5%	0,8%	10%	1,2%	3,3%
No respondieron	19	6	13	–	–	9	–	6	4
	3,7%	4,9%	3,6%	–	–	7,5%	–	7,3%	1,7%
TOTAL	511	122	359	30	40	120	30	82	239
	100%	100%	100%	100%	100%	100%	100%	100%	100%

CUADRO 7

	Rama de gobierno								
	TOTAL				Abogados			No abogados	
Condición económica del padre	Total	Ejec.	Leg.	Jud.	Ejec.	Leg.	Jud.	Ejec.	Leg.
Austera	34	8	23	3	2	8	3	6	15
	6%	6,5%	6,4%	10%	5%	6,7%	10%	7,3%	6,3%
Promedio	227	44	172	11	18	52	11	26	120
	44,4%	36,1%	47,9%	36,7%	45%	43,3%	36,7%	31,7%	50,2%
Acomodada	219	64	143	12	19	55	12	45	88
	42,9%	52,4%	39,8%	40%	47,5%	45,8%	40%	54,9%	36,8%
Difuntos	20	6	11	3	1	1	3	5	10
	3,9%	4,9%	3,1%	10%	2,5%	8,8%	10,0%	6,1%	4,2%
No respondieron	11	–	10	1	–	4	1	–	6
	2,2%	–	2,8%	3,3%	–	3,3%	3,3%	–	2,5%
TOTAL	511	122	359	30	40	120	30	82	239
	100%	100%	100%	100%	100%	100%	100%	100%	100%

CUADRO 8

RAMA EJECUTIVA

	Partidos Políticos									
	TOTAL				Abogados			No Abogados		
Edad en puesto alto	Total	P.L.N.	P.R.N.	P.U.N.	P.L.N.	P.R.N.	P.U.N.	P.L.N.	P.R.N.	P.U.N.
25–29 años	8	4	1	3	2	–	–	2	1	3
	6,5%	6,1%	7,1%	7,1%	9,5%	–	–	4,4%	14,3%	10%
30–34 años	19	11	1	7	2	–	2	9	1	5
	15,6%	16,6%	7,1%	16,7%	9,5%	–	16,6%	20,0%	14,3%	16,6%
35–39 años	18	12	3	3	8	–	2	4	3	1
	14,7%	18,2%	21,4%	7,1%	38,1%	–	16,6%	8,3%	42,9%	3,3%
40–44 años	19	11	3	5	3	1	4	8	2	1
	15,6%	16,6%	21,4%	11,9%	14,3%	14,3%	33,3%	17,8%	28,5%	3,3%
45–49 años	**22**	**11**	**3**	**8**	**2**	**3**	—	**9**	—	**8**
	18,0 %	**16,6 %**	**21,4 %**	**19,0 %**	**9,5 %**	**42,9**	—	**20,0%**	—	**26,8 %**
50–54 años	13	9	2	2	4	2	–	5	–	2
	10,6%	13,6%	14,3%	4,8%	19,0%	28,6%	–	11,1%	–	6,6%
55–59 años	6	3	–	3	–	–	2	3	–	1
	4,9%	4,5%	–	7,1%	–	–	16,6%	6,6%	–	3,3%
60–64 años	6	3	–	3	–	–	–	3	–	3
	4,9%	4,5%	–	7,1%	–	–	–	6,6%	–	10%
65 o más	8	1	–	7	–	–	1	1	–	6
	6,5%	1,5%	–	16,7%	–	–	8,3%	2,2%	–	2,0%
No respondieron	3	1	1	1	–	1	1	1	–	–
	2,5%	1,5%	7,1%	2,4%	–	14,3%	8,3%	2,2%	–	–
TOTAL	122	66	14	42	21	7	12	45	7	30
	100%	100%	100%	100%	100%	100%	100%	100%	100%	100%

CUADRO 9
RAMA EJECUTIVA

Lugar de nacimiento (provincia)	Partidos Políticos									
	TOTAL				Abogados			No Abogados		
	Total	P.L.N.	P.R.N.	P.U.N.	P.L.N.	P.R.N.	P.U.N.	P.L.N.	P.R.N.	P.U.N.
San José	66	38	6	22	12	3	7	26	3	15
	54,1%	57,6%	42,9%	52,4%	57,1%	42,9%	58,3%	57,8%	42,9%	50%
Alajuela	23	11	2	10	2	1	1	9	1	9
	18,9%	16,7%	14,3%	23,8%	9,5%	14,3%	8,3%	20,0%	11,3%	30%
Cartago	19	9	5	5	4	2	1	5	3	4
	15,6%	13,6%	35,7%	11,9%	19,0%	28,6%	8,3%	11,1%	42,9%	13,3%
Heredia	3	1	1	1	1	1	1	–	–	–
	2,5%	1,5%	7,1%	2,4%	4,8%	14,3%	8,3%	–	–	–
Guanacaste	3	1	–	2	–	–	1	1	–	1
	2,5%	1,5%	–	4,7%	–	–	8,3%	2,2%	–	3,3%
Puntarenas	3	3	–	–	–	–	–	3	–	–
	2,5%	4,5%	–	–	–	–	–	6,7%	–	–
Limón	–	–	–	–	–	–	–	–	–	–
Nacidos en el extranjero	4	3	–	1	2	–	–	1	–	1
	3,3%	4,5%	–	2,4%	9,5%	–	–	2,2%	–	3,3%
No respondieron	1	–	–	1	–	–	1	–	–	–
	0,8%	–	–	2,4%	–	–	8,3%	–	–	–
TOTAL	122	66	14	42	21	7	12	45	7	30
	100%	100%	100%	100%	100%	100%	100%	100%	100%	100%

CUADRO 10
RAMA EJECUTIVA

Clase social a la cual afirma pertenecer	Partidos Políticos									
	TOTAL				Abogados			No Abogados		
	Total	P.L.N.	P.R.N.	P.U.N.	P.L.N.	P.R.N.	P.U.N.	P.L.N.	P.R.N.	P.U.N.
No cree en / No pertenece a ninguna clase	1	1	–	–	–	–	–	1	–	–
	0,8%	1,5%	–	–	–	–	–	2,2%	–	–
Clase obrera	2	–	–	2	–	–	–	–	–	2
	1,6%	–	–	4,8%	–	–	–	–	–	6,6%
Clase media	62	34	8	20	11	5	5	23	3	15
	50,8%	51,5%	57,1%	47,6%	52,4%	71,4%	41,7%	51,1%	42,8%	50,0%
Clase alta	45	23	3	16	8	1	5	18	2	11
	36,9%	39,4%	21,4%	38,1%	38,1%	14,3%	41,7%	40,0%	28,6%	36,6%
Difuntos	2	–	2	–	–	–	–	–	2	–
	1,6%	–	14,3%	–	–	–	–	–	28,6%	–
No respondieron	10	5	1	4	2	1	2	3	–	2
	8,2%	7,8%	7,1%	9,5%	9,5%	14,3%	16,6%	6,6%	–	6,6%
TOTAL	122	66	14	42	21	7	12	45	7	30
	100%	100%	100%	100%	100%	100%	100%	100%	100%	100%

CUADRO 11
RAMA EJECUTIVA

Tipo de educación del dirigente	Partidos Políticos									
	TOTAL				Abogados			No abogados		
	Total	P.L.N.	P.R.N.	P.U.N.	P.L.N.	P.R.N.	P.U.N.	P.L.N.	P.R.N.	P.U.N.
Sin educación	–	–	–	–	–	–	–	–	–	–
Escuela primaria	2	1	–	1	–	–	–	1	–	1
	1,6%	1,5%	–	2,4%	–	–	–	2,2%	–	3,3%
1–4 años secundaria	4	2	–	2	–	–	–	2	–	2
	3,3%	3,0%	–	4,8%	–	–	–	4,4%	–	6,6%
Graduado secundaria	10	4	–	6	–	–	–	4	–	6
	8,2%	6,0%	–	14,3%	–	–	–	8,9%	–	20,0%
Alguna educación universitaria	17	13	–	4	–	–	–	13	–	4
	13,9%	19,7%	–	9,5%	–	–	–	28,9%	–	13,3%
Profesional (graduado universitario)	86	45	14	27	21	7	12	24	7	15
	70,5%	68,2%	100%	64,3%	100%	100%	100%	53,3%	100%	50,0%
Vocacional	1	1	–	–	–	–	–	1	–	–
	0,8%	1,5%	–	–	–	–	–	2,2%	–	–
Escuela Normal	–	–	–	–	–	–	–	–	–	–
No respondieron	2	–	–	2	–	–	–	–	–	2
	1,6%	–	–	4,8%	–	–	–	–	–	6,6%
TOTAL	122	36	14	42	21	7	12	45	7	30
	100%	100%	100%	100%	100%	100%	100%	100%	100%	100%

CUADRO 12
RAMA EJECUTIVA

Tipo de educación del padre	Partidos Políticos									
	TOTAL				Abogados			No abogados		
	Total	P.L.N.	P.R.N.	P.U.N.	P.L.N.	P.R.N.	P.U.N.	P.L.N.	P.R.N.	P.U.N.
Sin educación	–	–	–	–	–	–	–	–	–	–
Escuela primaria	20	12	1	7	4	–	2	8	1	5
	16,4%	18,2%	7,1%	16,7%	19,0%	–	16,7%	17,8%	14,3%	16,7%
1–4 años secundaria	33	21	4	8	10	3	1	11	1	7
	27,0%	31,9%	28,6%	19,0%	47,6%	42,8%	8,3%	24,4%	14,3%	23,3%
Graduado secundaria	9	6	–	3	–	–	3	6	–	–
	7,4%	9,1%	–	7,1%	–	–	25,0%	13,3%	–	–
Alguna educación universitaria	8	6	1	1	1	1	–	5	–	1
	6,5%	9,1%	7,1%	2,4%	4,8%	14,3%	–	11,1%	–	3,3%
Profesional (graduado universitario)	44	20	7	17	6	3	6	14	4	11
	36,1%	30,3%	50,0%	40,5%	28,6%	42,8%	50,0%	31,1%	57,1%	36,7%
Vocacional	4	–	1	3	–	–	–	–	1	3
	3,3%	–	7,1%	7,1%	–	–	–	–	14,3%	10,0%
Escuela Normal	2	1	–	1	–	–	–	1	–	1
	1,6%	1,5%	–	2,4%	–	–	–	2,2%	–	3,3%
No respondieron	2	–	–	2	–	–	–	–	–	2
	1,6%	–	–	4,8%	–	–	–	–	–	6,7%
TOTAL	122	66	14	42	21	7	12	45	7	30
	100%	100%	100%	100%	100%	100%	100%	100%	100%	100%

CUADRO 13
RAMA EJECUTIVA

Clase social del padre	Partidos Políticos									
	TOTAL				Abogados			No abogados		
	Total	P.L.N.	P.R.N.	P.U.N.	P.L.N.	P.R.N.	P.U.N.	P.L.N.	P.R.N.	P.U.N.
No cree en / No pertenece a ninguna clase	1	1	–	–	–	–	–	1	–	–
	0,8%	1,5%	–	–	–	–	–	2,2%	–	–
Clase obrera	3	1	–	2	1	–	–	–	–	2
	2,4%	1,5%	–	4,8%	4,8%	–	–	–	–	6,7%
Clase media	68	40	8	20	15	4	4	25	4	16
	55,7%	60,6%	57,1%	47,6%	71,4%	57,1%	33,3%	55,5%	57,1%	53,3%
Clase alta	40	20	3	17	5	2	6	15	1	11
	32,8%	30,3%	21,4%	40,5%	28,8%	28,6%	50,0%	33,3%	14,3%	36,7%
Difuntos	4	2	2	–	–	–	–	2	2	–
	3,3%	3,0%	14,3%	–	–	–	–	4,4%	28,6%	–
No respondieron	6	2	1	3	–	1	2	2	–	1
	4,9%	3,0%	7,1%	7,1%	–	14,3%	16,7%	4,4%	–	3,3%
TOTAL	122	66	14	42	21	7	12	45	7	30
	100%	100%	100%	100%	100%	100%	100%	100%	100%	100%

CUADRO 14
RAMA EJECUTIVA

Condición económica del padre	Partidos Políticos									
	TOTAL				Abogados			No abogados		
	Total	P.L.N.	P.R.N.	P.U.N.	P.L.N.	P.R.N.	P.U.N.	P.L.N.	P.R.N.	P.U.N.
Austera	8	5	2	1	–	2	–	5	–	1
	6,5%	7,6%	14,3%	2,4%	–	28,6%	–	11,1%	–	3,3%
Promedio	44	22	3	19	10	2	6	12	1	13
	36,1%	33,3%	21,4%	45,2%	47,6%	28,6%	50,0%	26,7%	14,3%	43,3%
Acomodada	64	36	6	22	11	2	5	25	4	16
	52,4%	54,5%	42,9%	52,4%	52,4%	28,6%	41,7%	55,5%	57,1%	53,3%
Difuntos	6	3	3	–	–	1	–	3	2	–
	4,9%	4,5%	21,4%	–	–	14,3%	–	6,7%	28,6%	–
No respondieron	–	–	–	–	–	–	1	–	–	–
	–	–	–	–	–	–	8,3%	–	–	–
TOTAL	122	66	14	42	21	7	12	45	7	30
	100%	100%	100%	100%	100%	100%	100%	100%	100%	100%

CUADRO 15
RAMA LEGISLATIVA

Edad en puesto alto	Partidos Políticos									
	TOTAL				Abogados			No abogados		
	Total	P.L.N.	P.R.N.	P.U.N.	P.L.N.	P.R.N.	P.U.N.	P.L.N.	P.R.N.	P.U.N.
25–29 años	23	15	2	6	8	2	4	7	–	2
	6,4%	8,6%	2,5%	5,8%	13,8%	8,7%	10,3%	6%	–	3,1%
30–34 años	52	32	7	13	12	4	8	20	3	5
	14,5%	18,3%	8,6%	12,6%	20,7%	17,4%	20,5%	17,1%	5,2%	7,8%
35–39 años	76	39	15	22	19	6	10	20	9	12
	21,2%	22,3%	18,5%	21,3%	32,8%	26,1%	25,6%	17,1%	15,5%	18,7%
40–44 años	67	39	13	15	14	3	10	25	10	5
	18,7%	22,3%	16,0%	14,6%	24,1%	13%	25,6%	21,4%	17,2%	7,8%
45–49 años	52	25	16	11	4	4	3	21	12	8
	14,5%	14,3%	19,0%	10,7%	6,9%	17,4%	7,7%	17,9%	20,7%	12,5%
50–54 años	26	10	10	6	1	2	–	9	8	6
	7,2%	5,7%	12,5%	5,8%	1,7%	8,7%	–	7,7%	13,8%	9,4%
55–59 años	30	8	10	12	–	–	2	8	10	10
	8,3%	4,3%	12,8%	11,6%	–	–	5%	6,8%	17,2%	15,6%
60–64 años	17	3	4	10	–	1	–	3	3	10
	4,7%	1,7%	4,9%	9,7%	–	4,3%	–	2,6%	5,2%	15,6%
65 ó más	16	4	4	8	–	1	2	4	3	6
	4,4%	2,3%	4,9%	7,8%	–	4,3%	5,1%	3,4%	5,2%	9,4%
No respondieron	–	–	–	–	–	–	–	–	–	–
TOTAL	359	175	81	103	58	23	39	117	58	64
	100%	100%	100%	100%	100%	100%	100%	100%	100%	100%

CUADRO 16
RAMA LEGISLATIVA

Lugar de nacimiento (provincia)	Partidos Políticos									
	TOTAL				Abogados			No Abogados		
	Total	P.L.N.	P.R.N.	P.U.N.	P.L.N.	P.R.N.	P.U.N.	P.L.N.	P.R.N.	P.U.N.
San José	117	46	34	37	18	10	15	28	24	22
	32,6%	26,3%	43%	35,9%	21%	43,5%	38,5%	23,9%	41,4%	34,4%
Alajuela	96	55	16	25	15	3	7	40	13	18
	26,7%	31,4%	19,8%	24,3%	25,9%	13%	17,9%	34,2%	22,4%	28,1%
Cartago	47	22	10	15	11	4	8	11	6	7
	13,1%	12,6%	12,3%	14,6%	19%	17,4%	20,5%	9,4%	10,3%	10,9%
Heredia	39	19	9	11	6	3	7	13	6	4
	10,9%	10,9%	11,1%	10,7%	10,3%	13%	17,9%	11,1%	10,3%	6,2%
Guanacaste	20	9	4	7	3	–	–	6	4	7
	5,6%	5,1%	4,9%	6,8%	5,2%	–	–	5,1%	6,9%	10,9%
Puntarenas	16	8	4	4	–	1	–	8	3	4
	4,5%	4,6%	4,9%	3,9%	–	4,3%	–	6,8%	5,2%	6,2%
Limón	12	9	2	1	4	1	1	5	1	–
	3,3%	5,1%	2,5%	0,9%	6,9%	4,3%	2,6%	4,3%	1,7%	–
Nacidos en el extranjero	5	4	1	–	1	1	–	3	–	–
	1,4%	2,3%	1,2%	–	1,7%	4,3%	–	2,6%	–	–
No respondieron	7	3	1	3	–	–	1	3	1	2
	1,9%	1,7%	1,2%	2,9%	–	–	2,6%	2,6%	1,7%	3,1%
TOTAL	359	175	81	103	58	13	39	117	58	64
	100%	100%	100%	100%	100%	100%	100%	100%	100%	100%

CUADRO 17
RAMA LEGISLATIVA

Clase social a la cual afirma pertenecer	Partidos Políticos									
	TOTAL				Abogados			No Abogados		
	Total	P.L.N.	P.R.N.	P.U.N.	P.L.N.	P.R.N.	P.U.N.	P.L.N.	P.R.N.	P.U.N.
No cree en / No pertenece a ninguna clase	11	2	4	5	2	2	4	–	2	1
	3,1%	1,1%	4,9%	4,8%	3,4%	8,7%	10,3%	–	3,4%	1,6%
Clase obrera	15	5	4	6	–	–	–	5	4	6
	4,2%	2,8%	4,9%	5,8%	–	–	–	4,3%	6,9%	9,4%
Clase media	231	136	41	54	40	12	17	96	29	37
	64,3%	77,7%	50,6%	52,4%	68,9%	52,2%	43,6%	82,1%	50%	57,8%
Clase alta	83	25	30	28	14	8	10	11	22	18
	23,1%	14,3%	37%	27,2%	24,1%	34,8%	25,9%	9,4%	37,9%	20,1%
Difuntos	–	–	–	–	–	–	–	–	–	–
No respondieron	19	7	2	10	2	1	8	5	1	2
	5,3%	4%	2,5%	9,7%	3,4%	4,3%	20,5%	4,3%	1,7%	3,1%
TOTAL	359	175	81	103	58	23	39	117	58	64
	100%	100%	100%	100%	100%	100%	100%	100%	100%	100%

CUADRO 18
RAMA LEGISLATIVA

Tipo de educación del dirigente	Partidos Políticos									
	TOTAL				Abogados			No abogados		
	Total	P.L.N.	P.R.N.	P.U.N.	P.L.N.	P.R.N.	P.U.N.	P.L.N.	P.R.N.	P.U.N.
Sin educación	1	1	–	–	–	–	–	1	–	–
	0,2%	0,6%	–	–	–	–	–	0,9%	–	–
Escuela primaria	23	10	3	10	–	–	–	10	3	10
	6,4%	5,7%	3,7%	9,7%	–	–	–	8,6%	5,2%	15,6%
1–4 años secundaria	41	22	9	10	–	–	–	22	9	10
	11,4%	12,6%	11,1%	9,7%	–	–	–	18,8%	15,5%	15,6%
Graduado secundaria	35	12	9	14	–	–	–	12	9	14
	9,7%	6,8%	11,1%	13,6%	–	–	–	10,3%	15,5%	21,9%
Alguna educación universitaria	31	19	4	8	–	–	–	19	4	8
	8,6%	10,8%	4,9%	7,8%	–	–	–	16,2%	6,9%	12,5%
Profesional (graduado universitario)	196	92	50	54	58	23	39	34	27	15
	54,6%	52,6%	61,7%	52,4%	100%	100%	100%	29,1%	46,6%	23,4%
Vocàcional	25	17	4	4	–	–	–	17	4	4
	6,9%	9,7%	4,9%	3,9%	–	–	–	14,5%	6,9%	6,3%
Escuela Normal	4	1	2	1	–	–	–	1	2	1
	1,1%	0,6%	2,5%	1%	–	–	–	0,9%	3,4%	1,6%
No respondieron	3	1	–	2	–	–	–	1	–	2
	0,8%	0,6%	–	1,9%	–	–	–	0,9%	–	3,1%
TOTAL	359	175	81	103	58	23	39	117	58	64
	100%	100%	100%	100%	100%	100%	100%	100%	100%	100%

CUADRO 19
RAMA LEGISLATIVA

Tipo de educación del padre	Partidos Políticos									
	TOTAL				Abogados			No abogados		
	Total	P.L.N.	P.R.N.	P.U.N.	P.L.N.	P.R.N.	P.U.N.	P.L.N.	P.R.N.	P.U.N.
Sin educación	–	–	–	–	–	–	–	–	–	–
Escuela primaria	132	81	18	33	20	2	6	61	16	27
	36,8%	46,3%	22,2%	32%	34,5%	8,7%	15,4%	52,1%	27,6%	42,2%
1–4 años secundaria	93	41	28	24	14	12	10	27	16	14
	25,9%	23,4%	34,4%	23,3%	24,1%	52,2%	25,6%	23,1%	27,6%	21,9%
Graduado secundaria	21	10	4	7	2	–	6	8	4	1
	5,8%	5,7%	4,9%	6,8%	3,4%	–	15,4%	6,8%	6,9%	1,6%
Alguna educación universitaria	23	7	10	6	4	1	2	3	9	4
	64%	4%	12,3%	5,8%	6,9%	4,3%	5,1%	2,6%	15,5%	6,3%
Profesional (graduado universitario)	73	26	18	29	14	7	14	12	11	15
	20,3%	14,9%	22,2%	28,1%	24,1%	30,4%	35,9%	10,2%	18,9%	23,4%
Vocacional	6	5	–	1	2	–	–	3	–	1
	1,7%	2,9%	–	1%	3,4%	–	–	2,6%	–	1,6%
Escuela Normal	1	–	1	–	–	–	–	–	1	–
	0,2%	–	1,2%	–	–	–	–	–	1,7%	–
No respondieron	10	5	2	3	2	1	1	3	1	2
	2,8%	2,9%	2,5%	2,9%	3,4%	4,3%	2,6%	2,6%	1,7%	3,1%
TOTAL	359	175	81	103	58	23	39	117	59	64
	100%	100%	100%	100%	100%	100%	100%	100%	100%	100%

CUADRO 20
RAMA LEGISLATIVA

Clase social del padre	Partidos Políticos									
	TOTAL				Abogados			No abogados		
	Total	P.L.N.	P.R.N.	P.U.N.	P.L.N.	P.R.N.	P.U.N.	P.L.N.	P.R.N.	P.U.N.
No cree en / No pertenece a ninguna clase	11	3	2	6	3	2	4	–	–	2
	3,1%	1,7%	2,5%	5,8%	5,2%	8,7%	10,3%	–	–	3,1%
Clase obrera	33	19	6	8	4	1	2	15	5	6
	9,2%	10,9%	7,4%	7,8%	6,9%	4,3%	5,1%	12,8%	8,6%	9,4%
Clase media	203	113	38	52	34	13	17	79	25	35
	56,5%	64,6%	43,9%	50,5%	58,6%	56,5%	43,6%	67,5%	43,1%	54,7%
Clase alta	90	28	30	32	13	6	11	15	24	21
	25,1%	16,0%	37%	31,1%	22,4%	26,1%	28,2%	12,8%	41,4%	32,8%
Difuntos	9	7	2	–	1	–	–	6	2	–
	2,5%	4,0%	2,5%	–	1,7%	–	–	5,1%	3,4%	–
No respondieron	13	5	3	5	3	1	5	2	2	–
	3,6%	2,9%	3,7%	4,8%	5,2%	4,3%	12,8%	1,7%	3,4%	–
TOTAL	359	175	81	103	58	23	39	117	58	64
	100%	100%	100%	100%	100%	100%	100%	100%	100%	100%

CUADRO 21
RAMA LEGISLATIVA

Condición económica del padre	Partidos Políticos									
	TOTAL				Abogados			No abogados		
	Total	P.L.N.	P.R.N.	P.U.N.	P.L.N.	P.R.N.	P.U.N.	P.L.N.	P.R.N.	P.U.N.
Austera	23	11	5	7	2	1	5	9	4	2
	6,4%	6,3%	6,8%	6,8%	3,4%	4,3%	12,8%	7,7%	6,9%	3,1%
Promedio	172	88	37	46	26	13	13	62	24	34
	47,0%	50,3%	45,7%	45,6%	44,8%	56,5%	33,3%	53%	41,4%	53,1%
Acomodada	143	61	34	48	26	9	20	35	25	28
	39,8%	34,9%	41,8%	46,6%	44,8%	39,1%	51,3%	29,9%	3,1%	43,8%
Difuntos	11	9	2	–	1	–	–	8	2	–
	3,1%	5,1%	2,5%	–	1,7%	–	–	6,8%	3,4%	–
No respondieron	10	6	3	1	3	–	1	3	3	–
	2,8%	3,4%	3,7%	1%	5,2%	–	2,6%	2,6%	5,2%	–
TOTAL	359	175	81	103	58	23	39	117	58	64
	100%	100%	100%	100%	100%	100%	100%	100%	100%	100%

APENDICE II

LISTA DE CUESTIONARIOS EN ORDEN NUMERICO CON LA EXPERIENCIA POLITICA DE LOS DIRIGENTES

Abreviaturas empleadas en la lista

Las letras indican el tipo de puesto político ocupado por el dirigente, y a continuación los años en que desempeñó el puesto.

P	Presidente
VP	Vicepresidente
M	Ministro
C	Miembro de la Asamblea Constituyente
D	Diputado
MC	Munícipe
G	Gobernador de una provincia
Mg	Magistrado
JP	Juez Penal
JC	Juez Civil
Alc	Alcalde
SC	Secretario de la Corte
EC	Escribiente
Psc	Prosecretario
JL	Juez Laboral
Mg Sup	Magistrado Suplente
PESJ	Presidente Corte Suprema de Justicia
J	Juez
ScJg	Secretario Juzgado
JS	Juez Superior

001	Gamboa Rodríguez Celso	C49/D49-53
002	Jiménez Zavaleta Arnoldo	D49-53
003	Trejos Flores Eladio	D42-44/D44-46/D49-53 MC46-48
004	Pacheco Montealegre Ricardo	D49-53
005	Rodríguez Porras Armando	D49-53
006	Herrera González Jorge	D49-53
007	Ruiz Solórzano Julio	D49-53
008	Arroyo Quesada Rafael Ángel	D49-53/D58-62
009	Obregón Valverde Enrique	D58-62
010	Marshall Jiménez Frank	D58-62/M62-66/D66-70
011	Castro Monge Florentino	D36-40/D58-62
012	Hernández Cascante Abdenago	D58-62
013	Sotela Montagné Orlando	D58-62/D66-70
014	Volio Jiménez Fernando	D58-62/D66-70/MC48-49 MC49-53
015	Solano Sibaja César A.	
016	Volio Jiménez Jorge	D22-24/D24-28/VP24-25 D32-36/D53-55/MC29
017	Baudrit González Fabio	DO8-12/C17/M28-32/C49
018	Figueres Ferrer José	P48-49/P53-57/P70-74
019	Brenes Mata Andrés	C49
020	Facio Brenes Rodrigo	C49
021	Fournier Acuña Fernando	C49/M55
022	Gómez Rojas Everardo	M36-40/C49
023	González Herrán Manuel Antonio	C49
024	Jiménez Núñez José Joaquín	C49/MC

025	Jiménez Ortiz Manuel Francisco	
026	Montealegre Echeverría Edmundo	
027	Oreamuno Flores Alberto	D36-40/C49/VP49-53
028	Pinto Echeverría Fernando	C49
029	Solórzano González Gonzalo	C49/M55-58/D70-74/ M71-74
030	Sotela Bonilla Rafael	C49
031	Trejos Quirós Juan	C49
032	Vargas Pacheco José María	C49
033	Zeledón Brenes José María	
034	Flores Orozco Alberto	
035	Vargas Castro Hernán	C49/D49-53
036	Arrieta González Pastor	D49-53/MC/MC
037	Quesada Rodríguez Pánfilo	
038	Rodríguez Caracas Manuel	D49-53/MC30-32
039	Venegas Mora Rubén	C49/D49-53/MC
040	Corrales Pizarro Ramón	
041	Salazar Baldioceda Carlos Alberto	
042	Vargas Ugalde Eugenia	D53-58
043	Mora Rodríguez Manuel Antonio	D53-58
044	Hurtado Aguirre Rafael	D53-55
045	Cubillo Aguilar Sergio	D53-58
046	Morales Obando Isaías	
047	Morales Morales Francisco	D66-70/MC53-58/MC62-66/M72-74
048	Arredondo Calderón Mario	D66-70/MC62-66
049	Ferrandino Calvo Pedro	D42-48/D66-70/MC32-48
050	Murillo Murillo Ovidio	D66-70/MC53-58
051	Brenes Gutiérrez Miguel	M44-47/M48/C49
052	Brenes Gutiérrez Luis	D58-62
053	Vargas Vargas Francisco	
054	Montiel Gutiérrez Enrique	C49
055	Volio Mata Alfredo	D40-44/M44-48/VP49-53
056	Orlich Bolmarcich José Luis	M70-74
057	Sáenz Herrera Carlos	M49-51/VP62-66
058	Volio Guardia Claudio A.	M49-53

059	Quirós Blanco Amadeo	M49-50
060	Chaverri Ugalde Virgilio	D28-36/M49-53/MC veces
061	Hernández Volio Alfredo	M49-53/M53/M58-60
062	González Flores Rubén	D46-48/M51-52
063	Cabezas Duffner José	M49-53
064	Rojas Quirós Carlos Manuel	M49-53
065	Garro Jiménez Joaquín	D53-58/D62-66
066	Bonilla Wepold Francisco	D53-58/MC
067	Solano Madriz Manuel Francisco	D53-58/MC48-52
068	Quirós Sasso Víctor Alberto	D53-58
069	Peralta Esquivel José Joaquín	D36-40/M44-47/D53-58/ MC32-36/36-40/44 VP58-62/D62-66
070	Fernández Ferreiro Leopoldo	D53-58
071	Zamora Campos Porfirio	D53-58
072	Benavides Murillo Jesús	D62-66/MC49-56
073	Murillo Saborío Nora	D62-66
074	Vargas Ramírez Hernán	
075	Ruiz Solórzano Numa	C49/D49-53/D66-70
076	Saborío Bravo Humberto	D58-62/MC46-47
077	Leiva Quirós Mario	C49/D49-53/D58-62
078	Mandas Chacón Jorge	D49-53
079	Torres Vincenzi Alvaro	D49-53
080	Alonso André Eladio	D58-62/D70-74/MC48-52/ 53-57
081	Iglesias Flores Guillermo	D62-66/MC32-36/ G56-62
082	García Fonseca José H.	D62-66
083	Sancho Robles Rodrigo	D38-46/D49-53/D58-62
084	Arrieta Salas Uriel	D66-70
085	Guardia Herrero Halley	D66-70/MC62-66
086	Quesada Casal Rafael	D49-53/MC24-28/31/34/ 36
087	Salazar Mata Roberto	
088	Cordero Croceri José Rafael	D58-62
089	Villanueva Badilla Jorge Luis	D66-70

090	Guzmán Mata Fernando	D58-62/D66-70
091	Gamboa Rodríguez Enrique	D49-53
092	Brenes Castillo Juan Guillermo	D58-62/MC54-56
093	Ortiz Martín Gonzalo	C49/D49-53
094	Guzmán Calleja Andrés Vesalio	C49
095	Volio Jiménez Arturo	D20-36/C49/MC19-22/26-28
096	Calvo Ortega Minor	D62-66/MC48
097	Patiño Troyo Manuel	D66-70/MC4 años
098	Morúa Rivera Alberto	
099	Esquivel Arguedas Mario	M53-56
100	Rossi Chavarría Jorge	M53-56/VP70-74
101	Masís Dibiasi Bruce	M48-49/M53-58
102	Bonilla Gutiérrez Aquiles	M48-49/C49/M53-58
103	Fallas Monge Otto	
104	Loría Cortés Rodrigo	VM53/M53-58
105	Pacheco Coto Humberto	VM54/M54-55
106	Terán Valls Máximo	M57-58/M62-64
107	Soley Carrasco Rodrigo	M53-58
108	Tossi Bonilla Alfredo	M56-58
109	Valverde Vega Rogelio	C49
110	Hess Estrada Raúl	M57-58/M62-63
111	García Villalobos Domingo	M56-58
112	Gómez Calvo Mario	M57-58/M62-63
113	Odio Odio Benjamín	M48-49
114	Martén Chavarría Alberto	M48-49
115	Blanco Cervantes Raúl	M48-49/VP53-58
116	Cardona Quirós Edgar	M48-49
117	Esquivel Bonilla Fernando	VP53-58
118	Trejos Fernández José Joaquín	
119	Vega Rodríguez Jorge	VP66-70
120	Trejos Fonseca Diego	M66-70
121	Jiménez De la Guardia Manuel	M66-70
122	Barahona Streber Oscar	M66-70
123	Malavassi Vargas Guillermo	M66-70/MC62-66
124	Iglesias Pacheco Guillermo	M66-70

125	Rodríguez Calvo José Joaquín	M66-70
126	Rodríguez Echeverría Miguel A.	M68-70
127	Guier Sáenz Jorge Enrique	M66-69
128	Arias Sánchez Oscar	M70-74
129	Valverde Vega Fernando	M48-49/M56-57/D62-66 M70-74
130	Monge Alvarez Nautilio	D62-66
131	Hernández Piedra Alvaro	M66-69
132	Peña Chavarría Antonio	M36-39/D46-48/D49-53 D62-66
133	Fernández Alfaro Mario	D49-53
134	Uribe Rodríguez Luis	D49-53
135	Esquivel Fernández Ricardo	C49/D49-53
136	Jiménez Flores Gonzalo	DyM49-53
137	Orlich Bolmarcich Francisco J.	D40-44/D46-48/M48-49 MC37-40/D53-58/P62-66
138	Cortés Fernández Otto	D38-48/D53-58
139	Facio Segreda Gonzalo	M48-49/M49/D53-56/ M70-74
140	Jiménez Rodríguez Francisco	D53-58
141	Obregón Zamora María Teresa	D53-58
142	Villalobos Dobles Jorge	D58-61
143	Calderón Guardia Rafael Angel	D32-40/P40-44/D58-62/ MC28-32
144	Saborío Fonseca Marta	D58-62
145	Fonseca Zúñiga Enrique	D24-28/D58-62
146	Villalobos Arce Guillermo	D58-62/D66-70
147	Montero Castro Jorge Arturo	D62-66
148	Muñoz Mora Edwin	D62-66/D70-74/MC56-57
149	Castro Hernández Luis	D62-66
150	Cañas Iraeta Antonio	D62-66
151	Aguilar Peralta Alvaro	D62-66/M66-69/D70-74
152	Calvo Sánchez Virgilio	D62-66/VP66-69
153	Ramos Valverde Rogelio	D62-66
154	Gutiérrez Zamora Milton	D62-66
155	Aguilar Bulgarelli Francisco	D62-66
156	Salazar Fábrega Mario	D53-58
157	Solórzano Salas Franklin	D53-58/M58-62
158	Valladares Mora Rafael Angel	D53-58/D70-74

159	Carro Zúñiga Alfonso	D58-62/M62-66
160	Molina Quesada José Luis	D53-57/D66-70
161	Carazo Odio Rodrigo	D66-70/MC48-49
162	Marín Chinchilla Matilde	D66-70
163	Gutiérrez Gutiérrez Carlos José	D66-70
164	Fernández Fallas Carlos Luis	D66-70/MC62-66
165	Charpantier Gamboa Mario	D66-70
166	Arrieta Quesada Harry	D66-70/MC
167	González Salazar Cecilia	D66-70
168	Morales Flores Graciela	D66-70
169	Aguilar Vargas René	
170	Azofeifa Solís Luis Alberto	D66-70
171	Brenes Gutiérrez Ramiro	D66-70
172	Barrantes Elizondo Ramón	D66-70/MC62-66
173	Hine García José	D66-70
174	Trejos Escalante Fernando	D66-70/MC49-53
175	Mata Morales Manuel Antonio	D66-70
176	Chavarría Chinchilla Oldemar	D53-58/MC66-70
177	Chacón González Ana Rosa	D53-58
178	Bonilla Castro Luis	D53-58
179	Castillo Rojas Gonzalo	D53-58
180	Quesada Chacón Manuel Antonio	D53-58
181	Muñoz Fonseca Julio	D38-42/D42-46/D53-58
182	Jiménez Ramírez Guillermo	D53-55/D70-74
183	Acosta Jiménez Otón	C49/D53-58
184	Escalante Durán Manuel	D40-44/D53-58/MC40-44
185	Echandi Jiménez Mario	M49-53/D53-58/P58-62
186	Solórzano Saborío Rafael	D53-58/D62-66/D70-74
187	Espinach Escalante Carlos	M58-62/D62-63/M63-64 D64-66
188	Quirós Castro Teodoro	M56-58/D62-66
189	Cañas Escalante Alberto	D62-66/M70-74
190	Solano Orfila Rodolfo	D62-66
191	Salazar Navarrete Fernando	D62-66
192	Herrero Herrero Juan José	D46-48/C49/MC50-58
193	Monge Ramírez Joaquín	C49

194	Rojas Espinoza Jorge	C49
195	Chacón Jinesta Alvaro	C49/MC44-46
196	Castro Sibaja José Antonio	C49
197	Salas Carvajal Federico	C49
198	Acosta Piepper Nautilio	D20-22/C49/D49-53
199	Alvarez González Porfirio	D58-62
200	Rojas Espinoza Alvaro	D49-53
201	Bolaños Bolaños Armando	D62-66/MC57-62
202	Vega Rojas José Rafael	D58-62/D66-70
203	Kopper Vega Otto Eduardo	D58-62/MC49-52
204	Lizano Hernández Alberto	D58-62/MC26-34
205	Chaves Soto Humberto	
206	Valenciano Madrigal José	D62-66/MC48-50/50-54 58-62/62-66
207	Fernández Prestinary Carlos Ml.	
208	Lara Bustamente Fernando	D42-46/D46-48/D49-53 D58-62/DyM66-70
209	Bonilla Baldares Abelardo	D49-53/VP58-62
210	Fernández Durán Roberto	D49-53
211	Montero Padilla Alvaro	D58-62
212	Fournier Jiménez Fabio	D58-62
213	Cordero Zúñiga Hernán	
214	Dávila Ugalde Miguel Angel	D58-62
215	Rodríguez Conejo Marcial	M28-30/30-48D/C49/ D49-53
216	Corrales Blanco Lisandro	D49-53/MC62-66/70-74
217	Sanz Soto Mariano	D49-53
218	Arroyo Blanco Ramón	C49/D49-53
219	Chavarría Solano Víctor	D44-48/D49-53/MC42-44/ 62-66
220	Benavides Robles Rafael	D62-66/MC49-52
221	Herrera Alfaro Víctor Emilio	D62-66
222	Víquez Ramírez Eduardo	D62-66
223	Azofeifa Víquez Enrique	D66-70/MC62-66
224	Gutiérrez Benavides Fernando	D66-70
225	Losilla Gamboa Roberto	D58-62/MC53-58

226	Montero Chacón Félix Arcadio	D58-62
227	Ulate Blanco Otilio	C17/D18/D30-34/D34-38 M48-49/P49-53/MC48/ D58-62
228	Morera Soto Alejandro	D58-62
229	González Murillo Raúl	D58-62
230	López Gutiérrez Néstor	D58-62
231	Guido Matamoros Juan	D30-32/C49/MC
232	Madrigal Jochs Enrique	C49/D49-53
233	Lee Cruz Arnulfo	C49/MC49/G69
234	Jiménez Guido Raúl	D49-53/MC20-24
235	Recio Pérez Amadeo	
236	Obando Segura Julio	D49-53
237	Aguilar Chinchilla Moisés	D20-22/D22-24/D24-26 D26-28/D28-30/D49-53
238	París Steffens Rafael	D53-58/D62-66/D70-74
239	Ortiz Róger Rafael	D53-58
240	Campos Jiménez Manuel	D53-58
241	Jiménez Solano Malaquías	
242	Carballo Murillo Ricardo	D53-58
243	Chaverri Ulloa Hernán	D62-66
244	Arauz Bonilla Rodrigo	D62-66
245	Ramírez Garita Octavio	
246	Guerra Baldares Ciro	D62-66/MC49-53
247	Oduber Quirós Daniel	D58-62/M62-64/D70-74
248	Monge Alvarez Luis Alberto	C49/M55-56/D58-62/ D70-74
249	Silva Quirós Carlos	
250	Calvosa Chacón Carmelo	D49-53/D60-62
251	Portocarrero Argüello Alfonso	D49-53/G53-58/MC
252	Reuben Aguilera William	D53-58
253	Zúñiga Odio Mariano	D53-58/MC50-54
254	Curling Delisser Alex	D53-58
255	Garrón Salazar Hernán	D58-62/M62-64/D66-70/ MC53-58
256	Caamaño Cubero Hernán	D58-62
257	Mc Rae Grant Luis	

258	Víquez Barrantes Hernán	D62-66/G58-61
259	Tassies Piñeiro Horacio	D62-66/MC3 veces
260	Bermúdez Coward Luis Demóstenes	D62-66/G70
261	Castro Sánchez Florentino	
262	Alfaro Quirós Guillermo	D66-70/MC54-58
263	Neil Neil Carl Eduardo	
264	Desanti León Vicente	C49/G
265	González Luján Alejandro	C49
266	Núñez Vargas Benjamín	M48-49
267	Arauz Aguilar Armando	D66-70
268	Aíza Carrillo Rosa Alpina	D58-62/D70-74
269	Hernández Madrigal Noel	D58-62/D66-70
270	Hurtado Rivera David	
271	Jara Chavarría José Angel	
272	Espinoza Espinoza Francisco	
273	Rojas Tenorio Francisco	D58-62/MC50-54
274	Flores Cárdenas Danilo	D62-66
275	Ocampo Alvarez Constantino	D62-66/MC48-52
276	Villalobos Campos Marcos	
277	Cubillo Aguilar Alvaro	
278	Muñoz Bustos José Joaquín	D62-66
279	Cárdenas Cubillo Saúl	D62-66/MC25/MC30
280	Rodríguez Hernández Carlos Luis	D66-70
281	Vargas Fernández Fernando	D46-48/C49/D49-53
282	Ramírez Fonseca Manuel Felipe	D49-53
283	Benavides Robles José Francisco	D49-53/MC46-48
284	Elizondo Cerdas Carlos	C49/D49-53
285	Sáenz Flores Samuel	D49-53
286	Ramírez Víquez Modesto	D49-53
287	Montero Barrantes Alfredo	D49-53/MC38-40
288	Gámez Solano Uladislao	M48-49/D53-58/M70-74
289	Argüello Villalobos Dubilio	D53-58/D62-66
290	Vargas Fernández Alfredo	D53-58/D66-70/MC36-40 M58-62
291	Chaverri Benavides Guillermo	D53-58
292	Trejos Dittel Eduardo	D58-62
293	Arguedas Katchenguis Hernán	D58-62

294	Dobles Sánchez Manuel	D58-62/G50-51
295	Chaves Alfaro Albino	D58-62/MC54-58
296	Arias Bonilla Juan Rafael	D10-14/M14-17/D20-28/ D32-40/M28/C49/MC
297	Dobles Segreda Luis	D42-36/C49/M49-53/MC
298	González Flores Luis F.	M14-17/C49
299	Gómez Cordero Gonzalo	D70-74
300	Castaing Castro Rodolfo	C49
301	Rojas Vargas Edgar	C49
302	Jiménez Quesada Mario Alberto	
303	Lobo García Manuel Antonio	C49
304	Monge Alfaro Carlos	C49
305	Carrillo Echeverría Rafael	C49
306	Orlich Bolmarcich Cornelio	D62-66/MC53-58
307	Quirós Maroto Sergio	
308	Arias Murillo Nataniel	D62-66/MC58-62
309	Galva Jiménez Alejandro	D62-66
310	Guardia Esquivel Carlos Manuel	D62-66
311	Barboza Ruiz Deseado	D62-66/MC
312	Ortuño Sobrado Fernando	D62-66
313	Naranjo Carvajal Marco Tulio	D62-66
314	Tattembach Iglesias Cristián	D62-66/M66-70
315	Suñol Leal Julio César	D62-66
316	Batalla Esquivel Fernando	M70-74
317	Calderón Guardia Francisco	M40-42/M42-44/D58-62
318	Segares García Gonzalo	
319	Aguiluz Orellana Marcial	D58-62/D70-74/MC53-58
320	López Garrido Rafael	D58-62/D66-70/MC54-57
321	Quesada Alvarado Omar	
322	Urbina González Francisco	D40-44/D49-53/M62-66
323	Monge Alvarez Víctor Julio	D49-53
324	Rucavado Gómez Otto	D49-53
325	Rodríguez Blanco Víctor	
326	Vega Trejos Franklin	D49-53/MC48-50
327	Quesada Hernández Estela	D53-58/M58-60/MC70-74
328	Ramírez Villalobos Luis	D53-58/MC62-66

329	Mora García Edgar	
330	Vega Maroto Enrique	D53-58/MC48-50/50-54
331	Quirós Quirós Roberto	D30-32/D36-40/D53-58 MC22-24/46-48
332	Quesada Fernández Fabio	D53-58/MC49-53
333	Chavarría Poll Oscar	D53-58/D70-74
334	Alfaro Sotela Alfredo	D53-58
335	Chávez Soto Rafael Angel	D53-58
336	García Campos Rafael Angel	D53-58
337	Arauz Bonilla Salvador	D66-70
338	Delgado Bonilla Alberto	D66-70
339	Figueroa Chinchilla Guillermo	
340	Guevara Fallas Mireya	D70-74
341	Vicente Castro Carlos Manuel	D53-58/D66-70/M70-74
342	Ames Alfau Erasmo Alfonso	D66-70/MC
343	Brenes Méndez Carlos Manuel	D58-62
344	Espinoza Jiménez Germán	D58-62
345	Solera Solera Oscar	D58-62
346	Borbón Castro Jorge	M58-62
347	Vargas Gené Joaquín	M58-62
348	Jiménez De la Guardia Adolfo	M58-62
349	Salas Salas Espiritusanto	M58-62
350	Hernández Volio Alfredo (Véase 061)	
351	Runnebaum Quirós Fernando	M60
352	Quirce Morales José Manuel	M58-62
353	Urbina Gutiérrez Adriano	D20-22/D22-24/D26-28 D28-30/D30-32/D32-34 D38-40/D40-42/M60-62
354	Vargas Méndez Joaquín	M60-62
355	Vargas Alfaro Víctor	M58-62
356	Aguilar Machado Alejandro	
357	Tinoco Castro Luis Demetrio	D32-36/M40-44/M46/M58-63
358	Goicoechea Quirós Fernando	M62/M63-64
359	Vargas Bonilla Ismael Antonio	M49/M62-66
360	Soley Carrasco Elías	M62-65
361	Quirós Sasso Mario	M62-66/M70-71
362	Rojas Brenes Fernando	M62-63/MC53-58

363	Jiménez Monge Bernal	M62-66
364	Echandi Zurcher Ricardo	M62-66
365	Tristán Castro Oscar	M64-66
366	Gutiérrez Matarrita Abundio	M65-66
367	Arauz Aguilar Pedro	D70-74
368	Araya Rodríguez Claudio	D70-74
369	Araya Vargas José Fabio	
370	Arroyo Cordero Edgar	D70-74/MC66-70
371	Barrantes Campos Daniel	D70-74
372	Bonilla Dib Jorge	D70-74
373	Bonilla Dib José	D70-74
374	Brenes González Rodrigo	D70-74
375	Campos Orozco Oscar	D70-74
376	Carazo Paredes Rogelio	D70-74/MC58-62
377	Carballo Quintana Manuel	D70-74
378	Castro Hernández Hernán	D70-74/MC62-66
379	Chaverri Solano Edgar	D70-74/MC62-66
380	Durán Picado Romilio	D70-74/MC62-66/66-70
381	Esna Miguel Asís	D70-74
382	Fernández Morales Jesús	D70-74
383	Gaspar Zúñiga Pedro	D70-74
384	Hernández Pacheco Oscar	D70-74/MC66-70
385	Hernández Vargas Rodrigo	D70-71
386	Jacob Habbit Antonio	D70-74
387	Jiménez Borbón Manuel	D70-74
388	Laclé Castro Gonzalo Rolando	D70-74/MC66-70
389	Leiva Runnebaum Rodolfo	D70-74
390	Lizano Ramírez Gonzalo	D70-74/G66-69
391	Maxwell Kennedy Rolando Reinaldo	D70-74
392	Monge Herrera Gonzalo	D70-74
393	Mora Valverde Manuel	
394	Morales Hernández Francisco	D70-74
395	Ocampo Ocampo Asdrúbal	D70-74/MC66-70
396	Otárola Préndigas Yolanda	
397	Pardo Jochs Rogelio	D70-74
398	Piedra Jiménez Emilio	D70-74

399	Rodríguez Sagot Fulvio	D70-74
400	Saborío Alvarado Oscar	D70-74/MC66-70
401	Solano Calderón Rafael Edmundo	D70-74/MC66-70
402	Solano Chacón Jorge	D70-74
403	Soto Pacheco Longino	D70-74
404	Ugalde Alvarez Carlos	D70-74/MC66-68/68-70
405	Valverde Marín Jenaro	D70-74
406	Villalobos Arias Carlos	D70-74
407	Zavaleta Durán Teresa	D70-74/MC66-70
408	Coto Albán Carlos Manuel	M70-71
409	Aguilar Bonilla Manuel	VP70-74
410	Jiménez Veiga Danilo	M70-74
411	Alpízar Vargas Claudio	M70-74
412	Castillo Morales Carlos Manuel	M71-74
413	López Agüero Marco Antonio	M71-74
414	Chaverri Bolaños Francisco	M69-70
415	Picado Guerrero Antonio	D49-53
416	Arroyo Alfaro Antonio	D66-70
417	Vega Rojas José Rafael	
418	Carmona Benavides Arnulfo	
419	Zamora Jiménez Ramón Antonio	D66-70
420	Quesada Alvarez Lindberg	D66-70
421	Bolaños Rojas José Antonio	
422	Arroyo Ramírez Freddy	D66-70/MC62-66
423	Chacón Murillo Roberto	D66-70
424	Román Román Ricardo	
425	Gago Pérez Germán	D66-70
426	Suárez Matamoros Luis Carlos	D44-48/D49-53/MC38-40

MAGISTRADOS

501	Baudrit Solera Fernando	MgSup./Mg52/PESJ55 C49
502	Volio Sancho Fernando	Mg68/D46-48/C49/M53-56 D53-58/M56-57/MC28-29
503	Quirós Salazar Daniel	Mg48
504	Calzada Carboni Juan Rafael	Alc.39/J42/JC55/Mg63
505	Coto Albán Fernando	Ec41-47/JP47-51/JC51-63 Mg63
506	Jacobo Luis Juan	J46-51/Mg55
507	Jiménez Arana Antonio	Ec35-41/ScJg41-42/Alc42-47 JC47-55/Mg55
508	Retana Sandí Gonzalo	Ec49-54/Alc54-55/JP55-57 JS67/JC57-67/Mg67
509	Bejarano Rivera Hernán	Alc29/JP/JS/Mg52
510	Soto Méndez Ulises	Mg55/G48-51
511	Fernández Porras Miguel Angel	Alc39-42/SC43-45/ JC46-47/Mg48
512	Sanabria Sanabria Gonzalo	Alc41/JC48-58/Mg59
513	Lamiq Román Hugo	
514	Valverde Solano Ulises	Alc46-53/JP53-68/Mg68
515	Trejos Trejos Gonzalo	JP44-47/Mg49
516	Porter Murillo Hugo	Psc43-46/Alc47-48/JP48-57 Mg57
517	Odio Santos Ulises	Alc46-51/JC51-64/Mg64
518	Vallejo Leitón Stanley	Alc50-55/SC55-58/J58-64 SC67-69/Mg69
519	Guzmán Quirós Gerardo	JC03-15/Mg15-16/JC16-18 Mg19-49/M49-53
520	Guardia Carazo Jorge	Mg20-49/PCSJ49-55/MC 1920
521	Valle Peralta Napoleón	Mg48

522	Elizondo Mora Víctor Manuel	Alc19-22/JP22-38/Mg48-68
523	Ramírez Chaverri Evelio	Alc31-32/JC32-33/SC33-42 Mg 42
524	Castillo Montoya Salomón	EC18-23/Psc23/JC25-48 Mg48-57
525	Iglesias Flores Pedro	Mg34-51/D32-34
526	Gólcher Avendaño Mario	Alc43-44/JC44-48/Mg48-52 Alc58-63/JC63
527	Fernández Hernández Alejandro	Ec16-20/Alc22-38/JL38-49 Mg49-55
528	Cordero Zamora Manuel Antonio	SC14-18/Alc18-22/JC22-35 Mg37/JL37-52/D30-34
529	Sanabria Coto Napoleón	
530	Sánchez Morales Alfredo	Alc/Mg42-64
531	Acosta Soto Máximo	
532	Aguilar Morúa Jorge	
533	Monge Gutiérrez Víctor Manuel	
534	Avila Fernández Gilberto	
535	Ruiz Fernández Francisco	JC35/Mg48-52/M52-53 D62-66
536	Blanco Quirós Miguel	Alc/JC/Mg56

APENDICE III

OCUPACIONES SEGUN STATUS

Contiene los resultados de las evaluaciones efectuadas por los estudiantes acerca de la posición social de diferentes ocupaciones, incluidos los puestos políticos.

OCUPACIONES SEGUN STATUS[1]

Alto

00	Ministro, diputado	(pública)
01	Abogado	(privada)
03	Médico	(privada)
04	Ingeniero Civil	(privada)
05	Otras profesiones	(pública o privada)
06	Industrial	(privada)
07	Finquero (propietario)	(privada)
08	Empresario de comercio	(privada)
09*	Funcionario ministerial de alto nivel	(pública)
11	Rector, Presidente de consejo universitario	(pública)

Medio

02	Abogado (empleado)	(pública o privada)
09	Funcionario ministerial de alto nivel	(pública)
10*	Funcionario de nivel medio o bajo	(pública)
11	Profesor universitario	(pública)

1 Se dio a cincuenta estudiantes de sociología de la Universidad de Costa Rica una lista de ocupaciones. Este apéndice contiene los resultados de sus evaluaciones acerca de la posición social de diferentes ocupaciones.

* Categoría de status medio (en opinión de los estudiantes), pero varios individuos incluidos en esta categoría presentaban otras características de status alto. La número 10 sería una ocupación de status bajo, pero varias personas incluidas aquí tenían otras características propias del nivel de status medio.

13	Empleado judicial de alto nivel	(pública)
14	Empleado de alto nivel de empresa privada	(privada)
23	Estudiante universitario	(privada)

Bajo

10	Funcionario de nivel medio o bajo	(pública)
12	Empleado de nivel medio o bajo de empresa privada	(privada)
15	Profesor, maestro	(pública)
16	Funcionario de partido político	(pública)
17	Periodista	(privada)
18	Contabilista	(privada)
19	Técnico de nivel medio	(privada)
20	Obrero especializado	(privada)
21	Obrero no especializado	(privada)

Casos especiales

22	Pensionado
25	Ama de casa

APENDICE IV

LISTA DE CANTONES

Incluye todos los cantones de Costa Rica.

LISTA DE CANTONES

CANTON	DISTRITO	CATEGORIA
I Provincia de San José		
1. Central (San José)	1. Carmen	Capital
	2. La Merced	Capital
	3. Hospital	Capital
	4. Catedral	Capital
	5. Zapote	Capital
	6. San Francisco de Dos Ríos	Capital
	7. La Uruca	Capital
	8. Mata Redonda	Capital
	9. Las Pavas	Capital
	10. Hatillo	Capital
	11. San Sebastián	Capital
2. Escazú		
	1. Escazú	Capital
	2. San Antonio	Rural
	3. San Rafael	Rural
3. Desamparados		
	1. Desamparados	Capital
	2. San Miguel	Rural

CANTON	DISTRITO	CATEGORIA
	3. San Juan de Dios	Rural
	4. San Rafael	Rural
	5. San Antonio	Rural
	6. Los Frailes	Rural
	7. Patarrá	Rural
	8. San Cristóbal	Rural
	9. El Rosario	Rural
4. Puriscal		
	1. Santiago	Urbano
	2. Mercedes Sur	Rural
	3. Barbacoas	Rural
	4. Grifo Alto	Rural
	5. San Rafael	Rural
	6. Candelarita	Rural
	7. Desamparaditos	Rural
	8. San Antonio	Rural
5. Tarrazú		
	1. San Marcos	Rural
	2. San Lorenzo	Rural
	3. San Carlos	Rural
6. Aserrí		
	1. Aserrí	Rural
	2. Praga o Tarbaca	Rural
	3. Vuelta de Jorco	Rural
	4. San Gabriel	Rural
	5. La Legua	Rural
7. Mora		
	1. Villa Colón	Urbano
	2. Guayabo	Rural
	3. Tabarcia	Rural
	4. Piedras Negras	Rural
	5. Picagres	Rural

CANTON	DISTRITO	CATEGORIA
8. Goicoechea		
	1. Guadalupe	Capital
	2. San Francisco	Capital
	3. Calle Blancos	Capital
	4. El Carmen (antes Mata Plátano)	Rural
	5. Ipís	Rural
	6. Rancho Redondo	Rural
9. Santa Ana		
	1. Santa Ana	Urbano
	2. Salitral	Rural
	3. Pozos	Rural
	4. Uruca o San Joaquín	Rural
	5. Piedades	Rural
	6. Brasil	Rural
10. Alajuelita		
	1. Alajuelita	Capital
	2. San Josecito	Rural
	3. San Antonio	Rural
	4. Concepción	Rural
	5. San Felipe	Rural
11. Coronado		
	1. San Isidro	Urbano
	2. San Rafael	Rural
	3. Jesús o Dulce Nombre	Rural
12. Acosta		
	1. San Ignacio	Urbano
	2. Guaitil	Rural
	3. Palmichal	Rural
	4. Cangregal	Rural
	5. Sabanillas	Rural

CANTON	DISTRITO	CATEGORIA
13. Tibás		
	1. San Juan	Capital
	2. Cinco Esquinas	Capital
	3. Anselmo Llorente	Capital
14. Moravia		
	1. San Vicente	Capital
	2. San Jerónimo	Rural
	3. Guayabal o La Trinidad	Rural
15. Montes de Oca		
	1. San Pedro	Capital
	2. Sabanilla	Rural
	3. Mercedes	Rural
	4. San Rafael (antes Cedros)	Rural
16. Turrubares		
	1. San Pablo	Rural
	2. San Pedro	Rural
	3. San Juan de Mata	Rural
	4. San Luis	Rural
17. Dota		
	1. Santa María	Rural
	2. El Jardín	Rural
	3. Copey	Rural
18. Curridabat		
	1. Curridabat	Capital
	2. Granadilla	Rural
	3. Sánchez	Rural
	4. Tirrases	Rural

CANTON	DISTRITO	CATEGORIA
19. Pérez Zeledón		
	1. San Isidro de El General	Urbano
	2. El General	Rural
	3. Daniel Flores	Rural
	4. Rivas	Rural
	5. San Pedro	Rural
20. León Cortés		
	1. San Pablo	Rural
	2. San Andrés	Rural
	3. Llano Bonito	Rural
	4. San Isidro	Rural
	5. Santa Cruz	Rural
II. Provincia de Alajuela		
1. Central (Alajuela)		
	1. Alajuela	Capital
	2. San José	Rural
	3. Carrizal	Rural
	4. San Antonio	Rural
	5. Santiago Oeste o La Guácima	Rural
	6. San Isidro	Rural
	7. Sabanilla	Rural
	8. San Rafael	Rural
	9. Santiago Este o Río Segundo	Rural
	10. Desamparados	Rural
	11. Turrúcares	Rural
	12. Tambor	Rural
	13. La Garita	Rural
	14. Sarapiquí	Rural

CANTON	DISTRITO	CATEGORIA
2. San Ramón		
	1. San Ramón	Urbano
	2. Santiago	Rural
	3. San Juan	Rural
	4. Piedades Norte	Rural
	5. Piedades Sur	Rural
	6. San Rafael	Rural
	7. San Isidro	Rural
	8. Los Angeles	Rural
	9. Alfaro	Rural
	10. Volio	Rural
	11. Concepción	Rural
	12. Zapotal	Rural
	13. San Isidro de Peñas Blancas	Rural
3. Grecia		
	1. Grecia	Urbano
	2. San Isidro	Rural
	3. San José	Rural
	4. San Roque	Rural
	5. Tacares	Rural
	6. Río Cuarto	Rural
	7. Puente de Piedra	Rural
	8. Bolívar	Rural
	9. Upala	Rural
	10. Los Chiles	Rural
	11. San Rafael de Guatuso	Rural
4. San Mateo		
	1. San Mateo	Rural
	2. Desmonte	Rural
5. Atenas		
	1. Atenas	Urbano
	2. Jesús	Rural

CANTON	DISTRITO	CATEGORIA
	3. Mercedes	Rural
	4. San Isidro	Rural
	5. Concepción	Rural
	6. San José	Rural
	7. Santa Eulalia	Rural
6. Naranjo		
	1. Naranjo	Urbano
	2. San Miguel	Rural
	3. San José o San Juanillo	Rural
	4. Cirrí Sur	Rural
	5. San Jerónimo	Rural
7. Palmares		
	1. Palmares	Urbano
	2. Zaragoza	Rural
	3. Buenos Aires	Rural
	4. Santiago	Rural
	5. Candelaria	Rural
	6. Esquipulas	Rural
8. Poás		
	1. San Pedro	Urbano
	2. San Juan	Rural
	3. San Rafael	Rural
	4. Carrillos	Rural
	5. Sabana Redonda	Rural
9. Orotina		
	1. Orotina	Urbano
	2. Mastate	Rural
	3. Hacienda Vieja	Rural
	4. Coyolar	Rural
	5. La Ceiba	Rural

CANTON	DISTRITO	CATEGORIA
10. San Carlos		
	1. Ciudad Quesada	Urbano
	2. Florencia	Rural
	3. Buena Vista	Rural
	4. Aguas Zarcas	Rural
	5. Venecia	Rural
	6. Pital	Rural
	7. La Fortuna	Rural
	8. La Tigra	Rural
	9. La Palmera	Rural
11. Alfaro Ruiz		
	1. Zarcero	Urbano
	2. Laguna	Rural
	3. Tapezco	Rural
	4. Guadalupe	Rural
	5. Palma	Rural
	6. Zapote	Rural
12. Valverde Vega		
	1. Sarchí Norte	Urbano
	2. Sarchí Sur	Rural
	3. Toro Amarillo	Rural
III. Provincia de Cartago		
1. Central (Cartago)		
	1. Parte Oriental	Capital
	2. Parte Occidental	Capital
	3. Carmen	Rural
	4. San Nicolás	Rural
	5. San Francisco	Rural
	6. Guadalupe	Rural
	7. Corralillo	Rural

CANTON	DISTRITO	CATEGORIA
	8. Tierra Blanca	Rural
	9. Dulce Nombre	Rural
	10. Llano Grande	Rural
2. Paraíso		
	1. Paraíso	Urbano
	2. Santiago	Rural
	3. Orosi	Rural
	4. Cachí	Rural
3. La Unión (Tres Ríos)		
	1. La Unión	Urbano
	2. San Diego	Rural
	3. San Juan	Rural
	4. San Rafael	Rural
	5. Concepción	Rural
	6. Dulce Nombre	Rural
	7. San Ramón	Rural
4. Jiménez		
	1. Juan Viñas	Urbano
	2. Tucurrique	Rural
5. Turrialba		
	1. Turrialba	Urbano
	2. La Suiza	Rural
	3. Peralta	Rural
	4. Santa Cruz	Rural
6. Alvarado		
	1. Pacayas	Rural
	2. Cervantes	Rural
	3. Capellades	Rural

CANTON	DISTRITO	CATEGORIA
7. Oreamuno		
	1. San Rafael	Rural
	2. Cot	Rural
	3. Potrero Cerrado	Rural
	4. Cipreses	Rural
	5. Santa Rosa	Rural
8. El Guarco		
	1. El Tejar	Urbano
	2. San Isidro	Rural
	3. Tobosi	Rural
	4. Patio de Agua	Rural
IV. Provincia de Heredia		
1. Central (Heredia)		
	1. Heredia	Capital
	2. Mercedes Norte	Rural
	3. San Francisco	Rural
	4. Barrial	Rural
	5. Sarapiquí	Rural
2. Barva		
	1. Barva	Urbano
	2. San Pedro	Rural
	3. San Pablo	Rural
	4. San Roque	Rural
	5. Santa Lucía	Rural
	6. San José de la Montaña	Rural
3. Santo Domingo		
	1. Santo Domingo	Urbano
	2. San Vicente	Rural
	3. San Miguel Sur (o los Angeles)	Rural

CANTON	DISTRITO	CATEGORIA
	4. Paracito	Rural
	5. Santo Tomás	Rural
	6. Santa Rosa	Rural
4. Santa Bárbara		
	1. Santa Bárbara	Urbano
	2. San Pedro	Rural
	3. San Juan	Rural
	4. Jesús	Rural
	5. Santo Domingo	Rural
5. San Rafael		
	1. San Rafael	Rural
	2. San José	Rural
	3. Santiago	Rural
	4. Los Angeles	Rural
	5. Concepción	Rural
6. San Isidro		
	1. San Isidro	Rural
	2. San José	Rural
	3. Concepción	Rural
7. Belén		
	1. San Antonio	Urbano
	2. La Rivera	Rural
	3. La Asunción	Rural
8. Flores		
	1. San Joaquín	Rural
	2. Barrantes o San Lorenzo	Rural
	3. Llorente	Rural
9. San Pablo		
	1. San Pablo	Rural

CANTON	DISTRITO	CATEGORIA
V. Provincia de Guanacaste		
1. Central (Liberia)		
	1. Liberia	Capital
	2. Cañas Dulces	Rural
	3. La Cruz	Rural
2. Nicoya		
	1. Nicoya	Urbano
	2. La Mansión	Rural
	3. San Antonio	Rural
3. Santa Cruz		
	1. Santa Cruz	Urbano
	2. Bolsón	Rural
	3. 27 de Abril	Rural
	4. Tempate	Rural
4. Bagaces		
	1. Bagaces	Rural
5. Carrillo		
	1. Filadelfia	Rural
	2. Palmira	Rural
	3. Sardinal	Rural
	4. Belén	Rural
6. Cañas		
	1. Cañas	Urbano
7. Abangares		
	1. Las Juntas	Rural
	2. La Sierra	Rural
	3. San Juan	Rural
	4. Colorado	

CANTON	DISTRITO	CATEGORIA
8. Tilarán		
	1. Tilarán	Urbano
	2. Quebrada Grande	Rural
	3. Tronadora	Rural
	4. Santa Rosa	Rural
	5. Líbano	Rural
	6. Tierras Morenas	Rural
9. Nandayure		
	1. Colonia Carmona	Rural
	2. Santa Rita	Rúral
	3. Zapotal o San Antonio	Rural
	4. San Pablo	Rural
	5. Porvenir	Rural
	6. Bejuco	Rural
VI. Provincia de Puntarenas		
1. Central (Puntarenas)		
	1. Puntarenas	Capital
	2. Pitahaya	Rural
	3. Chomes	Rural
	4. Lepanto	Rural
	5. Paquera	Rural
	6. Manzanillo	Rural
	7. Guacimal	Rural
2. Esparza		
	1. Esparza	Urbano
	2. San Juan Grande	Rural
	3. Macacona	Rural
	4. San Rafael	Rural
	5. San Jerónimo	Rural

CANTON	DISTRITO	CATEGORIA
3. Buenos Aires		
	1. Buenos Aires	Rural
	2. Volcán	Rural
	3. Potrero Grande	Rural
	4. Boruca	Rural
4. Montes de Oro		
	1. Miramar	Rural
	2. La Unión	Rural
	3. San Isidro	Rural
5. Osa		
	1. Puerto Cortés	Urbano
	2. Palmar	Rural
	3. Sierpe	Rural
6. Aguirre		
	1. Quepos	Urbano
	2. Parrita	Rural
	3. Savegre	Rural
7. Golfito		
	1. Golfito	Urbano
	2. Puerto Jiménez	Rural
	3. La Cuesta	Rural
VII. Provincia de Limón		
1. Central (Limón)		
	1. Limón	Capital
	2. Matina	Rural
	3. Talamanca	Rural
2. Pococí		
	1. Guápiles	Rural
	2. Jiménez	Rural

CANTON	DISTRITO	CATEGORIA
3. Siquirres		
	1. Siquirres	Urbano
	2. Pacuarito	Rural
	3. Florida	Rural
	4. Germania	Rural
	5. El Cairo	Rural

APENDICE V

CARACTERISTICAS DE CARRERA POLITICA

Incluye todas las características de carrera política analizadas.

CARACTERISTICAS DE CARRERA POLITICA

1. Un puesto público de alto nivel

		x

2. Sólo puestos públicos de alto nivel

	x	x

x	x	x

3. Puestos públicos de nivel medio y alto

	x	x
x		

		x
	x	

		x
x	x	

4. Puestos públicos de nivel bajo, medio y alto

		x
	x	
x		

5. Sólo puestos públicos de bajo nivel y uno alto

		x
	x	

		x
x	x	

6. Puestos públicos de nivel alto, medio y alto, en ese orden

x		x
	x	

BIBLIOGRAFIA

LIBROS

Agor, Weston H. *The Chilean Senate: Internal Distribution of Influence.* Austin: University of Texas Press, 1971.

Agor, Weston H., ed. *Latin American Legislatures: Their Role and Influence.* Nueva York: Praeger Publishers, 1971.

Aguilar Bulgarelli, Oscar. *Breve Reseña de Algunas Ideologías Políticas de Costa Rica.* San José: Universidad de Costa Rica, 1968.

Aguilar Bulgarelli, Oscar. *Costa Rica y sus hechos Políticos de 1948.* San José: Editorial Costa Rica, 1969.

Aguilar Bulgarelli, Oscar. *La Constitución de 1949: Antecedentes y Proyecciones.* San José: Editorial Costa Rica, 1973.

Aguilar Monteverde, Alfonso: *Teoría y Política del Desarrollo Latinoamericano*, Instituto de Estudios Económicos, Universidad Nacional Autónoma (México, 1967).

Almond, Gabriel A. y G. Bingham Powell, Jr. *Comparative Politics: A developmental Approach.* Boston: Little, Brown and Company, 1966.

Almond, Gabriel A. y James S. Coleman, eds. *The Politics of the Developing Areas.* Princeton: Princeton University Press, 1960.

Anderson, Charles W. *Politics and Economic Change in Latin America.* Princeton: D. Van Nostrand Co., Inc., 1967.

Anderson, Lee F. *Legislative Roll-Call Analysis.* Evanston: Northwestern University Press, 1966.

Araya Pochet, Carlos. *Historia de los Partidos Políticos: Liberación Nacional.* San José: Editorial Costa Rica, 1961.

Argüello Mora, Manuel. *Obras Literarias e Históricas.* San José, Editorial Costa Rica, 1963.

Arias Sánchez, Oscar. *Grupos de Presión en Costa Rica.* San José: Editorial Costa Rica, 1971.

Arias Sánchez, Oscar. *Significado del Movimiento Estudiantil en Costa Rica.* San José: Publicaciones de la Universidad de Costa Rica, No. 144, 1970.

Bachrach, Peter. *The Theory of Democratic Elitism.* Boston: Little, Brown & Company, 1967.

Baker, Christopher E., Ronald Fernández Pinto y Samuel Stone. *Municipal Government in Costa Rica: Its Characteristics and Functions.* San José: Associated Colleges of the Midwest, 1971.

Barahona Jiménez, Luis. *El Gran Incógnito: Visión Interna del Campesino Costarricense.* San José: Editorial Universitaria, 1953.

Barahona Jiménez, Luis. *El Pensamiento Político en Costa Rica.* San José: Editorial Fernández Arce, sin fecha.

Barber Bernard, *Social Stratification, A Comparative Analysis of Structure and Process* (Nueva York: Harcourt, Brace and Co., 1957).

Beauvoir de, Simone, *El Segundo Sexo*, Buenos Aires, Ediciones Siglo Veinte, Tomo I, 1970.

Beer, Samuel H. y Ulam, Adam B. (eds.) *Patterns of Government: The Major Political Systems of Europe.* New York: Random House, 1962.

Bell, John P. *Crisis in Costa Rica: The 1948 Revolution.* Austin: University of Texas Press, 1971.

Bendix, Reinhard and Seymour Martin Lipset, ed. *Class, Status, and Power.* Londres: Routledge and Kegan Paul Ltd., 1953.

Biesanz, John y Mavis. *La vida en Costa Rica.* San José: Ministerio de Cultura, Juventud y Deportes, 1975.

Binkley, Wilfred E. *American Political Parties: Their Natural History.* Nueva York: Alfred A. Knopf, 1962.

Blanco Segura, Ricardo. *Historia Eclesiástica de Costa Rica.* San José: Editorial Costa Rica, 1967.

Bosch, Juan. *Apuntes para una interpretación de la Historia Costarricense.* San José: Editorial Eloy Morúa Carrillo, 1963.

Bottomore, T. B. y Rubel, M. *Karl Marx. Sociología y Filosofía Social.* Barcelona: Ediciones Península, 1968.

Brogan, D. W. y Verney, Douglas V. *Political Patterns in Today's World.* Nueva York: Harcourt, Brace and World, Inc., 1963.

Burnett, Ben C. y Johnson, Kenneth K., *Political Forces in Latin America*. Belmont, California: Wadsworth, 1968.

Busey, James L. *Notes on Costa Rica Democracy*. Boulder: University of Colorado Press, 1962.

Busey, James L. *Latin America*. Nueva York: Random House, 1964.

Busey, James L. *Notas sobre la Democracia Costarricense*. San José, Costa Rica: Editorial Costa Rica, 1972.

Campbell, Angus y otros. *The American Voter*. Abridged Version; Nueva York: John Wiley and Sons, Inc., 1964.

Cañas, Alberto F. *Los Ocho Años*. San José: Editorial Liberación Nacional, 1955.

Cardoso, Fernando y Faletto, Enzo, *Dependencia y Subdesarrollo en América Latina*. México, Editoral Siglo XXI, 1969.

Centers, Richard. *The Psychology of Social Classes: A Study of Class Consciousness.*, Princeton: Princeton University Press, 1949.

Cerdas Cruz, Rodolfo. *La Crisis de la Democracia Liberal en Costa Rica*. San José: Editorial EDUCA, 1972.

Céspedes, Víctor Hugo. *Costa Rica: La Distribución del Ingreso y el Consumo de Algunos Alimentos*. San José: IECES, Universidad de Costa Rica, 1973.

Chacón Trejos, Gonzalo. *Costa Rica es Distinta en Hispanoamérica*. San José: Trejos, 1969.

Chacón Trejos, Gonzalo. *Tradiciones Costarricenses*. San José: Trejos, 1964.

Clapp, Charles L. *The Congressman: His Work as He Sees It*. Nueva York: Anchor Books, 1964.

Connel-Smith, Gordon. *The Inter-American System*. Londres: Oxford University Press, 1966.

Cordero, José Abdulio. *El Ser de la Nacionalidad Costarricense*. Madrid: Editorial Tridente, 1964.

Cortés, A. M. Ewing, *The Judges of the Supreme Court, 1789-1937*. Mineapolis: University of Minnesota Press, 1938.

Dahl, Robert A. *Political Oppositions in Western Democracies*. New Haven: Yale University Press, 1966.

Dahrendorf, Ralf. *Class and Class Conflict in Industrial Society*. California: Standford University Press, 1959.

David, Harold *Government and Politics in Latin America.* Nueva York: Ronald Press, 1958.

Davidson, Roger H. *The Role of the Congressman.* New York: Pegasus, 1969.

Denton, Charles F. *Patterns of Costa Rican Politics.* Boston: Allyn and Bacon, 1971.

Denton, Charles F. *La Política del Desarrollo en Costa Rica.* San José: Editora Novedades, 1969.

Dos Santos, Theotonio y otros. *La Crisis del Desarrollismo y la Nueva Dependencia.* Lima: Instituto de Estudios Peruanos, Editorial Monclea Campodónico, 1969.

Easton, David. *A system Analysis of Political Life.* Nueva York: John Willey and Sons, Inc., 1965.

Edelman, Alexander T. *Latin American Government and Politics.* Rev. Ed.: Homewood, Illinois: Dorsey Press, 1969.

Edwards, Alba E. *Comparative Occupational Statistics for the United States, 16th Census, 1940.* Washington: U. S. Government Printing Office, 1943.

English, Burt H. *Liberación Nacional in Costa Rica: The Development of a Political Party in a Transitional Society.* Gainesville: University of Florida Press, 1971.

Epstein, Leon D. *Political Parties in Western Democracies.* Londres: Pall Mall Press, 1967.

Eulau, Heinz and Sprague, John S. *Lawyers in Politics.* Indiannapolis: Bobbs Merril, 1964.

Facio Brenes, Rodrigo. *Estudio sobre Economía Costarricense.* San José: Editorial Costa Rica, 1972.

Fernández Guardia, Ricardo. *La Independencia.* San José: Publicaciones de la Universidad de Costa Rica, 1971.

Fernández, Julio A. *The Political Elite in Argentina.* New York: New York University Press, 1970.

Frank, Elke. *Lawmakers in a Changing World.* Englewood Cliffs, N. J.: Prentice Hall Inc., 1966.

Frey, Frederick W. *The Turkish Political Elite.* Cambridge, Massachusetts: The M.I.T. Press, 1965.

Friedrich, Carl J., *Constitutional Government and Democracy.* Boston: Gin & Company, 1950.

Furtado, Celso y otros: *La Dominación en América Latina.* Buenos Aires: Amorrurtu Editores, 1960.

Garro Jiménez, Joaquín. *La Derrota del Partido Liberación Nacional.* San José: Imprenta Vargas, 1958.

Garro Jiménez, Joaquín. *Veinte Años de Historia Chica.* San José: Imprenta Vargas.

Gerth, H. H. y Wright Mills. *From Max Weber.* New York, 1958.

Gil, Federico G. *Instituciones y Desarrollo Político de América Latina.* Buenos Aires, Argentina: Intal, 1966.

Glass, D. V. ed. *Social Mobility in Britain.* Londres: Routledge and Kegan Paul Ltd., 1954.

Goldrich, Daniel. *Sons of the Establishment: Elite Youth in Panama and Costa Rica.* Chicago, Illinois: Rand McNally and Company, 1966.

González Víquez, Cleto. *Capítulos de un Libro sobre la Historia Financiera de Costa Rica.* San José, 1966.

Graciarena, Jorge. *Poder y Clases Sociales en el Desarrollo de América Latina.* Buenos Aires, Argentina: PAIDOS, 1967.

Greenstein, Fred I. *The American party System and the American People.* Englewood Cliffs, New Jersey: Prentice Hall, Inc., 1963.

Gunder, Frank André, *Capitalism and Underdevelopment in Latin America.* Nueva York: Monthly Review Press, 1967.

Guttsman, W. L. *The British Political Elite.* Londres: MacGibbon and Kee, 1965.

Hagen, Evertt E. *On the Theory of Social Change.* Homewood, Illinois: The Dorset Press, 1963.

Halperín, Tulio. *Historia Contemporánea de América Latina.* Madrid: Alianza Editorial, 1969.

Heath, Dwight *Contemporary Cultures and Societies of Latin America.* Nueva York: Randon House, 1973.

Herrera, Adolfo y otros. *Partido Vanguardia Popular: Breve Esbozo de su Historia.* San José: Ediciones Revolución, 1971.

Hirschman, Albert O. *Journeys Toward Progress.* Garden City: Anchor Books, 1965.

Hodges, Harold M. *Social Stratification Class in America.* Cambridge, Mass.: Schenkma Co., 1964.

Imáz, José Luis de. *Los que Mandan.* Buenos Aires, Argentina: Eudeba, 1964.

Irish, Mariano D. and James W. Prothro. *The Politics of American Democracy*. Englewood Cliffs, New Jersey: Prentice Hall, Inc., 1965.

Jaguaribe, Helio y otros. *La Dominación en América Latina.* Lima: Francisco Moncloa Editores. 1968.

Jaguaribe, Helio y otros. *La Dependencia Político-Económica de América Latina* México: Editorial Siglo XXI, 1969.

Jewell, Malcolm and Samuel C. Patterson. *The Legislative Process in the United States.* New York: Random House, 1966.

Johnson, John J. *Continuity and Change in Latin America.* California: Standford University Press, 1967.

Jones, Chester. *La República de Costa Rica y la Civilización en el Caribe.* San José: Imprenta Borrasé, 1940.

Kantor, Harry. *The Costa Rican Election of 1953: A Case of Study.* Gainesville: University of Florida Press, 1958.

Kantor, Harry. *Patterns of Politics and Political Systems in Latin America.* Chicago: Rand McNally & Company, 1969.

Kahl, Joseph. *The American Class Structure.* Nueva York: Rinehart Co., 1957.

Kaufman, Herbert. *Politics and Policies in State and Local Governments.* Englewood Cliffs, New Jersey: Prentice Hall, 1963.

Keefe, William J. y Morris S. Ogul. *The American Legislative Process: Congress and the States*. Englewood Cliffs, New Jersey: Prentice Hall Inc., 1964.

Kornberg, Allan y Musolf, Lloyd D. *Legislatures in Developmental Perspective.* Durham, N. C.: Duke University Press, 1970.

Lambert, Jacques. *Latin America: Social Structures and Political Institutions.* Berkeley y Los Angeles: University of California Press, 1969.

Lanni, Octavio *Imperialismo y Cultura de la Violencia en América Latina.* México: Editorial Siglo XXI, 1972.

LaPalombara, Joseph. *Interest Groups in Italian Politics.* Princeton: Princeton University Press, 1964.

Láscaris, Constantino. *Desarrollo de las Ideas Filosóficas en Costa Rica.* San José: Editorial Costa Rica, 1965.

Lasswell, H. D. *Analysis of Political Behavior.* Londres: Routledge and Kegan Paul Ltd., 1948.

Leiserson, Avery. *Parties and Politics: An Institutional and Behavioral Approach.* Nueva York: Alfred A. Knopf, 1958.

Lipset, Seymour Martin and Aldo Solari, eds. *Elites in Latin America.* Nueva York: Oxford University Press, 1967.

Lipset, Seymour M. and Reinhard Bendix. *Social Mobility in Industrial Society.* Berkeley and Los Angeles: University of California Press, 1967.

Lynd, Robert S. y Helen M. *Middletown.* Nueva York, Harcourt, Brace & Co., 1929.

MacRae Jr., Duncan. *Parliament, Parties and Society in France: 1946-1958.* Nueva York: St. Martin's Press, 1967.

Marín Cañas, José. *Julio Sánchez Lépiz.* San José: Ministerio de Cultura, Juventud y Deportes, 1972.

Martz, John D. *The Dynamics of Change in Latin American Politics.* Englewood Cliffs, New Jersey: Prentice Hall, Inc., 1965.

Marx, Karl. *El 18 Brumaro de Luis Bonaparte.* Barcelona: Ediciones Ariel, 1968

Matthews, Donald R. *U. S. Senators and Their World.* Nueva York: Random House, 1960.

Matthews, Donald R. *The Social Background of Political Decision-Makers.* Garden City: Doubleday & Company, 1954.

McDonald, Ronald H. *Party Systems and Elections in Latin America.* Chicago: Markham Publishing Company, 1971.

Meléndez, Carlos. *Dr. José María Montealegre.* San José: Imprenta Nacional, 1968

Mills, C. Wright. *The Power Elite.* Nueva York: Oxford University Press, 1959.

Mocer, C. A. & Hall, J. R. *The Social Grading of Occupations.*

Monge Alfaro, Carlos. *Historia de Costa Rica.* 7a. ed. San José: Imprenta Las Américas, 1955.

Montesquieu, Charles. *The Spirit of Law.* Traducción al inglés de Thomas Nugent. Enciclopedia Británica, Grandes Libros del Mundo Occidental. Londres: William Benton, 1952.

Mora, Niní de. *El Desarrollo Nacional en 150 años de Vida Independiente.* San José: Publicaciones de la Universidad de Costa Rica, 1970.

Navarro Bolandi, Hugo. *La Generación del 48.* México, D. F.: Ediciones Humanismo, 1967.

Needler, Martin C. *Political Systems of Latin America*. Princeton, N. J.: D. Van Nostran Company, Inc., 1964.

Nettl, J. P. *Political Mobilization: A Sociological Analysis of Methods and Concepts*. Londres: Faber and Faber Ltd., 1967.

Neumann, Sigmund. *Modern Political Parties: Approach to Comparative Politics*. Chicago: University of Chicago Press, 1966.

Obregón Loría, Rafael. *Conflictos Militares y Políticos en Costa Rica*. San José: Imprenta Nacional, 1951.

Obregón Loría, Rafael. *Los Rectores de la Universidad de Santo Tomás de Costa Rica*. San José: Publicaciones de la Universidad de Costa Rica, 1958.

Obregón Loría, Rafael. *El Poder Legislativo en Costa Rica*. San José: Asamblea Legislativa, 1966.

Oduber, Daniel. *Una Campaña*. San José: Editorial Eloy Morúa Carrillo, 1967.

Oppenheim, A. N. *Questionnaire Design and Attitude Measurement*. Nueva York: Basic Books, Inc., 1966.

Oreamuno, Yolanda. *A lo Largo del Corto Camino*. San José: Editorial Costa Rica.

Partido Liberación Nacional. *Estatutos*. San José: Mimeografiado, 1969

Parker, Franklin D. *The Central American Republics*. Londres: Oxford University Press, 1964.

Parson, Talcott. *The Social System*. Glencoe, Illinois: The Free Press, 1951.

Patterson, Samuel C. *American Legislative Behaviour: A Reader*. Princeton: D. Van Nostrand Company, Inc., 1968.

Peabody, Robert L. y Nelson W. Polsby. *New Perspectives on the House of Representatives*. Chicago: Rand McNally and Company, 1969.

Peralta, Hernán G. *Don Rafael Yglesias*. San José: Editorial Costa Rica, 1968.

Petras, James. *Politics and Social Structure in Latin America*. Nueva York: Monthly Review Press, 1970.

Pierson, William y Federico Gil. *Governments of Latin America*. Nueva York: McGraw Hill, 1957.

Polsby, Nelson W. *Community Power and Political Theory*. New Haven: Yale University Press, 1963.

Polsby, Nelson W. *Congressional Behaviour.* Nueva York: Random House, 1971.

Porter, John. *The Vertical Mosaic.* Toronto: University of Toronto Press, 1965.

Pulzer, Peter G. J. *Political Representation and Elections in Britain.* Londres: George Allen and Unwin Ltd., 1967.

Pye, Lucian W. *Aspects of Political Development.* Boston: Little, Brown and Company, 1966.

Quijano, Alberto. *Costa Rica Ayer y Hoy.* San José, 1939.

Ranney, Austin. *The Doctrine of Responsible Party Government.* Urbana: University of Illinois Press, 1962.

Reiss, A. J., Jr. *Occupations and Social Status.* New York, 1961.

Riggs, Fred W. *Administration in Developing Countries: The Theory of Prismatic Society.* Boston: Houghton-Mifflin Co., 1964.

Rodríguez Vega, Eugenio. *Apuntes para una Sociología Costarricense.* San José: Editorial Universitaria, 1953.

Rose, Arnold M. *The Power Estructure: Political Process in American Society.* Nueva York: Oxford University Press, 1967.

Saloma, John S. III. *Congress and the New Politics.* Boston: Little, Brown and Company, 1964.

Sancho, Mario. *Costa Rica, Suiza Centroamericana.* San José: Talleres Tipográficos La Tribuna, 1935.

Schelsinger, Joseph A. *Ambition and Politics: Political Careers in the United States.* Chicago, Illinois: Rand McNally and Company, 1966.

Schmitt, Karl M. y Burks, David D. *Evolution or Chaos.* New York: Frederick A. Praeger, 1963.

Stephenson, Paul C. *Costa Rican Election Factbook, February 6, 1966.* Washington, D. C.: Institute for the Comparative Study of Political Systems, 1966.

Steward, Watt. *Keith y Costa Rica.* San José: Editorial Costa Rica, 1967.

Taussing, F. W. & Joslyn C. S. *American Bussines Lead* New York: McMillan Co., 1932.

Tocqueville, Alexis de. *Democracy in America.* Nueva York: Vintage Books, 1956.

Torres Rivas, Edelberto. *Interpretación del Desarrollo Social Centroamericano.* San José: EDUCA, 1971.

Truman, David. *The Governmental Process.* Nueva York: Alfred Knopf, 1951.

Unamuno, Miguel de. *Ensayos.* Madrid: Editorial Aguilar, 1962.

Veliz, Claudio ed. *Obstacles to Change in Latin America.* Londres: Oxford University Press, 1968.

Volio, Marina. *Jorge Volio y el Partido Reformista.* San José: Editorial Costa Rica, 1972.

Wahlke, John C., Heinz Eulau y otros. *The Legislative System.* Nueva York: John Willey and Sons, Inc., 1962.

Warner, W. Lloyds y otros. *Social Class in America: A Manual for Procedure for the Measurement of Social Status.* Chicago: Science Research Associates, 1949.

Weber, Max. *The Theory of Social and Economic Organization.* Nueva York: Oxford University Press, 1947.

Weber, Max. *Politics as a Vocation, from Max Weber: Essays in Sociology.* Londres: Routledge & Kegan Ltd., 1967.

Wheare, K. C. *Legislatures.* Nueva York: Oxford University Press, 1963.

Wilson, L. & Kolb W. L. *Sociological Analysis.* New York: Harcourt, Brace & Co., 1949.

Wolfinger, Raymond E. ed. *Readings in American Political Behaviour.* Englewood Cliffs, New Jersey: Prentice Hall, Inc., 1970.

Wolfinger, Raymond E. *Readings in Congress.* Englewood Cliffs, New Jersey: Prentice Hall, Inc., 1971.

Artículos y Revistas

Agor, Weston H. "Introduction", en Weston H. Agor, ed. *Latin American Legislatures: Their Role and Influence.* Nueva York: Praeger Publishers, 1971.

Agor, Weston H. "The Senate in the Chilean Political System", en Allan Kornberg y Lloyd D. Musolf, eds., *Legislatures in Development Perspective.* Durham: Duke University Press, 1970.

Agger, Robert E. "Lawyers in Politics: The Starting Point for A new Research Programme", de *Temple Law Quarterly*, XXIX, verano, 1956.

Anderson, Chalres W. "Politics and Development Policy in Central America", en Robert D. Tomasek, ed. *Latin American Politics.* Nueva York: Doubleday and Company, Inc., 1966.

Astiz, Carlos A. "The Decay of Latin American Legislatures", en Allan Kornberg, ed. *Legislatures in Comparative Perspective.* Nueva York: David McKay Co., 1973.

Bachrach, Peter and Morton Baratz. "Two Faces of Power". *American Political Science Review.* 56 (diciembre 1962), pp. 947-952.

Baerwald, Hans. "Review of Legislatures in Developmental Perspective", ed. por Allan Kornberg y Lloyd D. Musolf, *American Political Science Review.* 66 (marzo, 1972), p. 248.

Baker, Christopher E. "The Costa Rica Legislative Assembly: A Preliminary Evaluation of the Decisional Function", en Weston H. Agor, ed. *Latin American Legislatures: Their Role and Influence.* Nueva York: Praeger Publishers, 1971.

Balutis, Alan P. "Legislative Security: An Overview", en James J. Heaphey, ed., *Legislative Security*. Albany: Research Center, Graduate School of Public Affairs, State University of New York at Albany, 1972.

Bodenheimer, Suzanne. "The Social Democratic Ideology in Latin America: The Case of Costa Rica's Partido Liberación Nacional" *Caribbean Studies*. 10 (octubre, 1970), pp. 49-96.

Bodenheimer, Suzanne. "The Bankruptcy of the Social Democratic Movement in Latin America", *New Politics.* 8 (invierno, 1969), pp. 40-61.

Boynton, G. R. y otros. "The Missing Links in Politics: Attentive Constituyents", *Journal of Politics.* 31 (agosto, 1969), pp. 700-721.

Bryce, James. "The Decline of Legislatures" en Gerhard Lowewnberg, ed. *Modern Parliaments.* Chicago: Aldine-Atherton, 1971.

Cañas, Alberto F. "Chisporroteos", *La República*, 12 de diciembre de 1967. p. 9.

Centers, Richard. "Social Class, Occupation and Imputed Belief".*American Journal of Sociology*, LVIII (mayo, 1953).

Constantini, Edmond y Craik, Kenneth H. "Competing Elites Within a Political Party: A Study of Republican Leadership", *The Western Political Quarterly*, Vol. XXII, No. 4 (diciembre, 1969), pp. 879-903.

Counts, George S. "The Social Status of Occupations: A Problem in Vocational Guidance", *School Review*, XXXIII (enero, 1925).

Creedman, Theodore S. "The 1970 Costa Rican Election", *SELA*, 13 (marzo, 1970), pp. 3-4.

Davidson, Percy E. & Anderson H. Dewey. "Occupational Mobility in an American Community". Stanford: *Stanford University Press*, 1937.

Davies A. F. "Prestige of Occupations". *British Journal of Sociology*. III, Junio, 1952.

Derge, David R. "The Lawyer in the Indiana General Assembly", de Midwest Journal of Political Science, No. 6 (febrero, 1962).

Derge, David R. "The Lawyer as Decision Maker in the American State Legislature", de The Journal of Politics, Vol. 21, 1959 y "The Lawyer in the Indiana General Assembly" *Midwest Journal of Political Science* (VI febrero, 1962).

Duff, Ernest a. "The Role of Congress in the Colombian Political System", en Weston H. Agor, ed., *Latin American Legislatures: Their Role and Influence*. Nueva York: Praeger Publishers, 1971.

Durkheim, Emile "The Division of Labor in Society" (traducido por George Simpson). Glencoe: The Free Press, 1947.

Edinger, Lewis J. "Political Science and Political Biography: Reflections on the Study of Leadership", *The Journal of Politics*, Vol. 26 (mayo, 1964).

Eulau, Heinz y Katherine Hinckley. "Legislative Institucions and Processes", en James A. Robinson, ed., *Political Science Annual*. Indianapolis: Bobbs-Merril Co., 1966.

Fennell, Lee C. "Congress in the Argentine Political System", en Weston H. Agor, ed., *Latin American Legislatures: Their Role and Influence*. Nueva York: Praeger Publishers, 1971.

Fitzgibbon, Russell H. y Kenneth F. Johnson. "Measurement of Latin American Political Change", en Peter G. Snow, ed., *Government and Politics in Latin America*. Nueva York: Holt, Rinehart and Winston, 1967.

Fonseca Tortós, Eugenio. "Estratificación Social: Algunos Aspectos de la Movilidad Social y Planificación Familiar", San José, Costa Rica: *Centro de Estudios Sociales y de Población* (CESPO), 1971.

Frey, Frederick W. "Comment: On Issues and Nonissues in the Study of Power", *The American Political Science Review*, Vol. LXV, No. 4 (diciembre, 1971).

Frey, Frederick W. "Cross-Cultural Research in Political Science", en Robert T. Holt y John E. Turner, eds., *The Methodology of Comparative Research*. Nueva York: The Free Press, 1970.

Goldking, Victor. "Sociocultural Contrasts in Rural and Urban Settlement Types in Costa Rica", *Rural Sociology*, 26 (junio, 1961), pp. 365-380.

Gómez B., Miguel. "Costa Rica: Situación Democráfica y Perspectivas Alrededor de 1970", San José, Costa Rica: *Asociación Demográfica Costarricense*, 1971.

Gutiérrez, Carlos José. "Las Bases de la Realidad Social Costarricense", *Revista de Filosofía de la Universidad de Costa Rica*, No. 3 (Enero-junio, 1961).

Gutiérrez, Carlos José, "Libertad, Derecho y Desarrollo Político", *Revista de Ciencias Jurídicas*, 1 (mayo, 1963).

Gutiérrez, Carlos José, "Los Jueces de Costa Rica: Hipótesis y Sugerencias para su Estudio", California, (julio, 1972).

Hall, John y D. Caradog Jones. "The Social Grading of Occupations", *British Journal of Sociology* (marzo, 1950).

Hart, Henry C. "Parliament and Nation-Building: England and India", en Gerhard Loewenberg, ed., *Modern Parliaments*. Nueva York: Aldine-Atherton, 1971.

Hatt, Paul K. "Occupation and Social Estratification", *American Journal of Sociology*, LV (mayo, 1950).

Hatt, Paul K. "Stratification in the Mass Society", *American Sociological Review*, XV (Abril, 1950).

Heiberg, Robert. "Social Background of the Minnesota Supreme Court", *Minnesota Law Review*, Vol. VIII, 1968-1969.

Hennessey, Bernard. "On the Study of Party Organization", en William J. Crotty, ed., *Approaches to the Study of Party Organization*. Boston.

Hennis, Wilhelm. "Reform of the Bundestag: The Case for General Debate", en Gerhard Lowenberg, ed., *Modern Parliaments*. Chicago: Aldine-Atherton, 1971.

Holden, David E. W. "La Estructura del Liderazgo y sus características en una Comunidad de Costa Rica", San José, Costa Rica: *Instituto de Tierras y Colonización.* (sin fecha).

Hoskin, Gary. "Dimensions of Representation in the Colombian National Legislature", en Weston H. Agor, ed., *Latin American Legislatures: Their Role and Influence.* Nueva York: Praeger Publishers, 1971.

Hunt, William H., Wilder W..Crane and John C. Wahlke. "Interviewing of Political Elites in Cross-Cultural Comparative Research", Samuel C. Patterson ed., *American Legislative Behaviour.* Princeton: D. Van Nostrand Co., Inc., 1968.

Huntington, Samuel. "Political Development and Political Decay", *World Politics*, 17 (abril, 1965), pp. 386-430.

Ingram, Helen. "The Impact of Constituency on the Process of Legislating", *The Western Political Quarterly*, Vol. XXII, No. 2 (junio, 1969), pp. 265-279.

Inkeles, Alex y Rossi Peter. "National Comparisons of Occupational Prestige", *American Journal of Sociology*, LXI (enero, 1956).

Jacob, Herber, "Initial Recruitment of Elected Officials in the U.S.A. Model", *The Journal of Politics*, Vol. 24, 1962.

Janowitz, Morris. "Social Stratification and the Comparative Analysis of Elites", *Social Forces*, VI (October, 1956).

Kahl, Joseph A. y Davis James A. "A comparison of Indexes of Socio-Economic Status", *American Sociological Review*, 20 (junio, 1955).

Keefe, William Jr. "The Functions and Powers of the State Legislatures", Alexander Herad, ed., *State Legislatures in American Politics.* Nueva York: Prentice Hall, Inc., 1966.

Kelley, R. Lynn. "The Role of the Venezuelan Senate", Weston H. Agor, ed., *Latin American Legislatures: Their Role and Influence.* Nueva York: Praeger Publishers, 1971.

Kling, Merle. "The State of Research in Latin America: Political Science", en Charles Wagley, ed., *Social Science Research in Latin America.* Nueva York: Columbus University Press, 1964.

Kornberg, Allan "Parliament in Canadian Society", Allan Kornberg y Lloyd D. Musulf, eds., *Legislatures in Developmental Perspective.* Durham: Duke University Press, 1970.

Kornberg, Allan. "The Rules of the Game in the Canadian House of Commons", *Journal of Politics*, 26 (mayo, 1964), pp. 358-380.

La Palombara, Joseph. "Persimony and Empiricism in Comparative Politics: An Anti-Scholastic View", en Robert T. Holt y John E. Turner, eds., *The Methodology of Comparative Research*. Nueva York: The Free Press, 1970.

Lehnen, Robert G. "Behavoir on the Senate Floor: An Analysis of Debate in the United States Senate", *Midwest Journal of Political Science*, 11 (noviembre, 1967), pp. 505-521.

Lenski, Gerhard E. "American Social Classes: Statistical Strata or Social Groups", *American Journal of Sociology*, 58.

Lewis, Edward G. "Social Backgrounds of French Ministers, 1944-1967", *The Western Political Quarterly*, Vol. XXIII, No. 3 (setiembre, 1970), pp. 564-578.

Lindberg, Leon N. "The Role of the European Parliament, in an Emerging European Community", en Elke Frank, ed., *Lawmakers in a changing world.*

Loewenberg, Gerhard. "Comparative Legislative Research", Samuel C. Patterson and John C. Wahlke, eds., *Comparative Legislative Behavior: Frontiers of Research.* Nueva York: John Wiley and Sons, Inc., 1972.

Loewenberg, Gerhard. "The Role of Parliaments in Modern Political Systems", in Gerhard Loewenberg, ed., *Modern Parliaments.* Chicago: Aldine-Atherton, 1971.

Martz, John D. "Costa Rican Electoral Trends, 1953-1966", *Western Political Quarterly*, 20 (diciembre, 1967), pp. 888-908.

Marx, Karl. "Estatutos", *Partido Liberación Nacional*, San José: Mimeografiado.

Mecham, J. Lloyd. "Latin American Constitutions: Nominal and Real", *Journal of Politics*, 21 (mayo, 1959). pp. 258-275.

Meller, Norman. "The Identification and Classification of Legislatures", *Phillipine Journal of Public Administration*, 10 (octubre, 1966), pp. 308-319.

Meller, Norman. "Legislative Behaviour Research, revisited: A Review of Five Years' Publications", *Western Political Quarterly*, 18 (diciembre, 1965) pp. 776-793.

Mocer, C. A. & Hall J. R., "The Social Grading of occupations", in *Social Mobility in Britain*, London: Routledge.

Moneypenny, Phillip. "Introduction", in H. R. Mahood, ed., *Preassure Groups in American Politics.* Nueva York: Charles Scribner's Sons, 1967.

La Nación, 4 de setiembre de 1970, p. 18.

Nati nal Opinion Research Center. "Jobs and Occupations: A Popular evaluation", *Opinion News*, IX, 1947.

Needler, Martin. "Mexico: Revolution as a Way of Life", en Martin Needler, ed., *Political Systems of Latin America.* Princeton: D. Van Nostrand, Co., Inc., 1964.

North, C. C. y Hatt P. K., "Jobs and Occupations: A Popular Evaluation", *Public Opinion News.* (9 de setiembre de 1947).

Obregón Loría, Rafael. "Nuestra Historia Patria: Los Primeros Días de Independencia", San José: *Serie Historia y Geografía*, No. 10. Publicaciones de la Universidad de Costa Rica, 1971.

Oduber, Daniel. "Oduber Revela cómo se escogen los Diputados", *La Nación*, Octubre 11, 1971, p. 8.

Packenham, Robert A. "Legislatures and Political Development", Allan Kornberg y Lloyd D. Musolf, eds. *Legislatures in Developmental Perspective.* Durham: Duke University Press, 1970.

Patterson, Samuel C. "Comparative Legislative Behaviour", *Midwest Journal of Political Science,* 12 (noviembre, 1968), pp. 599-616.

Polsby, Nelson W. "The Institutionalization of the United States House of Representatives", *American Political Science Review*, 62 (marzo, 1968). pp. 144-168.

Portes, Alejandro. "Society's Perception of the Sociologist and Its Impact on Cross National Research", *Rural Sociology*, Vol. 37, No. 1 (marzo, 1972) pp. 27-42.

Portes, Alejandro. "Urbanization and Politics in Latin America", *Social Science Quarterly*, (diciembre, 1971), pp. 697-720.

Ranis, Peter. "Profile Variables Among Argentine Legislators", Weston H. Agor, ed., *Latin American Legislatures: Their Role and Influence.* Nueva York: Praeger Publishers, 1971.

Reissman, Leonard. "Class in American Society", Nueva York: *The Free Press*, 1956.

Revista de Ciencias Jurídicas, Suplemento 17 (junio, 1971).

Rogoff, Natalie. "Recent Trends in Occupational Mobility", Glencoe: *The Free Press*, 1953.

Rosensweig, Robert M. "The Politician and the Career in Politics", *Midwest Journal of Political Science*, 1957, pp. 163-172.

Scheman, Ronald. "El Origen Social y Económico de los Jueces Brasileños", *Revista Jurídica Interamericana*, Vol. 4, 1962.

Schlesinger, Joseph A. "Lawyers and American Politics: a Clarified View", *Midwest Journal of Political Science*, 1957, pp. 26-39.

Schmidhauser, John R. "The Justices of the Supreme Court: A Collective Portrait", *Midwest Journal of Political Science*, III, 1959.

Scott, Robert E. "Legislatures and Legislation", Harold E. Davis, ed., *Government and Politics in Latin America.* Nueva York: The Ronald Press, Co., 1958.

Singhvi, L. M. "Parliament in the Indian Political System", Allan Kornberg y Lloyd D. Musolf, eds., *Legislatures in Developmental Perspective.* Durham: Duke University Press, 1970.

Stavenhagen, Rodolfo. "Seven Erroneous Thesis About Latin America", in *Latin American Radicalism*, de Irving, Louis Horowits y otros, Nueva York Random House, 1969.

Stauffer, Robert B. "Congress in the Phillipine Political System", Allan Kornberg y Lloyd D. Musolf, eds., *Legislatures in Developmental Perspective*. Durham: Duke University Press, 1970.

Stauffer, Robert B. "A Legislative Model of Political Development", *Phillipine Journal of Public Administration*, 11 (enero, 1967), pp. 3-12.

Stauffer, Robert B. "Phillipine Legislators and Their Changing Universe", *Journal of Politics*, 28 (agosto, 1966), pp. 556-597.

Stokes, William S. "Parliamentary Government in Latin America", *American Political Science Review*, 39 (setiembre, 1945), pp. 522-535.

Stone, Samuel. "Algunos Aspectos de la Distribución del Poder Político en Costa Rica", *Revista de Ciencias Jurídicas*. 17 (junio, 1971), pp. 105-130.

Stone, Samuel. "Aspects of Power Distribution in Costa Rica", en Dwight D. Heath, ed., *Contemporary Societies and Cultures of Latin America*, ed., rev., Nueva York: Random House, por salir.

Stone, Samuel. "Inversiones Industriales en Costa Rica", *Revista de Ciencias Sociales*, No. 7, (abril, 1973). San José: Universidad de Costa Rica, 1973.

Styskal, Richard A. "Phillipines Legislators", Reception of Individuals and Interest Groups in the Legislative Process", Herbert Hirsch y M. Donald Hancock, eds., *Comparative Legislative Systems.* Nueva York: The Free Press, 1971.

Tomasek, Robert D. "Costa Rica", Ben C. Burnett y Kenneth F. Johnson, eds., *Political Forces in Latin America*. Belmont: Wadsworth Publishing Co., Inc., 1968.

Tuckman J. "Social Status of Occupation in Canada", *Canadian Journal of Psychology* I (junio, 1947).

Ulmer, Sidney S. "Public Office in the Social Background of Supreme Court Justices", *American Journal of Economics and Sociology*, XXI, 1962.

Vega, José Luis. "Etapas y Procesos de la Evolución Socio-Política de Costa Rica", San José: *Revista de Estudios Centroamericanos*, No. 1, Universidad de Costa Rica.

Wahlke, John C. "Policy Demands and System Support: The Role of the Represented", en Gerhard Loewenberg, ed., *Modern Parliaments*. Chicago: Aldine-Atherton, 1971.

Weisenfeld, Lorin. "La Ley de Desarrollo y Protección Industrial de 1959: El Proceso de su Creación", *Revista de Ciencias Jurídicas*, 14 (diciembre, 1969), pp. 41-111.

Wells, Henry. "The 1970 Election in Costa Rica", *World Affairs*, 3 (junio, 1970), pp. 13-27.

Wells, Richard S. "The Legal Profession and Politics", de *Midwest Journal of Political Science*, 1957.

Welsh, William A. "Methodological Problems in the Study of Political Leadership in Latin America", *Latin American Research Review*, Vol. 5, No. 3, (otoño, 1970), pp. 3-33.

Welsh, William A. "Toward Effective Typology Construction in the Study of Latin American Political Leadership", *Comparative Politics*, Vol. 3, No, 2, (enero, 1971), pp. 271-280.

Yochelson, John. "What Price Political Stability? The 1966 Presidential Campaign", *Public Administration and International Affairs*, 11 (primavera, 1967), pp. 279-307.

Documentos Estatales

Costa Rica, Asamblea Legislativa. *Actas de Comisiones de la Asamblea Legislativa.* 1966-1968.

Costa Rica, Asamblea Legislativa. *Actas de Plenario de la Asamblea Legislativa.* 1966-1968.

Costa Rica, Asamblea Legislativa. *Boletín Legislativo*, 1966-1968.

Costa Rica, Asamblea Legislativa. *Constitución Política de la República de Costa Rica.* San José: Imprenta Nacional, 1968.

Costa Rica, Asamblea Legislativa. *Reglamento de Orden, Dirección y Disciplina Interior.* San José: Imprenta Nacional, 1970.

Costa Rica, Ministerio de Gobernación. *División Territorial Administrativa de la República de Costa Rica.* San José: Imprenta Nacional, 1967.

Costa Rica, Ministerio de Industria y Comercio. Dirección General de Estadísticas y Censos. *Censo de Población 1963.* San José: Sección de Publicaciones. Dirección General de Estadística y Censos, 1966.

Costa Rica, Ministerio de Economía, Industria y Comercio. *Sétima encuesta de Hogares por Muestreo.* San José: Dirección General de Estadística y Censos, 1971.

Costa Rica, Oficina de Presupuesto. *Manual de Organización de la Administración Pública.* San José: Imprenta Nacional, 1962.

Costa Rica, Secretaría General de Gobierno. *Los Vetos del Presidente Echandi, sus razones y justificaciones.* San José: Imprenta Nacional, 1962.

Costa Rica, Tribunal Supremo de Elecciones. *Ley Orgánica del Registro Civil y Código Electoral Promulgadas en el Año 1952.* San José: Imprenta Nacional, 1961.

Costa Rica, Tribunal Supremo de Elecciones. *Ley Orgánica del Tribunal Supremo de Elecciones y del Registro Civil: Código Electoral y Otras Disposiciones Conexas.* San José: Imprenta Nacional, 1969.

Costa Rica, Tribunal Supremo de Elecciones. Cómputos de Votos y Declaratorias de Elección para Presidentes y Vicepresidentes, Diputados a la Asamblea Legislativa, Regidores y Síndicos Municipales. San José: Tribunal Supremo Electoral, 1969.

Otros Materiales

Aguilar, Alejo. *Análisis Estadístico de las Elecciones de Costa Rica: 1926-1966.* San José, 1969. (documento mimeografiado).

Baaklini, Abdo I. *Legislatures and Political Development: Lebanon 1840-1970.* Tesis doctoral, State University of New York at Albany, 1972.

Baker, Christopher. *Costa Rican Legislative Behaviour in Perspective.* Tesis doctoral inédita, University of Florida, 1973.

Campbell, John D. *Subjective Aspects of Occupational Status.* Tesis doctoral, Universidad de Harvard, 1952.

Carvajal Herrera, Mario. *Political Attitudes and Political Change in Costa Rica: A Comparison of the Attitudes of Leaders and Followers with Respect to Regime Values and Party Identification.* Tesis doctoral, University of Kansas, 1972.

Cerdas, Matilde. "La Dictadura del Lic. Braulio Carrillo (1838-1942)". San José: *Tesis de Grado*, 1972.

Cerdas, Rodolfo. *La Formación del Estado en Costa Rica.* Tesis de Grado, San José: Editorial Universitaria, 1967.

Chacón Jinesta, Oscar, "El Poder Legislativo Costarricense". *Tesis de Grado*, Universidad de Costa Rica, n.d.

Choudhury, Rafiquil Islam. *Recruitment of Political Elite and Political Development in India and Nigeria.* Tesis doctoral, University of Oregon, 1967.

Costa Rica, Ministerio de Industria y Comercio, Dirección General de Estadística y Censos. *Censo de Población 1950, 1973.* (Datos preliminares). San José: Sección de Publicaciones, Dirección General de Estadística y Censos.

Creedman, Theodore S. *The Political Development of Costa Rica, 1936-1944: Policies of an Emerging Welfare State in a Patriarchal Society.* Tesis doctoral, University of Maryland, 1971.

Cullinan, Neil M. *Candidate Recruitment within the Costa Rica "Partido Liberación Nacional".* Tesis doctoral, University of Georgia, 1971.

Denton, Charles F. *The Politics of development in Costa Rica.* Tesis doctoral, University of Texas, 1969.

Dix, Robert H. *Opposition and Development in Latin America.* Trabajo presentado en la 63a. Reunión Anual de la American Political Science Association, Chicago, 5 a 7 de setiembre de 1967.

Fishman Zonzinski, Luis. "Participación del Abogado en los Supremos Poderes: 1948-1971". *Tesis de Grado*, Universidad de Costa Rica, 1972.

Gardner, John W. *The Costa Rican Junta of 1948-49.* Tesis doctoral, St. John's University, 1971. Inédita.

Han, Yung Chul. *Traditionalism and the Struggle for Political Modernization in Contemporary Korea; With Special Reference to the Development of Political Parties.* Tesis doctoral, New York University, 1966.

Kline, Harvey. *The Cohesion of Political Parties in the Colombian Congress: A Case Study of the 1968 Session.* Tesis doctoral, University of Texas at Austin, 1970.

Legg, Keith Raymond. *Political Recruitment in Greece.* Tesis doctoral, University of California, 1967.

Lizano Fait, Eduardo. "Don Oscar Arias Sánchez, Los Grupos de Presión y Desarrollo Nacional". Ensayo inédito, San José, 1973.

Matthews, Donald R. y James A. Stimson. "The Decision-Making Approach to the Study of Legislative Behaviour: The Example of the U. S. House of Representatives". Trabajo presentado en la 65a. Reunión Anual de la American Political Science Association, Nueva York, 2 a 6 de setiembre de 1969.

Mijeski, Kenneth J. *The Executive-Legislative Policy Process in Costa Rica.* Tesis doctoral, University of North Carolina, 1971.

Partido Liberación Nacional. Comisión de Investigación y Estadística. *Análisis de la Derrota de 1966.* San José, 1967 (documento mimeografiado).

Payne, James. *Patterns of Conflict in Colombia.* Tesis doctoral, University of California, 1967.

Petras, James. *Politics and Social Forces in Chilean Development.* Tesis doctoral, University of California, 1967.

Powell, Sandra S. *Social Structure and Electoral Choice in Chile, 1952-1964: A Study of Social and Political Change.* Tesis doctoral, Northwestern University, 1966.

Ruchelman, Leonard I. *Career Patterns of New York State Legislators.* Tesis doctoral, Columbia University, 1965.

Seibert, Robert F. *Changes in the Socio-Economic Composition of the Phillipine House of Representatives (1946-1965) as Indicators of Political Development.* Tesis doctoral, Tulane University, 1969.

Stephenson, Paul G. *Costa Rican Government and Politics.* Tesis doctoral, Emory University, 1965.

Stetson, Dorothy E. *Elite Political Culture in Costa Rica*, Tesis doctoral, Vanderbilt University, 1968.

Stone, Samuel. "La Dinastía de los Conquistadores. La Crisis del Poder en la Costa Rica Contemporánea". Tesis doctoral inédita, 1973.

Toharia, Juan José. "Cambio Social y Vida Jurídica en España, 1910-1970". Tesis doctoral inédita, Madrid, 1971.

Trudeau, Robert H. *Costa Rican Voting: Its Socio-Economic Correlates.* Tesis doctoral, University of North Carolina en Chapel Hill, 1971.

Wells, Henry. *"Party Finance in Costa Rica"*. Trabajo presentado en el 8° Congreso Mundial de la International Political Science Association, Munich, 1° de setiembre de 1970.

Worthington, Wayne L. *"The Costa Rican Public Security Forces: A Model Armed force for Emerging Nations"*. Tesis de maestría, University of Florida, 1966.

LISTA DE CUADROS

Cuadro / Página

Cuadro **Página**

Cuadro | Página

Cuadro **Página**

INDICE GENERAL

Página

Página

Este libro se terminó de imprimir en el mes de diciembre de 1984, en los talleres de Litografía e Imprenta LIL, S.A. Su edición consta de 3.000 ejemplares.